F 618 EDS (V.3)

L'éveil du sang

Le Royaume de Tobin

***

Lynn Flewelling

L'éveil du sang

Le Royaume de Tobin

∗ ∗ ∗

ÉDITIONS FRANCE LOISIRS

Titre original : *Hidden Warrior* (première partie).
Publié par Bantam.

Traduit de l'américain par Jean Sola.

Édition du Club France Loisirs,
avec l'autorisation des Éditions Pygmalion.

Éditions France Loisirs,
123, boulevard de Grenelle, Paris
www.franceloisirs.com

© Lynn Flewelling, 2003.
© Éditions Flammarion, département Pygmalion, 2004, pour l'édition en langue française.
ISBN 2-7441-8499-3

Pour mon père

L'ANNÉE SKALIENNE

I. SOLSTICE D'HIVER – Nuit du Deuil et Fête de Sakor ; observance de la nuit la plus longue et célébration du rallongement des jours ultérieurs.

    1. Sarisin : mise bas.

    2. Dostin : entretien des haies et des fossés. Semailles des fèves et des pois destinés à nourrir le bétail.

    3. Klesin : semailles de l'avoine, du froment, de l'orge (destinée au maltage), du seigle. Début de la saison de pôoho. Reprise de la navigation en pleine mer.

II. ÉQUINOXE DE PRINTEMPS – Fête des Fleurs à Mycena. Préparatifs en vue des plantations, célébration de la fertilité.

    4. Lithion : fabrication du beurre et du fromage (de préférence au lait de brebis). Semailles du chanvre et du lin.

    5. Nythin : labourage des terres en jachère.

    6. Gorathin : désherbage du maïs. Toilettage et tonte des moutons.

III. SOLSTICE D'ÉTÉ

7. Shemin : au début du mois, fauchage des foins ; à la fin, puis le mois suivant, pleine période des moissons.

8. Lenthin : moissons.

9. Rhythin : engrangement des récoltes. Labourage des champs et semailles du blé d'hiver ou du seigle.

IV. PLEINS GRENIERS – Fin des récoltes, temps des gratitudes.

10. Erasin : on expédie les cochons dans les bois se gorger de glands et de faines.

11. Kemmin : nouveaux labourages en vue du printemps. Abattage des bœufs et autres bêtes de boucherie, préparation des viandes. Fin de la saison de pêche. Les tempêtes rendent dangereuse la navigation hauturière.

12. Cinrin : travaux d'intérieur, battage inclus.

MYCENA
Keston
Foulquevïn
Nanta
MER INTÉRIEURE
TERRITOIRES SKALIENS
Tès
Cirna
Benshâl
Ero
SKALA
PLENIMAR
MER D'OSIAT
DÉTROIT DE BAL
MONTAGNES D'ASHEK
MONTAGNES D'ASHEK
Gedre
OCÉAN
GATHWAYD
Sarikali
AURÊNEN
N
O E
S

Carte par James Sinclair

Carte par James Sinclair

PREMIÈRE PARTIE

Si c'est en garçon terrifié que je m'étais enfui d'Ero, c'est me sachant fille, et fille dans une peau d'emprunt, que j'y retournai.

Dans la peau de Frère.

Après que Lhel m'eut montré les esquilles d'os dissimulées à l'intérieur de la vieille poupée de chiffon de ma mère et permis de jeter un coup d'œil sur mon véritable visage, je portai mon corps comme un masque. Ma véritable forme demeurait cachée derrière un léger voile de chair.

Ce qui se passa par la suite, je n'en ai jamais eu qu'une conscience on ne peut plus confuse. Je me rappelle être arrivée au camp de Lhel. Je me rappelle avoir regardé dans sa source avec Arkoniel et y avoir distingué cette fille effarée qui nous retournait nos regards.

Quand je me réveillai, fiévreuse et souffrante, dans ma propre chambre du fort, les seuls souvenirs que je conservais étaient les tiraillements de l'aiguille d'argent dans ma peau, plus quelques bribes décousues d'un rêve.

17

Je n'en étais pas moins heureuse encore de posséder les dehors d'un garçon. Cette satisfaction-là m'a duré longtemps. Et cependant, même à cette époque où j'étais si jeune et si désireuse de me refuser à admettre la réalité, c'étaient bel et bien les traits de Frère que me renvoyait mon miroir. Je n'avais à moi que mes yeux, mes yeux et, sur mon bras, la marque de naissance lie-de-vin. Elle et eux me forçaient à me remémorer mon visage authentique, celui que Lhel m'avait fait voir, reflété dans la surface à peine ridée de la source – ce visage qu'il m'était encore aussi impossible de tolérer qu'interdit de révéler.

C'est sous ce visage d'emprunt que j'allais saluer pour la première fois l'homme qui, bien à contrecœur, avait déterminé mon sort et celui de Frère et celui de Ki et celui d'Arkoniel lui-même, bien avant la naissance d'aucun d'entre nous.

1

Tout englué qu'il se trouvait encore sur la bordure de songes ténébreux, Tobin prenait conscience, petit à petit, du fumet qu'exhalait le bouillon de viande et d'une rumeur feutrée de voix indistinctes dans les parages. Trouant le noir à la manière d'un fanal, elles le firent émerger du sommeil. C'était la voix de Nari, ça. Que diable sa nourrice venait-elle fabriquer à Ero ?

Il ouvrit les yeux et se rendit compte avec un soulagement mêlé de perplexité qu'il occupait son ancienne chambre, au manoir. Installé près de la fenêtre ouverte, un brasero diffusait les motifs rougeoyants de son couvercle en cuivre criblé de trous. De la petite veilleuse de chevet émanait une lueur plus vive qui faisait danser plein d'ombres parmi les chevrons du plafond. Les draps du lit fleuraient la lavande et le grand air frais, tout comme la chemise de nuit qu'il portait. La porte était close, mais cela ne l'empêchait pas d'entendre toujours Nari qui bavardait tout bas, dehors, avec quelqu'un.

La cervelle encore engourdie de sommeil, il laissa son regard parcourir la pièce, tout au contentement pour l'instant d'être là, chez lui. Une poignée de ses sculptures en cire trônait sur le rebord de la fenêtre, et les épées d'exercice en bois se dressaient dans l'angle voisin de la porte. Les araignées n'étaient pas restées oisives entre les poutres ; le moindre vent coulis faisait doucement ondoyer l'ampleur de leurs toiles, aussi fines qu'une mantille de grande dame.

Un bol se trouvait sur la table qui jouxtait le lit. Et il y avait à côté, prête à servir, une cuillère en corne. La cuillère dont Nari s'était toujours servie pour le faire manger quand il était malade. *Je suis malade ?*

Et Ero ? se demanda-t-il du fond de sa somnolence, Ero n'avait-elle été rien d'autre qu'un rêve issu de la fièvre ? Et la mort de Père, et la mort de Mère, des cauchemars aussi ? Il souffrait un peu, et le milieu de sa poitrine lui faisait mal, mais il se sentait beaucoup plus affamé que malade. Comme il tendait la main vers le bol, il entr'aperçut quelque chose qui réduisit en miettes ses lubies de réveil vaseux.

Cette vieille horreur de poupée de chiffon gisait bien en évidence sur le coffre à vêtements, de l'autre côté de la chambre. Même de sa place, il distinguait nettement le fil blanc tout neuf qui recousait le flanc défraîchi du fantoche.

Tobin dut se cramponner à l'édredon lorsqu'un raz de marée d'images fragmentaires menaça de le submerger. La dernière chose dont il conservait un souvenir net était qu'il se trouvait allongé sur la paillasse de Lhel, dans le chêne qu'elle avait élu pour demeure au fond des bois dominant le fort. La sorcière ouvrait la poupée d'un coup de canif et lui exhibait de petits morceaux d'os puérils – des os de Frère – jusqu'alors dissimulés dans le rembourrage. Des os dissimulés par Mère lorsqu'elle avait fabriqué cet informe machin. Après quoi Lhel s'était servie non plus de peau mais d'une esquille pour lier de nouveau l'âme de Frère à la sienne à lui.

Tobin glissa dans l'encolure de la chemise de nuit des doigts tout tremblants mais précautionneux pour tâter le point douloureux de son torse. Oui, c'était bien là ; une bride étroite de peau saillante qui courait verticalement jusqu'au milieu de son sternum marquait l'endroit où Lhel l'avait recousu comme une liquette déchirée. Il sentait parfaitement l'infime bourrelet des points, mais ça ne saignait pas du tout. Au lieu d'être à vif comme celle que Frère avait sur la poitrine, la plaie était déjà presque cicatrisée. En appuyant légèrement dessus, Tobin découvrit le petit grumeau dur que le fragment d'os faisait sous sa peau. Il était possible de le faire vaguement bouger comme une minuscule dent branlante.

Peau forte, mais os plus fort, avait dit la sorcière.

À force de rentrer son menton, Tobin parvint à regarder, et il s'aperçut que rien ne se voyait, ni le renflement ni les points. Exactement comme auparavant, personne ne pourrait se douter de l'opération qu'elle lui avait fait subir.

Une vague vertigineuse déferla sur lui quand il se ressouvint de l'expression qu'avait le visage de Frère flottant à l'envers juste au-dessus de lui pendant que Lhel faisait son travail. La douleur tordait les traits du fantôme, et des larmes de sang tombaient de ses prunelles noires et de la plaie béante sur sa poitrine.

Morts pas pouvoir souffrir, keesa, lui avait-elle affirmé, mais elle se trompait.

Tobin se repelotonna contre l'oreiller puis attacha son regard désolé sur l'affreuse poupée. Tant d'années passées à la cacher, tant d'années dans la peur, l'angoisse, et tout ça, finalement, pour la retrouver là, étalée au vu de n'importe qui...

Mais comment était-elle arrivée ici ? Alors qu'il l'avait laissée là-bas, le jour où il s'était enfui d'Ero ?

Brusquement affolé sans savoir pourquoi, il faillit se mettre à appeler Nari à grands cris, mais la honte le suffoqua. Il faisait partie des Compagnons royaux, puis il était beaucoup trop vieux pour se montrer en manque de nourrice !

D'ailleurs, quelle réflexion Nari lui ferait-elle à propos de la poupée ? Elle l'avait sûrement vue, pour le coup. Et il ne se rappelait que trop la vision dont Frère l'avait autrefois régalé pour lui montrer comment réagiraient les gens s'ils en découvraient l'existence, avec quelles moues écœurées. Il n'y avait que les filles pour avoir envie de poupées...

Des larmes emplirent ses yeux, brouillant la flamme de la veilleuse en une étoile jaune clignotante.

« Je ne suis pas une fille ! murmura-t-il.

— Si fait que tu en es une. »

Et voilà que Frère se tenait à côté du lit, bien que Tobin n'eût pas prononcé la formule consacrée de convocation. La présence du fantôme s'enroulait autour de lui par vagues et remous glacés.

« Non ! » Tobin se boucha les oreilles. « Je sais bien qui je suis, moi.

— C'est moi, le garçon ! » siffla Frère. Puis de lui décocher, avec un regard aussi méchant que sournois : « Sœur.

— Non ! » Tout frissonnant, Tobin enfouit sa figure dans l'oreiller. « *Non non non non !* »

De douces mains le soulevèrent. Nari l'étreignit très fort en lui caressant la tête. « Qu'y a-t-il, mon chou ? Qu'est-ce qui ne va pas ? » Elle portait encore sa tenue de jour, mais sa chevelure brune lui cascadait sur les épaules, dénouée déjà. Frère n'avait toujours pas quitté la place, mais elle n'eut pas l'air de s'aviser qu'il était là.

Tobin se cramponna à elle un bon moment, le museau caché au creux de son épaule comme à l'accoutumée, jusqu'à ce que l'orgueil le pousse à se dégager.

« Tu étais au courant, souffla-t-il, assailli par le souvenir. Lhel me l'a dit. Tu as toujours été au courant ! Pourquoi ne m'en as-tu pas parlé ?

— Parce que je lui avais défendu de le faire. » Iya ne s'aventura qu'en partie dans le petit cercle lumineux. Aussi son visage carré, fripé, demeurait-il à moitié dans l'ombre, mais il la reconnut à sa robe de voyage élimée comme à la natte gris fer qui lui pendait par-dessus l'épaule jusqu'à la taille. »

Frère la reconnut lui aussi. Il s'évapora, mais une seconde à peine s'était écoulée que la poupée s'envola du coffre et vint frapper la vieille femme en pleine figure. Les épées de bois suivirent, quitte à cliqueter comme un bec de grue quand elle brandit une main pour les repousser. Alors, la pesante armoire se mit à gigoter de façon menaçante et, faisant crisser le sol, s'ébranla en direction de la magicienne.

« Arrête ! » cria Tobin.

Aussitôt, l'armoire cessa de bouger, et Frère réapparut à côté du lit, haineux au point que l'atmosphère en crépitait tout autour de lui, son regard furibond dardé sur l'ennemie. Iya tressaillit mais sans battre d'un pouce en retraite.

« Vous pouvez le voir ? » demanda Tobin.

« Oui. Il ne t'a pas quitté un seul instant depuis que Lhel a réalisé la nouvelle liaison.

— Et toi, Nari, tu peux le voir ? »

Un frisson la secoua. « Non, louée soit la Lumière. Mais le percevoir, ça oui. »

Tobin se tourna de nouveau vers la magicienne. « Lhel a dit que c'est *vous* qui lui aviez fait faire ça ! Elle a dit que c'est *vous* qui vouliez que je ressemble à mon frère.

— J'ai fait ce qu'Illior exigeait de moi. » Elle s'installa au pied du lit. À présent, la lumière l'éclairait en plein. Elle avait l'air lasse et vieille, et cependant ses yeux avaient une telle dureté qu'il se sentit bien aise d'avoir encore Nari près de lui.

« Telle était la volonté d'Illior, répéta-t-elle. Ce qui fut fait fut fait pour le salut de Skala tout autant que pour toi. Le jour approche où tu vas devoir gouverner, Tobin, comme ta mère elle-même aurait dû gouverner.

— Je ne veux pas le faire !

— Je ne devrais pas en être surprise, enfant. » Iya soupira, et ses traits perdirent un peu de leur dureté. « Tu n'étais pas censé découvrir la vérité si tôt, si

24

jeune. Ç'a dû être un choc terrible, et surtout dans les circonstances où tu l'as fait. »

Tobin se détourna, mortifié. Alors qu'il s'était figuré que le sang qui suintait entre ses jambes était le premier symptôme de la peste, la réalité s'était révélée bien pire...

« Même Lhel s'est trouvée prise au dépourvu. Arkoniel m'a conté qu'elle t'avait fait voir ton véritable visage avant de tramer ses nouvelles opérations magiques ?

— Mon véritable visage, c'est celui-ci !

— *Le mien !* » jappa Frère.

Au bond que fit Nari, Tobin devina que même elle avait entendu ça. Il examina Frère plus attentivement. Le fantôme semblait beaucoup plus tangible qu'il ne l'avait été de longtemps, vous auriez presque dit *réel*. Tobin eut aussi l'impression qu'il venait d'entendre son jumeau parler à haute voix, bien fort, et non plus comme auparavant sous la forme d'un simple chuchotement dans son propre esprit.

« Il est plutôt encombrant, repartit Iya. Te serait-il possible de le congédier, s'il te plaît ? Et prie-le de nous épargner partout son remue-ménage, cette fois-ci. »

Tobin éprouva une démangeaison de se récuser mais, par égard pour Nari, n'en murmura pas moins les mots enseignés par Lhel. « Sang, mon sang. Chair, ma chair. Os, mes os. » Frère se dissipa aussi instantanément que la flamme d'une chandelle mouchée, et il fit meilleur dans la chambre.

« Ah, voilà qui va mieux ! » S'emparant du bol,

25

Nari fila vers le brasero et puisa du bouillon dans lc pot qu'elle avait mis à chauffer sur les braises. « Allez, avale-moi toujours quelques lampées de ce truc-là. Ça fait des jours et des jours que tu n'as pour ainsi dire rien mangé. »

Dédaignant la cuillère, Tobin saisit le bol et y but à même. C'était là de ce consommé que Cuistote mijotait spécialement pour les alités. Il identifia les saveurs complexes de moelle de bœuf, de persil, de vin et de lait qu'elle y mettait invariablement, non sans quantité de plantes médicinales.

Après qu'il eut vidé le bol, Nari le lui emplit à nouveau. Iya se baissa pour ramasser la poupée qui gisait à terre puis, la calant sur ses genoux, retapa ses bras et ses jambes inégaux avant d'en regarder d'un air pensif les traits barbouillés vaille que vaille.

La gorge tout à coup serrée, Tobin abaissa le bol. Que de fois n'avait-il contemplé Mère assise exactement dans la même position ? De nouvelles larmes lui gonflèrent les yeux. Elle avait fabriqué la poupée pour garder l'esprit de Frère en permanence auprès d'elle. C'était Frère qu'elle voyait alors quand elle la dévisageait, Frère qu'elle tenait, étreignait, berçait, c'était en faveur de Frère qu'elle fredonnait, c'était Frère qu'elle emmenait partout avec elle jusqu'au jour où elle s'était précipitée par la fenêtre de la tour.

Toujours Frère.

Jamais lui, Tobin.

Nari s'aperçut qu'il grelottait. Elle vint s'asseoir près de lui, l'attira de nouveau sur son sein, l'y serra bien fort. Et il la laissa faire, cette fois.

« C'est vraiment vrai qu'Illior vous a dit de me faire ça ? » lâcha-t-il dans un souffle.

Iya hocha tristement la tête. « L'Illuminateur m'a parlé par le truchement de l'oracle d'Afra. Tu sais de quoi il s'agit, n'est-ce pas ?

— Du même oracle qui commanda au roi Thelátimos de faire de sa fille la première reine de Skala.

C'est bien cela. Et maintenant, Skala a de nouveau besoin d'une reine, d'une reine issue du véritable sang, pour guérir son territoire et le défendre. Je te le promets, tu comprendras un jour tout cela. »

Nari resserra son étreinte et lui déposa un baiser sur le haut de la tête. « Tout cela ne visait qu'à assurer ta sauvegarde, mon chou. »

L'idée qu'elle en avait été complice tout du long le piqua au vif derechef. Il se débattit pour se dégager puis, se radossant vite vite au bord opposé du lit contre les traversins, remonta ses jambes – de longues jambes étiques et tout en tibias de garçon – sous sa chemise « Mais pourquoi... » Il lui suffit de toucher la cicatrice pour s'interrompre, bouche bée de consternation. « Le sceau de Père et la bague de Mère – je les portais au bout d'une chaîne...

— Je les ai ici même, mon chou. Je te les avais simplement mis en sécurité. » Nari retira la chaîne de la poche de son tablier et la lui tendit.

Tobin s'en empara, plein de gratitude, et plaça délicatement les talismans dans le creux de sa main.

Composé d'une pierre noire haut sertie dans un cercle d'or, le sceau portait en profonde intaille l'emblème au chêne d'Atyion, l'immense domaine dont

Tobin était désormais le propriétaire mais qu'il n'avait jamais vu.

La bague, elle, Mère l'avait reçue de Père en présent de noces. La monture d'or en était d'une finesse extrême, elle représentait des feuilles minuscules, et son chaton d'améthyste ciselé en relief montrait les profils juvéniles du couple. Ses parents... Il avait passé des heures à en contempler le portrait ; l'air heureux qu'ils avaient là tous deux, lui ne le leur avait jamais vu.

« Où as-tu trouvé ça ? » s'enquit la magicienne d'un ton doux.

« Au fond d'un trou, sous un arbre.

— Quel arbre ?

— Un châtaignier mort dans l'arrière-cour de la maison de ma mère, à Ero. » Relevant les yeux, il s'aperçut qu'elle le scrutait avec une étrange attention. « Celle où il y avait la cuisine d'été.

— Ah oui. C'est là qu'Arkoniel avait enterré ton frère. »

Et que Mère et Lhel ont creusé pour le déterrer, songea-t-il. *Peut-être est-ce alors qu'elle a perdu la bague.* « Mes parents savaient ce que vous m'aviez fait ? »

Il surprit le bref regard acéré qu'Iya décochait vers Nari avant de répondre : « Oui. Ils le savaient. »

Tobin sentit son cœur sombrer. « Et ils vous l'ont *permis* ?

— Tu n'étais pas encore né quand ton père m'a priée de te protéger. Il a compris les paroles de l'oracle et obéi sans discuter. Il a dû t'apprendre, j'en suis convaincue, la prophétie dont l'oracle avait gratifié le roi Thelátimos.

— Oui. »

Iya demeura silencieuse un moment. « Il n'en a pas été de même pour ta mère. Elle avait une personnalité fragile, et l'accouchement s'est révélé très difficile. Et jamais elle ne s'est remise de la mort de ton frère. »

Il fallut à Tobin avaler sa glotte avant de pouvoir demander : « C'est pour cette raison qu'elle me détestait ?

— Mais elle ne t'a jamais détesté, mon lapin..., jamais ! » Nari mit la main sur son cœur. « Elle n'avait pas toute sa raison, c'est tout.

— En voilà assez pour l'instant », déclara Iya. « Tu as été bien mal en point, Tobin, et tu as passé les deux derniers jours à dormir.

— Deux ? » Il jeta un coup d'œil vers la fenêtre. Alors qu'il était arrivé jusqu'aux abords du fort guidé par un mince croissant de lune, le deuxième quartier de celle-ci serait complet sous peu. « Quel jour sommes-nous ?

— Le vingt et un d'Erasin, mon loup. Celui de ta fête est survenu puis passé pendant ton sommeil, répondit Nari. Je vais dire à Cuistote de préparer les gâteaux au miel pour le dîner de demain. »

Tobin secoua la tête, abasourdi, sans cesser de fixer la lune. « Je... Je me trouvais dans la forêt. Qui m'a ramené à la maison ?

— Tharin a brusquement surgi de nulle part avec toi dans ses bras, suivi d'Arkoniel avec ce pauvre Ki, dit Nari. Que même j'ai failli en mourir de peur, tout

29

à fait comme le jour où ton pèrc cst rcvcnu rapportant ta...

— Ki ? » Tobin sentit la tête lui tourner tandis qu'un autre souvenir se débattait pour remonter à la surface. Les rêves provoqués par la fièvre l'avaient fait flotter en l'air bien au-dessus du chêne de Lhel, à une hauteur inimaginable, et il se retrouva comme alors regardant en bas. Il avait discerné quelque chose, là, dans les bois, quelque chose qui, juste au-delà de la source, gisait parmi les feuilles mortes... « Non, non, Ki est à Ero. J'ai soigneusement veillé à ce qu'il y reste, en sécurité ! »

Cela n'empêcha pas la peur, une peur glacée, de lui nouer le ventre en y plongeant ses racines et de lui broyer le cœur. Ce qu'il avait aperçu en rêve, allongé par terre, avec Arkoniel en pleurs à ses côtés, c'était Ki, bel et bien. « Il a apporté la poupée, n'est-ce pas ? C'est dans ce but, hein, qu'il m'a suivi ?

— Oui, mon chou.

— Ainsi donc, ce n'était pas un rêve... » Mais alors, pourquoi ces larmes d'Arkoniel ?

Il mit un bon moment à se rendre compte que des gens étaient encore en train de lui parler. Que Nari le secouait par l'épaule d'un air affolé. « Tobin, qu'y a-t-il ? Tu es devenu livide !

— Où est Ki ? chuchota-t-il en étreignant ses genoux à pleins bras pour mieux affronter la réponse.

— J'étais justement en train de te dire, expliqua Nari, sa bonne bouille ronde toute creusée par un nouveau tourment. Il dort dans ton ancienne salle de jeux, la porte à côté, là. En vous voyant, toi tellement malade et agité dans ton sommeil, et lui si grièvement blessé, j'ai pensé qu'il vous serait plus facile de vous reposer, chacun dans son lit... »

Sans se laisser fournir de plus amples détails, Tobin entreprit à quatre pattes de sortir du lit.

Iya lui agrippa le bras. « Attends. Il est encore en piteux état. Il a fait une chute et s'est cogné le crâne. Arkoniel et Tharin n'ont pas cessé de le soigner. »

Il essaya de se libérer, mais elle tint bon. « Laisse-le se reposer. Tharin était devenu comme fou, à faire sans arrêt pendant tout ce temps le va-et-vient entre vos deux chambres comme un chien en peine. Il avait fini par s'assoupir au chevet de Ki quand j'y suis passée, tout à l'heure.

— Permettez-moi d'y aller. Je vous promets de ne pas les réveiller, mais, de grâce, il me faut absolument voir Ki !

— Reste une seconde et écoute-moi. » Elle se montrait grave, maintenant. « Écoutez-moi bien, petit prince, car ce que je vais vous dire est valable pour votre existence ainsi que pour les leurs. »

Non sans trembler, Tobin se laissa retomber sur le bord du lit.

Iya relâcha sa prise et reploya ses mains autour de la poupée, toujours calée dans son giron. « Comme je l'ai déjà dit, tu n'as jamais été censé porter ce fardeau dès un âge aussi tendre ; nous voilà pourtant dans ce cas. Écoute-moi bien et scelle dans ton cœur les paroles que je vais prononcer. Tharin et Ki ne sont pas au courant, et ils ne *doivent* l'être à aucun prix, du secret qui est le nôtre. Exception faite d'Arkoniel, Lhel

31

ct Nari sont les seules à connaître la vérité, et il faut coûte que coûte que les choses en restent là jusqu'à ce que sonne l'heure où tu feras valoir ton droit de naissance.

— Tharin ne sait rien ? » La première réaction de Tobin fut le soulagement. C'était à Tharin tout autant qu'à Père qu'il devait son éducation de futur guerrier.

« Rien. Et ce fut là l'un des grands chagrins de l'existence de ton père. Il aimait Tharin aussi fort que tu aimes Ki. Cela lui brisait le cœur de taire un secret pareil à son ami, et le faix n'en fut que plus dur à porter. Seulement, c'est à toi qu'incombe désormais l'obligation d'agir de même.

— Jamais ni l'un ni l'autre ne me trahirait.

— Exprès, évidemment pas. Ils ont tous les deux la tête aussi dure et autant de courage que le taureau de Sakor. Mais les magiciens de l'homme de ton oncle, Nyrin, ont leurs propres voies pour découvrir les choses. Des voies magiques, Tobin. Ils n'ont que faire de la torture pour lire les pensées les plus intimes d'une personne. Si Nyrin en venait jamais à soupçonner ton identité véritable, il saurait exactement dans quelles cervelles jeter les yeux pour obtenir la preuve nécessaire. »

Tobin en eut froid dans le dos. « Je crois qu'il a fait quelque chose de ce genre avec moi lors de notre première rencontre. » Il étendit son bras gauche pour exhiber sa marque de naissance. « Il l'a touchée, et cela m'a fait éprouver la sale impression que j'avais des reptiles dans tout mon être. »

La magicienne se renfrogna. « M'a tout l'air d'être ça, oui.

— Mais alors, il sait !

— Non, Tobin, puisque tu l'ignorais toi-même. Voilà quelques jours encore, on n'aurait trouvé dans ta tête, lui ou n'importe qui, que les pensées d'un jeune prince, exclusivement occupé de faucons, de chevaux et d'épées. Tel fut notre dessein depuis le début, afin de te protéger.

— Mais Frère. La poupée. Ça, il l'aurait vu.

— La magie de Lhel couvre ces pensées-là. Nyrin n'aurait pu les découvrir qu'à condition de les rechercher sciemment. Jusqu'ici, tout semblerait indiquer qu'il ne s'en doute pas.

— Seulement, je suis au courant, maintenant, *moi*. Quand j'aurai regagné Ero, que se passera-t-il ?

— Il te faudra t'assurer qu'il ne trouve aucun prétexte pour toucher de nouveau tes pensées. Continue à garder la poupée secrète, comme auparavant, et évite Nyrin autant que tu le pourras. Arkoniel et moi, nous ferons de notre côté l'impossible pour te protéger. En fait, je pense qu'il est peut-être temps pour moi de me laisser voir à nouveau avec le fils de mon patron.

— Vous reviendrez à Ero avec moi ? »

Iya sourit et lui tapota l'épaule. « Oui. Va voir tes amis, maintenant. »

Il faisait froid, dans le corridor, mais Tobin s'en aperçut à peine. La porte de Ki se trouvait légèrement entrebâillée, et elle projetait un fin rai de lumière en travers de la jonchée. Tobin se faufila à l'intérieur.

Ki dormait dans un vieux monument de lit, enfoui jusqu'au menton dans des courtepointes et des couettes. Il avait les paupières closes, et, malgré la chaude lumière que diffusait la veilleuse, paraissait d'une pâleur extrême. Ses yeux étaient tout cernés de noir, et des bandes de lin lui enveloppaient le crâne.

Emmitouflé dans son manteau d'équitation, Tharin était assoupi, lui, dans un fauteuil placé au chevet du lit. Ses longs cheveux blonds grisonnants lui retombaient sur les épaules en mèches hirsutes et malpropres, et une bonne semaine de chaume ombrageait le creux de ses joues au-dessus de sa barbe courte. Sa simple vue permit à Tobin de se sentir un peu mieux ; la proximité de Tharin suffisait toujours à lui donner l'impression d'une plus grande sécurité.

Là-dessus vint brutalement se plaquer l'écho des mises en garde de la magicienne. Ici même se trouvaient réunis les deux êtres qu'il chérissait entre tous et qui lui inspiraient une confiance sans égale, et voilà que c'était à lui de les protéger. Une affection farouche et rebelle lui gonfla le cœur lorsque l'assaillit à nouveau la pensée des prunelles brunes et fouineuses de Nyrin. Celui-là, il le tuerait de ses propres mains si le magicien s'avisait jamais de vouloir faire le moindre mal à ses amis.

Il s'approcha du lit sur la pointe des pieds, mais il eut beau prendre d'infinies précautions, il ne l'avait pas encore atteint que les yeux pâles de Tharin s'ouvrirent tout d'un coup.

« Tobin ? Louée soit la Lumière ! » s'exclama-t-il tout bas en l'attirant dans son giron et en l'étreignant

34

si fort que c'en fut douloureux. « Les Quatre m'en sont témoins, tu nous as donné de ces inquiétudes ! Tu dormais, dormais... Comment va, mon gars ?

— Mieux. » Passablement confus, Tobin se dégagea doucement et se releva.

Le sourire de Tharin s'effaça. « D'après Nari, tu t'es cru atteint de la rouge-et-noir. Tu aurais dû venir me voir, au lieu de déguerpir comme ça ! Il aurait pu vous arriver n'importe quoi, à vous deux, sales gosses, là, tout seuls, sur la route... À chaque instant de notre course jusqu'ici, nous nous attendions à trouver vos cadavres dans un fossé.

— Nous ? Qui donc t'a accompagné ? » Durant une seconde affreuse, Tobin redouta que son gardien ne soit lui aussi venu à sa recherche.

« Koni et les autres gardes, naturellement. Mais n'essaie pas de changer de sujet. Ça n'a pas été beaucoup mieux de vous retrouver tous les deux dans un pareil état. » Au coup d'œil qu'il jeta du côté de Ki, Tobin comprit qu'il en était encore inquiet. « Vous auriez dû rester en ville. Le pauvre Arkoniel et les autres s'en sont fait un sang d'encre. Encore un peu, et ils paumaient complètement la boule. » Mais aucune rogne ne se lisait dans ses yeux lorsqu'il les releva franchement vers Tobin. « Vous nous avez flanqué à tous une de ces trouilles... ! »

Le menton de Tobin fut pris de tremblote, et il baissa la tête. « Je suis désolé. »

Tharin l'accueillit à nouveau dans ses bras et lui tapota l'épaule. « Enfin, bon, fit-il, d'une voix rauque d'émotion. Nous voilà tous ici, maintenant, non ?

— Ki va se remettre tout à fait, n'est-ce pas ? »
Aucune réponse ne lui parvint, et il vit étinceler des
larmes dans les yeux du vieux guerrier. « Il finira par
aller bien, dis ? »

Le capitaine acquiesça d'un signe, mais le doute se
lisait à livre ouvert sur sa physionomie. « À en croire
Arkoniel, il va probablement se réveiller bientôt. »

Les genoux du garçon se firent cotonneux, et il
s'affala sur le bras du fauteuil. « Probablement ?

— Il a dû attraper les mêmes fièvres que toi, et
avec son coup sur le crâne... » Il tendit la main pour
repousser les cheveux noirs qui recouvraient le pan-
sement. Une tache jaunâtre avait suinté au travers.
« Faut changer ça.

— Iya m'a dit qu'il était tombé ?

— Oui. En se cognant salement la tête, en plus.
Arkoniel pense... enfin bref, lui a tout l'air que ton
bougre de démon y aurait mis la main. »

Tobin eut l'impression qu'un tesson de glace venait
de se loger dans son estomac. « Frè... C'est le *fantôme*
qui l'a blessé ?

— À son avis, c'est même dans ce but qu'il aurait
sournoisement poussé Ki à te rapporter ta poupée jusqu'ici. »

Tobin en eut le souffle littéralement coupé. Si c'était
vrai, jamais, jamais plus il ne rappellerait Frère. Libre
à Frère de crever de faim, mais ça, ça alors, il s'en
fichait éperdument !

« Tu... tu l'as vue ? La poupée, je veux dire ?

— Oui. » Tharin lui adressa un regard perplexe.
« Ton père croyait qu'elle était tombée avec ta mère,

ce jour-là, et que la rivière l'avait emportée. Même qu'il avait expédié des hommes à sa recherche. Et c'est toi qui l'as eue pendant tout ce temps-là, c'est bien ça ? Mais qu'est-ce qui t'a donc pris de la tenir cachée si obstinément ? »

Tharin savait-il aussi à quoi s'en tenir à propos de Lhel ? Faute d'en être sûr, Tobin ne pouvait lui confier qu'une partie de la vérité. « Je croyais que Père et toi, vous auriez honte de moi. C'est pour les filles, les poupées. »

Tharin émit un petit rire affligé. « Celle-là, personne ne te l'aurait reprochée. Le grand dommage, c'est que ce soit la seule qu'elle t'ait laissée. Si ça te fait plaisir, je devrais pouvoir arriver à t'en trouver une de ces adorables qu'elle faisait avant sa maladie. La moitié des nobles d'Ero en possèdent. »

Il y avait eu dans l'existence de Tobin une époque où son désir d'en posséder une était si violent qu'il allait jusqu'à la torture. Seulement, c'est des mains de Mère qu'il aurait voulu la recevoir, comme une preuve qu'elle l'aimait, ou du moins qu'elle l'avouait pour son fils tout autant qu'elle le faisait pour Frère. Ça ne s'était jamais produit. Il secoua la tête. « Non, je n'ai envie d'aucune des autres. »

Tharin comprit peut-être à demi-mot, car il n'ajouta rien sur ce chapitre. Ils restèrent là, tous les deux, côte à côte, à regarder un bon moment les couvertures s'élever et s'abaisser au rythme de la respiration de Ki. Tobin brûlait de se glisser dessous près de lui, mais il lui trouvait un air si fragile et souffreteux qu'il n'osa pas le faire. Et comme sa misère excessive l'empêchait de tenir en place, il finit par retourner dans sa propre chambre afin de laisser Tharin se rendormir un peu. À sa grande satisfaction, Iya et Nari ne s'y trouvaient plus. Parler avec l'une ou l'autre était bien pour l'heure le dernier de ses désirs.

La poupée reposait sur le lit à l'endroit même où la magicienne s'était assise. Pendant que Tobin la regardait fixement, essayant de comprendre ce qui s'était passé, une rage telle qu'il n'en avait jamais éprouvé, si folle et violente qu'il pouvait à peine respirer, s'empara subitement de lui.

Je ne le rappellerai plus jamais. Jamais !

Raflant comme à la volée le fantoche exécré, il le balança dans le coffre aux vêtements et rabattit le couvercle brutalement. « N'as qu'à rester là pour l'éternité ! »

Il éprouva comme un léger mieux, d'avoir fait cela. Hé, libre à Frère de hanter le fort, si ça lui chantait, libre à lui de se l'adjuger, Tobin n'en avait rien à faire ! mais quant à le laisser repartir pour Ero..., ça, non, pas question.

Il trouva ses effets soigneusement pliés sur une étagère de l'armoire. De petits sachets de lavande et de menthe séchées s'échappèrent de sa tunique lorsqu'il la prit et la déploya. Il se plaqua le lainage sur la figure et se gorgea de ces senteurs fraîches. C'était bien de Nari, ça, fourrer des plantes aromatiques dans le linge aussitôt après la lessive et les ravaudages. Même qu'elle avait dû s'installer là, près du lit, tiens, pour veiller sur lui tout en travaillant...

38

À cette idée, la dent qu'il gardait contre elle s'évanouit. Ce qu'elle avait bien pu faire voilà tant d'années n'avait aucune importance, il savait qu'elle l'aimait, et il l'aimait toujours, lui. Il s'habilla en un tournemain puis, en tapinois, se dirigea vers les étages supérieurs.

Dans le corridor du second, des lampes avaient beau brûler de loin en loin et le clair de lune y affluer d'en haut par les rosaces en vitrail, le trajet n'en était pas moins fort obscur, et le froid piquant. Les appartements d'Arkoniel se trouvant presque tout au bout, Tobin ne put se défendre de tenir à l'œil la lourde porte verrouillée qui se devinait au-delà du cabinet de travail. La porte d'accès à la tour.

S'il poussait jusque-là, se demanda-t-il, percevrait-il encore la présence enragée de l'esprit de Mère, juste derrière le vantail ? Il rasait de son mieux le mur de droite.

Il n'obtint pas de réponse à la chambre à coucher du magicien mais, distinguant un rai de lumière sous la porte de l'atelier contigu, fit les quelques pas qui l'en séparaient, souleva le loquet et entra.

Dedans, des lampes brûlaient un peu partout, proscrivant les ombres et illuminant la vaste pièce comme en plein midi. Arkoniel se trouvait attablé sous les fenêtres, la tête appuyée sur une main, et plongé dans l'étude d'un parchemin. L'irruption de Tobin le fit sursauter, puis il se leva pour l'accueillir.

Le gamin fut abasourdi par la mine défaite du jeune magicien. Des creux sombres soulignaient le bas de ses pommettes, et il avait les traits tirés comme s'il était souffrant. Ses boucles de cheveux noirs, toujours pas mal ébouriffées, formaient sur son crâne des touffes hirsutes, et il portait une tunique fripée toute maculée d'encre et de crasse.

« Enfin réveillé », fit-il d'un ton qui se voulait jovial et qui n'était que lamentable. « Iya t'a déjà parlé ?

— Oui. Elle m'a dit de ne pas souffler mot à quiconque de... » Il se toucha la poitrine, tant lui répugnait l'expression de l'abominable secret.

Arkoniel exhala un soupir énorme et promena un regard égaré tout autour de la pièce. « Ç'a dû être épouvantable pour toi de découvrir les choses de cette façon, Tobin. Lumière divine ! j'en suis désolé. Aucun d'entre nous, même pas Lhel, ne s'y attendait. Je suis tellement, tellement désolé... » Il laissa retomber le silence et puis, toujours sans regarder Tobin, finit par reprendre : « Ça n'aurait pas dû se passer de cette manière. Rien de tout ça. »

Jamais Tobin ne l'avait vu dans un tel état de détresse. Force lui était de le reconnaître, Arkoniel avait au moins essayé d'être son ami. Contrairement à Iya, qui n'affectait de se montrer telle que quand cela lui convenait.

« Merci d'avoir secouru Ki », fit-il, lorsque le silence qui s'éternisait entre eux fut devenu par trop pénible.

Arkoniel eut un haut-le-corps comme s'il venait de recevoir une gifle puis laissa s'échapper un rire qui sonnait creux. « De rien, mon prince, de rien du tout. Est-ce que je pouvais me comporter différemment ? Au fait, il y a du nouveau ?

40

— Il est encore endormi.

— Endormi. » Arkoniel revint vers la table et se mit à tripoter des choses, les souleva puis les reposa sans leur avoir même accordé l'ombre d'un coup d'œil.

Tobin se sentit de nouveau gagné par une terreur insidieuse. « Est-ce qu'il *va* aller tout à fait bien ? Des fièvres, en fait, il n'y en avait nullement. Pourquoi ne s'est-il pas encore réveillé ? »

Arkoniel fit tournicoter une baguette en bois. « Ça prend du temps, ce genre de blessure.

— Tharin m'a dit que vous soupçonniez Frère de ce coup-là.

— Frère était avec lui. Peut-être savait-il que nous aurions besoin de la poupée..., je l'ignore. Il se peut qu'il ait fait le coup. Je ne sais pas si telle était son intention. » Il se remit à prélever des choses sur la table d'un air si absent qu'il semblait avoir oublié que Tobin se trouvait toujours là. Mais, finalement, il attrapa le document sur lequel il était précédemment penché et le lui brandit sous les yeux. Les sceaux, le graphisme tout en boucles et en fioritures ne permettaient pas de méprise. C'était là l'ouvrage du scribe de Lord Orun.

« Iya a trouvé que c'était à moi de t'en parler, lâcha le jeune magicien d'un air accablé. C'est arrivé hier. Tu dois repartir pour Ero dès que tu seras en état de voyager. Orun est hors de lui, bien évidemment. Il menace d'écrire une nouvelle lettre au roi pour te contraindre à prendre un autre écuyer. »

Tobin s'affaissa sur un tabouret près de la table.

Orun avait tout fait pour débarquer Ki depuis le premier jour où ils avaient mis les pieds à Ero. « Mais pourquoi ? Ça n'a pas été de la faute à Ki, toute cette histoire !

— Je suis persuadé qu'il s'en moque éperdument. Il ne voit que l'occasion rêvée d'obtenir ce qu'il n'a pas arrêté de vouloir..., disposer de quelqu'un qui ait constamment l'œil sur toi. » Arkoniel se frotta les yeux et se passa la main à rebours dans sa tignasse qui s'en retrouva plus échevelée que jamais. « La seule certitude que tu puisses avoir, en revanche, c'est qu'il ne te laissera plus jamais t'enfuir comme tu l'as fait. Il va te falloir être terriblement prudent, désormais. Garde-toi de fournir jamais à Orun, à Nyrin ou à quiconque d'autre le moindre motif de soupçonner que tu es rien de plus que le neveu orphelin du roi.

— Iya s'est déjà expliquée là-dessus avec moi. Je me débrouillerai de mon mieux pour ne plus voir Nyrin que contraint et forcé, de toute façon. Il me fait peur.

— À moi aussi », convint Arkoniel, mais d'un air qui ressemblait un tout petit peu plus à son air d'autrefois. « Avant que tu repartes, il y a quelques petits trucs que je puis t'enseigner, des moyens pour voiler tes pensées. » Il esquissa ce qui pouvait passer pour un fantôme de sourire. « Ne te tracasse pas, c'est juste une question de concentration. Je connais ton peu de goût pour la magie. »

Tobin haussa les épaules. « Il semblerait que je ne puis pourtant guère m'y soustraire, si ? » Il épucha d'un air navré le cal d'un de ses pouces. « Korin m'a averti que je venais juste après lui comme héritier du trône, tant qu'il n'en avait pas un de ses propres œuvres. Est-ce pour cette raison que Lord Orun veut à tout prix me contrôler ?

— En fin de compte, oui. Mais, pour l'instant, c'est d'Atyion qu'il détient le contrôle..., en ton nom, bien sûr, mais le contrôle tout de même. C'est un type ambitieux, notre Orun. S'il devait arriver quoi que ce soit de fâcheux au prince Korin avant qu'il ne se marie... » Il secoua la tête avec véhémence. « Il nous faut le tenir sévèrement à l'œil. Et, pour ce qui concerne Ki, ne te tourmente pas outre mesure. Le dernier mot sur ce chapitre, ce n'est pas à Orun qu'il revient, malgré toutes ses fanfaronnades. La décision n'appartient qu'au roi. Je suis persuadé que tout ça finira par s'arranger lorsque vous serez de retour.

— Iya va m'accompagner à Ero. Je préférerais que ce soit vous, plutôt. »

Arkoniel sourit et, cette fois, ce fut de son vrai sourire, plein de gentillesse et de bon vouloir et de gaucherie. « Je ne demanderais pas mieux, mais il est préférable que je demeure actuellement bien planqué ici. Iya, les Busards la connaissent déjà, tandis qu'ils ne savent rien de moi. Tharin sera avec toi, ainsi que Ki. »

En voyant la mine déconfite du gamin, il s'agenouilla près de lui et le prit par les épaules. « Je ne suis pas en train de t'abandonner, Tobin. Je sais que ça doit te faire cet effet, mais il n'en est rien. Je ne le ferai jamais. Si tu as jamais besoin de moi, tu peux être sûr que je me débrouillerai pour te rejoindre. Une fois qu'Orun se sera calmé, peut-être te sera-t-il possible de le convaincre de te laisser venir ici plus fréquemment. Je crois dur comme fer que le prince Korin prendra ton parti pour ce faire. »

Quitte à ne puiser là qu'un piètre réconfort, Tobin acquiesça d'un hochement. « Je souhaite aller voir Lhel. Vous voudrez bien m'y emmener ? Nari ne me permettra jamais de sortir seul, et Tharin ne sait toujours rien d'elle, n'est-ce pas ?

— Non, et pourtant, je désirerais aujourd'hui plus que jamais qu'il soit au courant. » Arkoniel se releva. « Mon premier geste demain sera de te mener près d'elle, entendu ?

— Mais c'est tout de suite que je veux y aller !

— À cette heure-ci ? » Il jeta un coup d'œil vers la fenêtre toute noire. « Il est plus de minuit. Tu devrais retourner te fourrer au lit...

— Ça fait des journées entières que je dors ! Je ne suis pas du tout fatigué. »

Arkoniel se remit à sourire. « Mais moi si, et Lhel doit être en train de dormir, elle aussi. Entendu pour demain ? Nous pourrons partir aussi tôt qu'il te plaira, dès le point du jour. Tiens, je vais descendre avec toi pour voir un peu comment se porte Ki. » Il pointa l'index vers toutes les lampes pour les souffler chacune à son tour, excepté celle qu'il avait à portée de main. Puis, à la stupeur de Tobin, il fut pris de frissons et s'étreignit à bras-le-corps. « C'est sinistre, à cet étage-ci, la nuit. »

En sortant, Tobin ne put s'empêcher de loucher nerveusement vers la porte de la tour, et il surprit sans l'ombre d'un doute le magicien en train de faire exactement pareil.

2

En se réveillant dans le fauteuil, Tobin avait le soleil en pleine figure et le manteau de Tharin enroulé tout autour de lui. Après s'être étiré, il se pencha pour voir si l'aspect de Ki s'était modifié si peu que ce soit.

Il constata que son ami n'avait pas bougé du tout, mais il eut l'impression qu'il avait un teint légèrement moins cireux que la veille au soir. Il glissa la main sous les couvertures à la recherche de celle de Ki et, la trouvant chaude, ne manqua pas de voir là un nouveau signe encourageant.

« Est-ce que tu m'entends ? Ça fait une éternité que tu roupilles, Ki. Voilà une bonne journée pour une balade à cheval. Réveille-toi. S'il te plaît...

— Laisser lui dormir, *keesa*.

— Lhel ? » Il se retourna, s'attendant à trouver la porte ouverte.

Au lieu de cela, la sorcière flottait en l'air, juste derrière lui, nimbée dans un ovale d'étrange lumière. Il pouvait discerner des arbres autour d'elle, des sapins et des chênes dénudés saupoudrés de neige. Sous ses yeux ébahis se mirent à tomber de gros flocons qui formaient comme une dentelle et qui se prenaient dans les boucles sombres de l'apparition et sur le tissu grossier de sa robe. C'était comme s'il la regardait par une fenêtre. Juste en deçà de l'ovale, chacun des détails de la pièce se présentait exactement comme il devait être, et cependant Lhel paraissait se tenir dans son campement.

Complètement abasourdi, Tobin tendit la main vers elle, mais l'invraisemblable image recula en se résorbant sur elle-même au point que seul en demeura visible le visage.

« Non ! Pas toucher ! lança-t-elle. Arkoniel amener tu. Laisser Ki dormir. »

Elle s'évanouit, et Tobin se retrouva bouche bée face à rien, là où elle était une seconde avant. Sans rien comprendre à ce qu'il venait de voir, il la prit au mot néanmoins. « Je serai bientôt de retour », dit-il à Ki puis, pris d'une impulsion soudaine, il s'inclina pour déposer un léger baiser sur le front bandé. Tout rougissant de sa propre folie, il se précipita hors de la chambre et grimpa quatre à quatre l'escalier qui menait à celle d'Arkoniel.

À la lumière du jour, le corridor avait un air on ne peut plus banal et bénin, et la porte de la tour l'air de n'être qu'une porte entre autres. La porte du cabinet de travail était ouverte, et de l'intérieur parvenaient les voix d'Arkoniel et d'Iya en pleine conversation.

Le jeune homme était en train de tramer un motif lumineux au-dessus de la table lorsque Tobin entra. Quelque chose heurta le mur à deux doigts de la tête du gamin puis rebondit au sol à travers la pièce. Assez suffoqué, il baissa les yeux et vit qu'il ne s'agissait que d'un vulgaire haricot sec moucheté.

« Et voilà tout ce à quoi je suis arrivé avec eux », grogna Arkoniel d'un ton dépité. Il avait encore l'air fatigué et, lorsqu'il s'aperçut de la présence de Tobin, les plis d'inquiétude se creusèrent davantage encore autour de sa bouche. « Que se passe-t-il ? Est-ce que Ki... ?

— Il dort. Je veux aller voir Lhel maintenant. Elle m'a dit de venir. Et vous avez dit, vous, que vous m'y mèneriez.

— Elle t'a dit... ? » Il échangea un coup d'œil rapide avec Iya puis hocha la tête. « Très bien, je vais t'y mener. »

Il se trouva qu'il neigeait, dehors, exactement comme dans la vision que Tobin avait eue de Lhel. Gras et mous, les flocons fondaient au fur et à mesure qu'ils touchaient terre, mais ils tenaient bon sur la membrure des arbres qu'ils glaçaient de sucre comme un gâteau, et il voyait son haleine fumer au contact de l'air. À l'arrière du fort, la route disparaissait sous un épais tapis de feuilles mortes aux jaunes et rouges délavés que les sabots de Gosi faisaient incessamment chuchoter. Loin devant, les pics déchiquetés scintillaient en blanc contre le gris plombé des nues.

Tandis qu'ils chevauchaient, le gamin s'efforça de rendre compte au magicien de la singulière visite qu'il avait reçue.

« Lhel appelle ça son sortilège de fenêtre, effectivement », dit Arkoniel d'un ton tout sauf surpris.

Tobin n'eut pas le loisir de l'interroger plus avant que la sorcière émergeait des bois pour se porter au-devant d'eux. Elle savait toujours à l'avance qu'ils arrivaient.

Crasseuse et brèche-dent comme elle l'était, affublée au surplus d'une robe brune informe ornée de dents de daim polies, elle avait plutôt la dégaine d'une mendiante que d'une sorcière. Tout en les lorgnant de biais, elle secoua la tête et se fendit d'un grand sourire. « Vous *keesas* pas eu déjeuner. Venez, je nourrir vous deux. »

Comme s'il s'agissait tout simplement d'un jour ordinaire et comme si rien de bizarre n'avait jamais affecté leurs relations, elle fit demi-tour et replongea dans les fourrés. Tobin et Arkoniel attachèrent leurs montures à un arbre et se dépêchèrent de lui emboîter le pas. Un autre de ses sortilèges si particuliers garantissait la sauvegarde de son camp. Depuis l'époque déjà lointaine où il avait fait sa connaissance, Tobin ne l'avait jamais vue emprunter deux fois le même itinéraire, et lui et Ki n'étaient jamais parvenus à se rendre chez elle par leurs propres moyens. Il se demanda si le magicien savait, lui, comment procéder.

Après force tours et détours, ils débouchèrent dans la clairière où se dressait le chêne qu'elle habitait. Il avait oublié à quel point celui-ci était colossal. Grand-mère chêne, Lhel l'appelait. Son tronc était aussi vaste qu'une petite métairie, et une faille naturelle l'avait prodigieusement évidé sans le faire crever. Quelques poignées de feuilles aussi tannées que du vieux cuir et d'un ton cuivré flottoyaient encore sur ses branches supérieures, et, tout autour, le sol était jonché de glands. Un feu crépitait près de l'ouverture basse qui tenait lieu de porte à la sorcière. Elle s'y faufila et reparut au bout d'un moment les mains chargées d'une jatte pleine de tranches de viande séchée et de quelques pommes toutes ridées.

Tobin se souciait comme d'une guigne de rien avaler, mais Lhel lui fourra d'autorité la jatte entre les mains et refusa de piper mot tant que lui-même et Arkoniel ne se furent pas restaurés comme elle l'exigeait.

« Tu venir, maintenant », dit-elle alors en retournant vers le chêne. Arkoniel se leva pour les suivre, mais elle le cloua sur place d'un seul regard.

À l'intérieur de l'arbre, un autre petit feu brûlait dans sa fosse, au beau milieu du sol de terre battue. Lhel rabattit la peau de daim qui fermait l'entrée puis, allant s'asseoir sur la paillasse couverte de fourrures installée près du feu, tapota la place libre à ses côtés. Une fois que Tobin l'eut rejointe, elle lui tourna le visage vers la lumière et l'examina quelque temps, avant d'ouvrir le col de sa tunique pour inspecter la cicatrice.

« Être bon », fit-elle, puis, le doigt tendu vers l'aine du garçon : « Tu voir encore sang ? »

Tobin s'empourpra et secoua la tête. « Ça ne se reproduira plus, n'est-ce pas ?

— Plus tard, un jour. Mais tu risquer sentir dans ventre marée de lune. »

Il se rappela la douleur éprouvée entre les os des

49

hanches et qui l'avait fait accourir d'Ero comme un fou. « Je n'aime pas ça. Ça fait mal. »

Lhel émit un gloussement. « Pas une fille aimer ça. »

Le mot fit frissonner Tobin, mais sans que Lhel y prenne garde, apparemment. Après avoir farfouillé parmi les ombres derrière elle, elle lui tendit une petite bourse qui contenait des feuilles sèches d'un vert bleuâtre. « *Akosh*. Si venir souffrance, tu faire infusion avec juste ça, pas plus. » Elle lui montra une grosse pincée de feuilles et fit mine de les émietter dans une tasse.

Tobin glissa la bourse dans sa tunique puis se mit à contempler ses mains jointes. « Je ne veux pas de ça, Lhel. Je ne veux pas être une fille. Et je ne veux pas être... reine. » C'est à peine s'il était arrivé à proférer le terme.

« Tu pas changer ta destinée, *keesa*.

— Destinée ? Ce n'a été que votre ouvrage à vous. À vous et aux magiciens !

— Déesse mère à moi et Illuminateur à vous dire devoir être ainsi. Ça faire destinée. »

Relevant les yeux, Tobin découvrit dans le regard attaché sur lui autant de sagesse que de tristesse. Elle pointa le doigt vers le ciel. « Les dieux être cruels, non ? Cruels à toi et à Frère...

— Frère ! Arkoniel vous a dit ce qu'il avait fait, Frère ? Je ne le rappellerai plus jamais. Jamais ! Je vais vous apporter la poupée. C'est vous qui le garderez.

— Non, tu faire ça. Tu devoir. Âmes liées serré. » Elle se noua les mains.

Les poings de Tobin se crispèrent à faire blanchir toutes leurs jointures sur ses genoux. « Je le hais !

— Tu besoin lui. » Lhel lui saisit les mains et se mit à parler, sans mots, dans l'esprit de Tobin, ainsi qu'elle l'avait toujours fait lorsqu'elle voulait s'exprimer sans risque d'ambiguïté. « Toi et lui, vous devez être ensemble pour que la magic ticnnc. Il est cruel. Mais comment serait-il autrement, avec sa fureur et sa solitude permanentes, et alors qu'il te voit vivre la vie qui lui est refusée ? Ne saurais-tu le comprendre un peu, toi, maintenant que tu connais la vérité ? »

Tobin n'avait aucune envie de comprendre ni de pardonner, mais les paroles de Lhel frappèrent au but, néanmoins. « Vous le faisiez souffrir, pendant que vous cousiez l'os dans ma poitrine. Il pleurait du sang. »

Elle grimaça. « En principe, il n'aurait pas dû, petit. J'ai fait tout ce que j'ai pu pour lui, mais il a été le fardeau de mon cœur depuis ta naissance.

— Votre fardeau ? bégaya-t-il. Vous étiez là, peut-être, quand il me martyrisait, martyrisait ma mère et mon père et faisait fuir les serviteurs... ? Et il a failli tuer Ki ! » Sa vision du feu se brouilla sous l'afflux des larmes. « Vous l'avez vu, Ki ? Il ne se réveillera pas !

— Il se réveillera. Et toi, tu garderas la poupée et prendras soin de Frère. »

Tobin s'essuya les yeux d'un geste rageur. « Ce n'est pas juste !

— Assez, *keesa* ! aboya-t-elle en lui lâchant les mains. "Juste" ! Quel cas les dieux en font-ils, de ton "juste" ? C'est juste, que je reste ici, loin de mon peuple ? Que je vive dans un arbre ? Et c'est pour toi que je le fais. Et c'est pour toi que nous souffrons tous. »

Tobin sursauta comme s'il avait reçu une gifle. Lhel ne lui avait jamais parlé de cette manière ; ni personne d'autre.

« Tu *être* reine de Skala. Ça, ta destinée ! Tu vouloir abandonner ton peuple ? » Elle s'interrompit brusquement, secoua la tête, et se radoucit. « Tu jeune, *keesa*. Trop jeune. Ça finir un jour. Quand tu dépouiller peau de Frère, tous les deux libres alors.

— Mais *quand* ?

— Je pas voir. Illior dire toi, peut-être. » Elle lui effleura la joue puis saisit sa main et la pressa contre son sein droit. Il était mou et lourd sous la laine rêche. « Tu seras femme un jour, *keesa*. » La voix de la sorcière lui faisait l'effet d'une sombre caresse dans son esprit. « Je vois la peur au fond de ton cœur. La peur de perdre tes pouvoirs. Les femmes aussi possèdent des pouvoirs. Pourquoi t'imagines-tu que votre dieu lune ait fait des reines pour Skala ? Elles furent des guerriers, toutes, tes aïeules. N'oublie jamais ça. Les femmes portent aussi la lune dans leur marée de sang, et du sang dans leur cœur. »

Elle toucha du bout du doigt le fin réseau de veines bleues qui transparaissait à l'intérieur de son propre poignet. Une pelure de croissant de lune y apparut, imperceptiblement soulignée de noir. « Ça toi, maintenant..., lune d'argent, la plupart de toi sombre. » Elle déplaça son doigt, et un cercle apparut, qui s'appliquait exactement contre la courbe externe du croissant. « Mais quand grandi comme lune pleine, alors tu connaître tes pouvoirs. »

Avec son œil d'artiste, Tobin se douta qu'il devait y avoir un moyen pour équilibrer davantage le motif – une lune décroissante –, mais elle ne le lui montra pas plus qu'elle n'en parla. En revanche, elle posa la main sur son ventre plat de garçon. « Tu faire ici des grandes reines. » Leurs regards se croisèrent, et il vit du respect dans celui de la sorcière. « Édifier elles sur mon peuple, Tobin. Édifier aussi vos magiciens.

— Iya et Arkoniel savent à quoi s'en tenir. C'est vous qu'ils sont venus chercher quand ils avaient besoin d'aide. »

Elle émit un reniflement puis se recala sur son séant. « Pas beaucoup comme eux », déclara-t-elle d'un ton sans réplique. Là-dessus, elle tira de sa ceinture son canif d'argent, s'en piqua le pouce gauche et pressa dessus pour exprimer une goutte de sang. Celle-ci lui servit à tracer un croissant sur le front de Tobin puis à l'enfermer dans un cercle. « Mère protéger toi, *keesa*. » Elle baisa la marque qu'elle venait de réaliser. « Tu partir, maintenant. »

Au moment de quitter la clairière avec Arkoniel, il s'arrêta près de la source afin de regarder à quoi pouvait bien ressembler la fameuse marque. Il n'en restait pas trace ; peut-être s'était-elle évanouie au contact des lèvres de la sorcière. Quant à l'autre visage, il eut beau le chercher aussi, c'est avec une immense satisfaction qu'il ne vit que le sien.

Il passa le reste de la journée au chevet de Ki, attentif aux soins que lui prodiguaient Cuistote et Nari, insérant tantôt entre ses lèvres, avec une délicatesse infinie, des cuillerées de bouillon, tantôt changeant les épaisses couches de laine sur lesquelles il gisait, quand elles constataient qu'il s'était souillé. Cela lui faisait mal de voir son ami aussi désarmé. À treize ans qu'il avait désormais, quelle humiliation ç'aurait été pour Ki que de se voir traiter comme un nouveau-né... !

Tobin n'avait pas de plus de grand désir que de se retrouver seul, mais tout le monde semblait résolu à veiller sur lui. Tharin apporta de la cire à modeler et lui tint compagnie. Le sergent Laris et quelques-uns des hommes montèrent également lui proposer des parties de bakshi et d'osselets, mais il se récusa. Ils essayaient tous de lui remonter le moral en plaisantant et en s'adressant à Ki comme s'il pouvait les entendre, mais cela ne faisait qu'empirer sa propre détresse. Il n'avait aucune envie de parler de chasse ou de chevaux, même avec Tharin. Cela lui faisait l'effet de mentir, bavarder sur des sujets aussi communs. Les paroles de Lhel le hantaient, elles lui donnaient l'impression d'être un étranger dans sa propre peau. Ses nouveaux secrets lui encombraient les dents telles des graines de figue-aux-canes, ils menaçaient de lui échapper, s'il ne campait en permanence sur ses gardes, et de se répandre à n'importe quel moment comme une volée de postillons.

« Et voilà, regardez-moi ça, vous m'avez épuisé mon pauvre Tobin ! s'écria Nari qui entrait, les bras chargés de piles de linge frais. Comme s'il ne venait

pas tout juste de quitter lui-même son lit de malade !
Allez, filez, maintenant, fichez-lui un peu la paix, que
diable ! »

Elle flanqua les soldats dehors, mais Tharin traîna
les pieds, lui. « Ça ne te ferait pas plaisir que je
reste, Tobin ? »

Pour une fois, non. « Je suis désolé, mais je crois
vraiment que je suis vanné.

— Tu ferais bien de retourner te coucher, décréta
Nari. Je vais aller te chercher un bol de bouillon et
une brique chaude pour le fond du lit.

— N'en fais rien, s'il te plaît. Laisse-moi simplement ici avec Ki.

— Il peut toujours dormir là, si le besoin l'en
prend. Ce fauteuil est parfait pour les roupillons. »
Tout en adressant à Tobin un dernier clin d'œil par-
dessus l'épaule, Tharin entraîna doucement Nari hors
de la pièce sans lui laisser le loisir de se remettre
encore à pouponner *son chou*.

Tobin se pelotonna dans le fauteuil et regarda
pendant un moment la poitrine de Ki se soulever et
s'abaisser. Puis il fixa ses paupières closes, avec
l'ardent désir de les obliger à s'ouvrir. Y renonçant
finalement, il s'empara du pain de cire que Tharin
avait apporté. Il en détacha un morceau et se mit à le
rouler entre ses paumes pour l'assouplir. Le contact
familier et l'odeur suave le calmèrent peu à peu
comme ils l'avaient toujours fait, et il entreprit de
façonner un petit cheval en faveur de Ki, dont c'étaient
les préférés. Tobin lui avait donné en guise de
talisman, peu après son arrivée au fort, un petit cheval

de bois qu'il portait encore en sautoir au bout d'un cordon. Ayant fait de grands progrès depuis cette époque, il s'était offert à lui en sculpter un de meilleure venue, mais son ami n'avait pas voulu en entendre parler.

Il venait juste de finir d'indiquer la crinière avec son ongle quand il perçut une présence sur le seuil. Iya lui sourit lorsqu'il leva les yeux, et il devina qu'elle devait se tenir là depuis un certain temps.

« Je peux me joindre à toi ? »

Il haussa les épaules. Prenant cela pour une invitation, la magicienne attira un tabouret pour s'asseoir et se pencha pour examiner le cheval. « Tu es très doué. C'est pour un vœu ? »

Il hocha la tête. Il en ferait l'offrande sur l'autel domestique. La tête du cheval était trop longue, cependant. Il lui retira un peu des naseaux, la refaçonna, mais elle était à présent trop courte. Abandonnant la partie, il pétrit l'ensemble et le mit en boule.

« Je veux rester comme je suis, c'est tout ! murmura-t-il.

— Et c'est bien ce que tu vas faire pendant encore un bon bout de temps. »

Tobin porta la main à sa figure et en suivit les contours familiers. Celle que lui avait fait voir Lhel était moins dure, elle avait des joues plus potelées, comme si quelque sculpteur y avait rajouté une once de cire puis l'avait lissée avec les pouces. Mais les yeux..., eux étaient bien à lui depuis toujours. Ainsi que la cicatrice en forme de croissant sur son menton.

« Est-ce qu'il... vous pouvez, vous, *la* voir ? » Il ne pouvait se résoudre à dire « *me* voir ». Ses doigts retrouvèrent la boule de cire et se mirent à la tripoter nerveusement.

Iya gloussa. « Non, tu ne cours absolument aucun risque. »

Il comprit qu'elle voulait dire qu'il était à l'abri des soupçons du roi Erius et de ses magiciens, mais ce n'était pas à eux qu'il songeait. Que diraient Korin et les autres garçons s'ils découvraient le pot aux roses ? Les filles n'étaient pas autorisées à servir en qualité de Compagnons.

Iya se leva pour se retirer puis s'immobilisa pour regarder le nouveau cheval prendre peu à peu forme. Plongeant la main dans l'aumônière de sa ceinture, elle y puisa quelques plumes soyeuses beige et brun qu'elle lui offrit.

« De chouette, dit-il à leur seul aspect. J'ai reconnu.

— Oui. Pour Illior. Il ne serait pas malséant que tu penses à faire des offrandes à l'Illuminateur de temps à autre. Il te suffira de les déposer sur le feu. »

Tobin ne répondit rien mais, dès qu'elle fut partie, il descendit dans la grande salle, emplit de braises une coupelle de cuivre à offrandes et la déposa sur l'étagère de l'autel domestique. Tout en murmurant une prière à Sakor pour que Ki recouvre ses forces, il plaça le nouveau petit cheval à même les braises et souffla sur elles jusqu'à ce que la cire votive se soit mise à fondre. Elle se consuma intégralement, signe que le dieu n'avait pas fait la sourde oreille. Prenant alors une plume de chouette, il la tortilla entre ses doigts sans trop savoir en quoi consistait la prière appropriée. Il n'avait pas pensé à s'en enquérir. Il finit par coucher la plume sur les braises et chuchota : « Viens à mon secours, Illuminateur. Et au secours aussi de Ki. »

La plume se ratatina pendant une seconde en émettant un filet de fumée âcre puis s'embrasa d'un coup et s'évanouit en un éclair de flamme verte. Brusquement secoué de frissons, Tobin sentit une vague tremblote dans ses genoux. Jamais il n'avait obtenu de Sakor une réponse aussi spectaculaire que celle-ci. Plus effrayé que rassuré, il reversa les braises dans l'âtre et s'empressa de remonter au premier étage.

Le jour suivant se déroula de manière identique et passa encore plus lentement. Ki persistait à dormir et, dans son angoisse, Tobin le trouvait plus livide, en dépit de Nari qui prétendait le contraire. Il façonna vingt-trois chevaux, regarda par la fenêtre Laris entraîner ses hommes dans la cour des casernements, somnola dans le fauteuil. Il joua même machinalement avec les petits bateaux et les bonshommes en bois de la cité miniature, mais comme il était désormais beaucoup trop âgé pour s'adonner à de pareilles amusettes, il se relevait précipitamment dès qu'il entendait quelqu'un survenir.

Le soir venu, Tharin apporta le repas sur un plateau et resta dîner avec lui. Tobin ne se sentait toujours pas d'humeur à papoter, mais il fut heureux de sa compagnie. Après s'être restaurés, ils entamèrent une partie de bakshi à même le dallage.

Ils se trouvaient en plein milieu d'un lancer quand un imperceptible remuement de draps attira l'attention de Tobin. Il bondit sur ses pieds, se pencha sur Ki et lui saisit la main. « Tu es réveillé, Ki ? Tu m'entends ? »

Son cœur s'affola lorsqu'il vit les cils noirs de son ami frémir et papilloter. « Tob ?

— Et moi », fit Tharin en lui remontant d'un geste caressant les cheveux pour dégager son front. Sa main tremblait, mais il souriait.

Ki promena un regard vaseux alentour. « Maître Porion... dites-lui... trop crevé pour courir aujourd'hui.

— Tu te trouves au fort, tu te souviens ? » Tobin dut se réprimer pour ne pas lui serrer la main trop violemment. « Tu m'as suivi jusqu'ici.

— Quoi ? Pourquoi j'aurais... ? » Il s'agita sur l'oreiller, luttant pour ne pas resombrer. « Ah oui. La poupée. » Ses yeux s'agrandirent. « Frère ! Je l'ai vu, Tobin.

— Je sais. Je suis désolé qu'il... » Il n'acheva pas. Tharin était là, qui entendait tout. Comment faire pour empêcher Ki de gaffer plus avant ?

Mais Ki battait de nouveau la campagne. « Qu'est-ce qui s'est passé ? Pourquoi... Pourquoi j'ai si mal au crâne ?

— Tu ne te rappelles pas ? demanda le capitaine.

— Je... la poupée... je me rappelle à cheval... » Sa voix se faisait de nouveau traînarde, et Tobin crut un moment qu'il s'était rendormi. Et puis, les yeux toujours fermés, il murmura : « Je t'ai retrouvé, Tob ? Je ne me rappelle plus rien de rien après mon passage à Bierfût. Tu l'as eue, la poupée ? »

Tharin appliqua le dos de sa main contre la joue de Ki et se renfrogna. « Il a un peu de fièvre.

— Faim, marmonna Ki d'un ton grognon.

— Eh bien, ça, c'est bon signe ! » Tharin se redressa. « Je vais te chercher du cidre.

— Viande.

— On va débuter par du cidre et voir l'effet que ça te fait.

— Je suis désolé, reprit Ki d'une voix râpeuse aussitôt que Tharin se fut esquivé. Je n'aurais rien dû dire à propos de... *lui*.

— N'importe. Oublie ça. » Tobin s'assit sur le bord du lit et lui reprit la main. « C'est Frère qui t'a blessé ? »

Le regard de Ki perdit de sa netteté. « Je... je ne sais pas. Je ne me souviens pas... » Puis, tout à trac : « D'où vient que tu ne m'aies jamais rien dit ? »

Pendant un moment, Tobin se figura, épouvanté, que Ki l'avait surpris en compagnie de Lhel et d'Arkoniel, somme toute, et avait deviné son secret. Et il lui aurait déballé toute la vérité si Ki ne s'était remis à parler le premier.

« Je n'aurais pas ri, tu sais. Je sais qu'elle appartenait à ta mère. Mais même s'il s'était seulement agi d'une vieille poupée quelconque, je ne me serais moqué de toi pour rien au monde », souffla-t-il, les yeux pleins de tristesse et pressants de questions.

Tobin attacha son regard sur leurs doigts entrelacés. « Le soir où Iya t'amena chez nous, Frère me prévint par une vision. Il me fit voir de quelle manière les gens me regarderaient s'ils apprenaient que la poupée se

trouvait en ma possession. » Il fit un geste désespéré.
« Toi aussi, il te montra à moi, et tu... J'ai eu peur que
tu ne te fasses une mauvaise opinion de moi, si tu
le savais. »

Ki répliqua par un reniflement exténué. « M'imagine
pas que moi j'aurais rien cru de ce qu'*il* montrait. » Il
jeta un coup d'œil alentour, comme s'il craignait que
Frère ne soit en train d'écouter, quelque part, puis
chuchota : « C'est une foutue vache, non ? Je veux
dire, bon, c'est ton jumeau et tout et tout, mais il a
quelque chose de détraqué. » Ses doigts se resserrèrent
sur ceux de Tobin. « Je ne comprenais pas, avant,
pourquoi il voulait que je te l'apporte, mais maintenant... Il s'est dit qu'elle foutrait la merde entre nous,
Tob. Il m'a toujours détesté. »

Ça, Tobin n'allait certes pas le nier, surtout après ce
qui s'était produit.

« N'empêche que je t'aurais couru après, de toute
manière, dit encore Ki, d'un ton que l'on sentait profondément blessé. Pourquoi t'es-tu enfui comme ça,
sans moi ? »

Tobin enferma la main de Ki dans les deux siennes.
« Ça ne s'est pas du tout passé comme tu l'imagines !
J'ai cru que j'avais la peste. J'ai eu peur de vous conta-
miner, toi, Tharin et les autres. Tout du long, jusqu'ici,
l'idée qu'il était déjà trop tard n'a cessé de me terrifier,
je voyais les oiseaux de mort vous clouer tous à l'intérieur du palais et... »

Il s'arrêta net, affolé de voir une larme rouler le
long de la joue de son ami.

« Si tu avais été malade... Si tu étais parti puis mort

61

quelque part tout seul sur la route... Je n'aurais pas pu le supporter ! balbutia Ki tout bas, d'une voix chevrotante. J'aimerais mieux mourir tout de suite que vivre avec cette pensée-là ! » Il lui étreignit la main. « Ne fais plus jamais... Plus jamais ça !

— Pardonne-moi, Ki. Je ne le ferai plus.

— Jure-le, Tob. Où tu vas, je vais, pour n'importe quoi. Jure-le par les Quatre. »

Tobin ajusta leurs mains droites en façon de poignée guerrière. « Je le jure par les Quatre. »

Frère se trompait, songea-t-il rageusement. *Ou bien il m'a menti, par méchanceté pure.*

« Bon. Voilà qui est réglé. » Ki tenta de tourner la tête pour se sécher la joue mais, malgré ses efforts, n'y parvint qu'à demi. Tobin utilisa le bord du drap pour achever de l'essuyer.

« Merci, dit Ki d'un air penaud. Et alors, qu'est-ce qui s'est *vraiment* passé ? »

Tobin lui dit ce qu'il pouvait dire, encore qu'il n'eût pas la moindre idée sur la façon dont Ki s'était débrouillé pour trouver le chemin du campement de Lhel, Ki lui-même n'arrivant toujours pas à s'en souvenir.

« Me demande un peu ce que Vieilles Tripes molles va bien pouvoir dire de toutes ces salades.

— Te tracasse pas. J'expliquerai ce qui s'est produit. Tu n'y étais pour rien. » Son ami n'était pas encore assez bien remis pour qu'il lui parle de la lettre.

Provisoirement satisfait, Ki ferma les yeux. Tobin demeura en sa compagnie jusqu'au moment où il eut la conviction qu'il s'était rendormi. Mais lorsqu'il essaya de libérer sa main, les doigts de son vis-à-vis resserrèrent leur prise.

« J' me s'rais jamais fichu de toi, Tob, bredouilla-t-il, plus endormi qu'éveillé. J' me s'rais jamais. » Une nouvelle larme suinta de sous ses cils et lui ruissela vers l'oreille.

Tobin l'essuya avec son doigt. « Je le sais.

— Me sens pas si bien. Froid... Monte dans le lit, veux bien ? »

Tobin se débarrassa de ses chaussures à grands coups de pied et grimpa s'enfouir sous les couvertures en faisant de son mieux pour ne pas trop le bousculer. Ki grommela tout bas et tourna sa figure vers lui.

Tobin le regarda dormir jusqu'à ce que ses propres paupières s'appesantissent. De sorte que si Tharin revint jamais avec son fameux cidre, eh bien, lui n'en entendit rien.

Arkoniel et Iya croisèrent Tharin dans la grande salle et apprirent la bonne nouvelle. Le jeune magicien faillit en pleurer, tant il était doublement soulagé par le fait que le gosse ait fini par sortir du sommeil et par celui qu'il ne se souvenait de rien qui risque de remettre ses jours en danger. Si c'était grâce à Frère ou à Lhel, il n'en avait cure, dans la mesure où Ki s'en tirait sain et sauf.

« M'est avis que je vais pioncer dans le pieu de Tobin, cette nuit, déclara le capitaine en se massant le bas des reins d'un air consterné. J'en ai ma claque, des fauteuils, et Tobin ne va sûrement pas accepter de délaisser Ki.

63

« — Tu n'auras pas volé de bien te reposer, dit Iya. Je crois bien que je vais faire la même chose. Tu montes, Arkoniel ?

— Je compte veiller encore un moment.

— Tout ira bien pour lui, désormais, fit-elle en lui adressant un sourire rassurant. Ne tarde pas trop, hein ? »

Tharin lui emboîta le pas vers l'escalier puis se retourna vers le jeune homme. « Il y a quelqu'un que les gosses appellent Frère. Tu sais de qui il s'agit ? »

Arkoniel eut l'impression que son cœur s'arrêtait de battre. « Où diable avez-vous entendu ce nom ?

— Juste un truc qu'a dit Ki quand il a repris connaissance. Un truc à propos du frère de quelqu'un qui lui aurait donné cette poupée. Non ? » Il bâilla à se décrocher la mâchoire et se passa la main sur le menton. « Enfin..., il était encore sacrément sonné. Sa cervelle divaguait sans doute.

— Tu as sûrement raison », déclara Iya en glissant son bras sous le sien pour l'entraîner vers l'escalier. « À moins que tu n'aies entendu de travers ? Et maintenant, ouste, tu dors debout, viens vite avant de nous contraindre à te porter là-haut. »

Arkoniel attendit que la maisonnée se soit assoupie pour aller furtivement voir les garçons. Tobin s'était fourré dans le lit de Ki. Même assoupi, il avait un pauvre petit air triste, alors que Ki souriait. Pendant que le magicien les contemplait tous deux, Tobin s'agita et chercha à tâtons l'épaule de son ami, comme pour s'assurer qu'il était toujours là.

Arkoniel s'affala dans le fauteuil, de peur que ses jambes ne le trahissent. C'était toujours pire la nuit, le souvenir de ce qu'il avait fait. Et de ce qu'il avait bien failli faire.

Cent fois au cours de ces derniers jours il avait revécu cet abominable moment passé dans la forêt. Tout en se tournant et se retournant dans son lit, il revoyait Ki se diriger vers eux parmi les arbres avec son sourire toujours prêt à éclore et qui s'était épanoui sitôt qu'il avait repéré Tobin penché sur la source qui lui révélait son véritable aspect. Il le revoyait lever la main puis l'agiter à l'intention de... de qui ? Qui avait-il vu, *elle* ? Était-ce à *elle*, qu'il aurait reconnue, ou bien à lui, Arkoniel, que s'adressaient ses joyeux saluts ? Lhel avait bien vite enseveli Tobin sous une robe de fourrure, mais s'y était-elle prise assez promptement ?

D'infimes doutes subsistaient, des miettes de doute, et il s'y était cramponné, lors même qu'il levait la main pour tenir le serment fait à Rhius comme à Iya le jour même où ils avaient consenti à laisser venir au fort un autre gamin. N'avait-il pas lui-même écrit à Iya de ne jeter son dévolu que sur un enfant dont la disparition n'affecterait personne ?

Oui, il avait eu la ferme intention de tenir sa parole et de tuer Ki, mais son cœur l'avait trahi et mis le charme en échec ; il avait au tout dernier moment tenté de transformer celui-ci en un charme d'aveuglement, et, au lieu de cela, libéré une décharge tellement désaxée que Ki s'en était retrouvé projeté en l'air comme s'il ne pesait pas plus qu'une poignée de paille.

Et elle l'aurait forcément tué si Lhel n'avait été là pour lui faire rebattre le cœur à force de cajoleries. Elle s'était également fait fort de lui faire perdre tous les souvenirs qu'il pouvait garder d'avoir vu Tobin en tramant à leur place une vague mémoire de la maladie.

Que n'avaient-ils, Iya et lui, su qu'une telle chose était possible... ! se repentait le jeune magicien.

Que n'avaient-ils tous deux posé des questions, au lieu de se boursoufler d'arrogance !

Tout heureux qu'il était de la survie de Ki, Arkomel ne pouvait cependant se dérober à la vérité ; il avait tout autant failli à ses devoirs en ne le tuant pas que trahi le gosse en essayant de le tuer.

Durant des années, il s'était gargarisé d'être différent d'Iya et de Lhel. À présent, tout semblait indiquer que ses compassions présumées n'étaient rien de plus que de la faiblesse.

Accablé de honte, il s'esquiva dans le corridor pour regagner sa chambre solitaire, abandonnant les deux innocents à une paix qu'il risquait fort de ne plus jamais connaître.

3

Ki se trouvant encore trop faible pour se lever sans que la tête lui tourne, le lendemain, c'est dans sa chambre de malade que Cuistote servit les gâteaux au miel concoctés après coup pour la fête de Tobin. La pièce était tellement bondée de monde que chacun dut en déguster sa part debout. Nari offrit au petit prince de nouvelles chaussettes et un nouveau tricot de sa façon, et Koni, le fléchier du fort, six belles flèches neuves. Laris avait taillé des sifflets de chasse en os pour lui et pour Ki, et Arkoniel lui fit timidement présent d'une bourse spéciale pour le transport des copeaux à feu.

« J'ai grand-peur que mon cadeau pour toi ne soit encore à Ero, confessa Tharin.

— Le mien pareil », bafouilla Ki, la bouche pleine. Son crâne en était encore à se raccommoder, mais son appétit était tout à fait guéri.

Pour la première fois depuis bien longtemps, les choses commençaient à faire l'effet d'être à nouveau sûres et normales. À regarder tous les autres, autour, rire et bavarder, Tobin sentit se gonfler son cœur. N'eût été la présence d'Iya, il aurait pu s'agir là de n'importe lequel des goûters jamais donnés à la maison pour célébrer sa fête.

Dès le jour suivant, Ki se sentit assez en forme pour devenir des plus remuants, mais quant à le laisser sortir de la chambre, Nari ne voulut pas en entendre parler. Et tout ce qu'il gagna à geindre et à bouder, c'est qu'elle le déposséda de toutes ses frusques en les emportant, *rien qu'au cas où...*

À peine eut-elle tourné les talons qu'il dévala du lit et se drapa dans une couverture.

« Eh bien là, au moins, me voilà debout », maugréa-t-il. Au bout d'un moment, il recommença à se sentir patraque, mais refusa d'admettre que Nari avait eu raison. Refoulant ses nausées, il voulut à toute force jouer au bakshi. Quelques lancers suffirent toutefois pour qu'il se mette à tout voir en double, et il accepta l'aide de Tobin pour regrimper se fourrer dans les draps.

« Ne lui dis pas, hein ? » l'adjura-t-il en fermant les yeux. Tous ses efforts pour que les deux Tobin qui se penchaient sur lui les sourcils froncés se rejoignent et n'en fassent qu'un lui flanquaient une affreuse migraine.

« Je ne dirai rien, mais tu ferais peut-être mieux, toi, de l'écouter. » Ki l'entendit s'installer dans le fauteuil à son chevet. « Tu es toujours aussi pâlot.

— Je péterai le feu demain », protesta Ki, trop désireux que ce soit vrai.

Le temps se refroidit. De petits flocons pointus pleuvaient par bourrasques d'un ciel voilé, et, chaque matin, l'herbe sèche de la prairie scintillait sous une épaisse couche de givre.

Ki engloutissait tout, bouillons, flans, pommes au four que lui faisait monter Cuistote, et il ne fut pas long à réclamer de la viande. Il grommelait plus que jamais contre sa réclusion tout en faisant fi de son état, mais celui-ci n'échappait nullement à Tobin. Loin d'être encore aussi costaud qu'avant, il avait de brusques coups de pompe, et ses yeux continuaient de temps à autre à le tourmenter.

Ils en eurent par-dessus la tête de leurs parties de

pions et d'osselets bien avant que Ki n'ait suffi-samment recouvré de forces pour s'adonner de nouveau à des joutes d'escrime ou même simplement pour descendre au rez-de-chaussée. Afin de le faire tenir tranquille vaille que vaille, Tobin lui construisit un nid de couettes et de polochons près de la ville miniature, et ils se firent un nouveau jeu de parcourir telle ou telle rue d'Ero en rivalisant d'imagination sur l'affaire qui pouvait bien attirer les autres Compagnons dans ces parages-là.

Ki souleva le toit de la boîte censée représenter le Palais Vieux puis préleva dedans la petite tablette d'or que maintenait un cadre auprès du trône en bois massif. L'inclinant de manière à capter la lumière, il loucha sur la minuscule inscription qu'elle comportait. « Mes yeux doivent aller mieux. J'arrive à la déchiffrer. "Tant qu'une fille issue de la lignée de Thelátimos la gouverne et défend, Skala ne court aucun risque de jamais se voir asservir." C'est la première fois, tu sais, que je l'examine vraiment depuis qu'Arkoniel nous a appris à lire. » Son front se plissa si fort que ses sourcils noirs ne formaient plus qu'un trait. « Il ne t'est jamais arrivé de penser qu'elle pourrait te valoir des ennuis si ton oncle en apprenait l'existence ? Celle de la véritable salle du trône a disparu, si tu te rappelles... Mon père affirmait qu'Erius l'avait envoyée à la fonte tandis qu'il en faisait détruire toutes les copies de pierre qui se dressaient à chaque carrefour.

— Tu as raison. » En fait, Tobin n'avait jamais réfléchi jusque-là au risque qu'elle pouvait lui faire courir ; et cette perspective prenait à présent une tournure beaucoup plus sinistre qu'elle ne l'aurait fait un mois auparavant. Il jeta un coup d'œil circulaire assez embarrassé. Où la planquer pour la préserver ? Toute périlleuse qu'elle pouvait être, elle n'en demeurait pas moins un présent de Père...

Puis pas rien qu'un présent, mais un message, en plus. L'idée lui traversa l'esprit pour la première fois que la cité joujou n'avait pas été simplement conçue pour l'amuser quand il était petit ; Père s'en était servi pour l'instruire, pour le préparer au jour où...

« Quelque chose qui ne va pas, Tob ? »

Tobin reploya ses doigts sur la tablette et se mit debout. « Non non..., j'étais en train de penser à mon père, c'est tout. » Il jeta un nouveau regard circulaire et, subitement, eut une inspiration. « Voilà, je sais où la mettre. »

Ki le suivit, tandis qu'il se précipitait vers sa propre chambre et relevait à la volée le couvercle du coffre à vêtements. Il n'avait pas touché la poupée depuis qu'il l'avait cachée là, mais il l'y récupéra tout de go puis, scrutant la couture qu'elle avait au flanc, découvrit des points suffisamment espacés pour que la minuscule tablette puisse se faufiler entre eux. Après l'y avoir poussée bien à fond, il s'assura qu'elle aille se perdre au beau milieu du rembourrage en secouant vivement la poupée. Cela fait, il renfouit celle-ci dans le coffre et fit un grand sourire à Ki. « Et voilà. Planquer *ce machin*, je commence à avoir l'habitude, à la fin ! »

Le crépitement de sabots sur la route gelée de Bierfût fracassa le silence hivernal l'après-midi du lendemain. Ki laissa choir les bakshis qu'il était sur le point de lancer et se rua vers la fenêtre avec Tobin.

« Encore un émissaire de Lord Orun », lâcha Tobin en se renfrognant à la vue du cavalier en livrée jaune qui s'approchait du pont. Sefus et Kadmen l'attendaient de pied ferme devant la poterne extérieure.

Ki se détourna pour le dévisager. « Encore un ? Que voulait donc celui d'avant ? Tobin ? »

Tobin se mit à éplucher une plaque de lichen sur l'entablement de pierre. « Il me sommait de rentrer à Ero, mais Tharin a répondu que j'étais trop malade pour monter à cheval.

— Rien d'autre ?

— Si, confessa Tobin. Orun annonçait son intention d'expédier une nouvelle lettre au roi.

— À mon sujet. »

Tobin acquiesça d'un hochement maussade.

Ki ne dit mot et se contenta de regarder de nouveau dehors, mais il ne fallait pas être grand clerc pour deviner son inquiétude.

Tharin monta leur annoncer les nouvelles. « Toujours la même rengaine. Ton gardien est impatient de te récupérer.

— Et de se débarrasser de moi, ajouta Ki.

— J'en ai bien peur. »

Ki baissa la tête. « C'est ma faute, n'est-ce pas, Tharin ? Je lui ai fourni un prétexte. J'aurais dû venir vous trouver dès que je me suis aperçu de la disparition de Tobin. Je ne sais vraiment pas ce qui m'a pris d'écouter... » Il frictionna d'un air absent la bosse qui se décolorait sur son front puis décocha un coup d'œil chagriné à Tobin. « La seule idée qui me soit venue à l'esprit a été de te rattraper. Et maintenant, voilà le résultat !

— Je ne lui permettrai pas de te congédier. Que disait au juste cette lettre-ci ? »

Tharin lui tendit le parchemin plié, et il eut tôt fait de le parcourir. « Il exige que je me mette en route dès aujourd'hui ! Ki n'est pas encore en état de monter à cheval. »

Le capitaine lui adressa un sourire dénué d'humour. « Ça, je doute que Lord Orun s'en soucie outre mesure. Mais ne t'en fais pas. En bas, Nari est en train de s'évertuer à faire entendre au messager que ta fièvre est encore beaucoup trop forte pour que tu puisses voyager. Tu ferais mieux de rester confiné dans ta chambre jusqu'à ce qu'il redémarre. M'étonnerait fort qu'Orun se soit fait scrupule de nous dépêcher un mouchard...

— Moi de même, intervint Iya, passant la tête par la porte. Mais avant d'aller te cacher, si tu voulais bien monter un moment ? J'ai quelque chose à te montrer. Sans témoins », précisa-t-elle, en voyant que Ki s'apprêtait à le suivre.

Tobin lança à son ami un regard d'excuses au moment de sortir sur les talons de la magicienne.

« Qu'est-ce qu'il y a ? demanda-t-il dès qu'ils furent tous deux dans le corridor.

— Il y a des choses dont nous devons nous entretenir tant qu'il en est encore temps. » Elle marqua une pause. « Emporte la poupée, s'il te plaît. »

Après qu'il eut obtempéré, ils poursuivirent jusqu'au second étage. Arkoniel les accueillit dans le cabinet d'études mais, à la stupeur de Tobin, il n'y était pas seul. Juste derrière lui se trouvait Lhel, installée à la longue table. Malgré les mines très sérieuses qu'ils affichaient tous, la voir là, elle, lui fit grand plaisir, tout de même.

« Tu avoir appelé Frère ? demanda-t-elle tout à trac, et il devina qu'elle connaissait déjà la réponse.

— Non, avoua-t-il.

— Appeler maintenant. »

Après une seconde d'hésitation, il bredouilla nerveusement les paroles fatidiques à toute vitesse.

Frère apparut dans l'angle le plus éloigné de la porte. Il était maigre et dépenaillé, mais le froid puissant que dégageait sa seule présence se percevait nettement jusqu'à l'autre bout de l'immense pièce.

« Eh bien, qu'en pensez-vous ? » demanda Iya.

La sorcière darda sur le fantôme un regard aigu puis haussa les épaules. « Déjà dire vous liaison plus forte, maintenant. Aussi il plus fort, également.

— J'aimerais bien savoir si Ki est encore capable de le voir..., fit Arkoniel dans un murmure.

— Je ne le laisserai pas rôder autour de Ki. » Emporté par la colère, Tobin s'en prit directement au fantôme. « Je ne t'appellerai plus du tout, jamais, à moins que tu me promettes de ne plus jamais lui faire de mal ! Je me fiche de ce que dit Lhel ! » Il secoua

73

la poupée du côté de Frère. « Promets, sinon..., libre à toi de rester en exil à crever de faim ! »

Sur ce, il discerna tout au fond des prunelles noires du fantôme un éclair haineux, mais dirigé non pas contre lui mais contre les magiciens.

« Nul ne l'a vu dans la chambre de Tobin pendant sa maladie, disait cependant Iya, aussi posément que si l'explosion de fureur lui avait complètement échappé.

— Ceux avoir l'œil voir lui plus, maintenant, répliqua Lhel. Et il faire autres voir quand il avoir envie. »

Tobin reporta son regard sur Frère et ne fut frappé que par une chose : la lumière de la lampe jouait sur lui de la même façon que sur eux tous ; ce qui n'était pas du tout le cas, auparavant. « Il a l'air plus... plus réel, comme qui dirait.

— Sera plus dur séparer vous deux, quand venu moment, mais falloir être ainsi. »

Pendant un moment, la curiosité surmonta la rancune du petit prince. « Viens par ici », dit-il au fantôme. Mais il eut beau la tendre pour le toucher, sa main ne rencontra rien d'autre que le vide agrémenté, comme à l'ordinaire, d'un froid plus vif. Frère lui adressa un large sourire qui lui donnait plutôt l'air d'un fauve dénudant ses crocs.

« Va-t'en ! » commanda Tobin, et il éprouva un soulagement inexprimable en voyant que le fielleux esprit lui obéissait. « Je peux partir, maintenant ?

— Encore un instant, ne te déplaise, dit Arkoniel. Tu te rappelles que je t'ai promis de t'apprendre à préserver tes pensées ? L'heure a sonné de te donner cette leçon.

— Mais il ne s'agit pas de magie, n'est-ce pas ? C'est du moins ce que vous avez dit, si vous vous souvenez...

— Pourquoi la magie te fait-elle si peur, Tobin ? s'enquit Iya. C'est elle qui t'a protégé tant d'années durant... Et elle permet de réaliser des choses merveilleuses ! Tu l'as bien constaté, d'ailleurs, de tes propres yeux. Il me suffit d'un geste de la main pour allumer du feu dans des lieux dépourvus de bois, pour faire surgir de la nourriture en plein désert. À quoi tient l'aversion que cela t'inspire ? »

Au fait que la magie signifiait tout à la fois des tas de surprises et d'appréhensions, de chagrins, de dangers, songea-t-il. Mais il ne pouvait le leur révéler ; il ne voulait pas qu'ils sachent jusqu'où s'étendait l'emprise qu'ils avaient sur lui. Aussi se contenta-t-il de hausser les épaules.

« Beaucoup de magies, *keesa* », dit Lhel d'une voix douce, et il entrevit vaciller puis s'évanouir les secrets symboles qui lui bariolaient les joues. « Tu sage pour respecter. Des magies bonnes, des maléfiques. Mais nous pas faire maléfices avec toi, *keesa*. Nous sauvegarder toi.

— Et, en l'occurrence, il n'est pas question de magie véritable mais simplement d'une protection contre elle, assura Arkoniel. Tout ce que tu as à faire, c'est d'imaginer quelque chose aussi nettement que possible, de te le représenter en esprit. T'est-il possible de te figurer la mer pour moi ? »

Tobin pensa au port d'Ero, à l'aube, avec les grands navires de commerce errant sur leur ancre et les petits bateaux de pêche qui leur ballottaient autour comme des nuées d'insectes aquatiques.

Il sentit une espèce de touche fraîche lui frôler le front de manière très fugitive, et pourtant personne n'avait bougé.

Iya se mit à glousser. « Idéal, c'était !

— Déjà dire vous », fit Lhel.

Tobin s'écarquilla. « C'est tout ?

— Ce n'est qu'un début, mais parfaitement probant, répondit Arkoniel. Il va te falloir toutefois t'y exercer le plus souvent possible et ne jamais manquer de le pratiquer chaque fois que Nyrin ou n'importe lequel de ses Busards viendrait à s'aviser de ton existence. Tout le truc consiste en fait à paraître n'avoir qu'une idée en tête.

— La physionomie d'Arkoniel se crispait, dans le temps, comme s'il souffrait d'une crampe, dit la magicienne en posant sur son acolyte un regard aussi attendri que celui dont Nari, parfois, enveloppait son petit chouchou. Mais tu ne peux pas te permettre de penser toujours à la même chose. Le plus sûr est de te concentrer sur ce que tu viens juste de faire. Par exemple, si tu es allé chasser au faucon, pense longes et marques d'ailes ou bien tintement de clochettes. »

Tobin essaya derechef, mais en pensant à sa dernière partie de bakshi avec Ki.

« Bravo de nouveau ! s'écria le jeune magicien. Souviens-toi seulement, toutefois, que ta meilleure défense contre le Nyrin et contre sa clique est de ne jamais leur fournir un quelconque motif d'aller fouiner dans ton crâne. »

Les excuses de Tobin furent remportées à Ero le lendemain. C'est de la fenêtre de Ki que les deux gamins lorgnèrent en lui tirant la langue la retraite du cavalier.

Ki finissant par jouir d'une assez bonne santé pour pouvoir se soustraire aux interdictions de Nari, ils passèrent la journée à baguenauder dans les environs du fort et à faire des visites aux casernements. Ki voulut en rendre une à Arkoniel, mais ce fut en vain qu'ils cognèrent à sa porte.

Tandis qu'ils rebroussaient chemin, il lança un dernier regard par-dessus son épaule. La vue de cette porte obstinément close le déprimait bizarrement. « Où pourrait-il bien être, à ton avis ?

— Quelque part dans le coin, fit Tobin avec un haussement d'épaules. Qu'est-ce qui ne va pas ? Je l'ai vu pas plus tard qu'hier.

— Et moi, je ne l'ai pas vu depuis le goûter de ta fête, lui rappela Ki. Je commence à croire qu'il m'évite. »

Tobin lui administra une légère bourrade à l'épaule. « Tiens donc ! Et pourquoi ferait-il une chose pareille ? »

Ki n'en revint pas de voir à quelle allure le désertait sa vigueur à peine recouvrée. Vers le milieu de l'après-midi, il se sentait à nouveau tout flasque, et il voyait double par accès. Cela l'effraya, bien qu'Iya lui eût affirmé qu'il s'agissait de crises qui passeraient. Ruminer l'idée que peut-être elle se trompait le mettait dans tous ses états. Quels services pourrait bien rendre à qui que ce soit un écuyer aveugle ?

Comme à l'accoutumée, Tobin n'eut que faire de confidences pour deviner les tourments de Ki et, à sa demande, le dîner leur fut servi plus tôt et au premier étage.

C'est aussi dans sa chambre à lui qu'ils couchèrent, cette nuit-là. Ki poussa un gros soupir d'extase en se laissant aller contre les traversins moelleux. Même si ce bonheur ne devait plus durer que quelques nuits encore, il était délicieux de retrouver les choses à leur place et telles qu'à leur habitude. Cela faisait bien des jours qu'il n'avait pas plus songé à Ero qu'aux ennemis qui l'attendaient là-bas parmi les Compagnons.

Les pensées de Tobin suivaient un cours similaire tandis qu'il regardait danser au plafond les ombres animées par la flamme de la veilleuse. Une part de son être avait la nostalgie de Korin et des autres, ainsi que de l'existence trépidante qu'on menait au palais. Toutefois, ses regrets étaient empoisonnés par les missives furibondes d'Orun. Et il en venait à déplorer une fois de plus que les choses ne soient plus ce qu'elles avaient accoutumé d'être.

« Ce que ça peut me démanger, cette maudite saleté ! » grommela Ki en se grattant le front. Il se tourna vers Tobin pour lui permettre de l'examiner. « De quoi ça a l'air ? »

Tobin rebroussa doucement la tignasse sombre et soyeuse pour se rendre mieux compte. Juste en dessous de la racine des cheveux, les croûtes de la chair encore tuméfiée couraient sur une longueur de deux pouces, à l'aplomb de l'œil droit. L'enflure des ecchymoses était en train de virer du violet sombre à un vilain vert marbré. « Tu as dû te cogner contre une sacrée pierre ou je ne sais quoi d'autre quand tu es tombé. Est-ce que ça te fait toujours mal ? »

Ki lui éclata de rire au nez. « Hé, dis, tu ne vas pas te mettre à me pouponner, toi *aussi* ! Ce qui me fait le plus mal, c'est qu'on m'ait forcé à rester claquemuré si longtemps. Ce n'est pas mon vieux qui aurait jamais toléré ça, je peux te jurer ! » Il retomba du coup dans son ancien charabia de bouseux. « 'moins que tu t'as pété ta quille ou que tu t'as tes tripes à l'air, foutrement que tu peux sortir dehors et te les farcir, tes boulots !

— Est-ce que ta famille te manque encore ? »

Ki se joignit les mains sur la poitrine. « Quèqu'z-uns, m'a l'air... Alua, puis deux de mes frangins.

— Quand nous aurons arrangé les choses, à Ero, nous pourrions aller leur rendre visite, proposa Tobin. J'aimerais bien voir d'où tu viens. »

Ki détourna les yeux. « Non, tu n'aimerais pas.

— Pourquoi ça ?

— Tu n'aimerais pas, c'est tout. » Il lui décocha un bref sourire. « Par les couilles à Bilairy ! j'ai aucune envie, moi, de retourner là-bas. Alors, pourquoi que t'aurais envie, toi ? »

Tobin n'insista pas ; au fond, libre à Ki d'avoir ses secrets à lui, et puis, d'ailleurs, c'était de l'histoire

tellement ancienne, tous ces trucs-là... Sous couleur
d'un examen cette fois moins superficiel de la blessure,
il replongea ses doigts dans les cheveux de Ki pour
les relever. « Dans tous les cas, ça risque de te laisser
une drôle de cicatrice.

— Mais pas une dont je puisse me glorifier, toujours..., grommela Ki. Tu penses que les filles gobe-
raient le bobard, si je racontais qu'en route nous
sommes tombés sur des razzieurs de Plenimar, ou bien
sur des brigands, peut-être ? Te parie qu'Una et Marilli
me croiraient. »

Tobin émit un gloussement, mais non sans éprouver
au même moment une pointe familière de jalousie. Il
s'était suffisamment repu d'anecdotes sur le sang
chaud de la tribu La-Chesnaie-Mont pour savoir à quoi
s'en tenir sur l'intérêt que portait déjà Ki à toute
croupe enjuponnée.

Lui, l'extrême réserve dont il faisait preuve dans ce
domaine lui avait valu son lot de taquineries au sein
des Compagnons. À l'occasion, même Ki n'avait pu
s'empêcher de l'en plaisanter, sans male intention, loin
de là. Mais cette réserve, c'était à sa jeunesse et à sa
timidité naturelle que tout le monde (lui-même inclus)
l'avait toujours imputée.

Toujours. Jusqu'à maintenant.

Maintenant, les doigts encore mêlés aux cheveux de
Ki, sensibles à leur chaleur, voici qu'il commençait à
se douter de ce que pouvait signifier l'irritation qui lui
nouait le ventre. Il retira sa main et se rallongea bien
à plat sur le dos tout en remontant les couvertures
jusqu'à son menton.

Je n'aime pas les filles de cette façon parce que je...

Il se mit un bras en travers du visage pour dissimuler la rougeur qui montait enflammer ses joues puis, recourant au subterfuge d'Arkoniel, se força de penser au poil d'hiver tout bourru de Gosi, au froid de la pluie qui lui dégoulinait le long du cou, à la morsure des serres de son faucon sur son poing..., à n'importe quoi sauf à l'ardeur coupable qui se répandait en lui. À n'importe quoi d'autre qu'à la douceur et à la densité des boucles de son ami dont ses doigts ne conservaient que trop le souvenir.

Je suis un garçon ! Ki ne consentirait jamais à...

Ki se taisait depuis un bon moment, et lorsque Tobin osa retirer son bras, ce fut pour s'apercevoir qu'il fixait les poutres, les sourcils froncés. Finalement, il exhala un long soupir.

« Et Orun, dis ? S'il y *arrive*, ce coup-ci, à obtenir mon renvoi de ton oncle ?

— Je te l'ai déjà expliqué, je ne lui permettrai pas de le faire.

— Oh, ça, je sais. » Un sourire à dents de lapin éclaboussa la pénombre pendant qu'il empoignait la main de Tobin, mais l'inquiétude persistait à le tenailler. « Je vais te dire une chose, Tob... Quoi qu'il advienne, je resterai toujours à tes côtés, même si c'est comme simple soldat de ta garde. » Il était désormais terriblement grave. « Advienne que pourra, c'est égal, Tobin, je demeure ton homme.

— Je le sais, s'étrangla Tobin, écartelé entre la gratitude et le sentiment de culpabilité. Et moi le tien.

Endors-toi, maintenant, vite, avant que Nari ne survienne et ne t'expédie coucher dans la chambre à côté. »

Orun riposta dès le lendemain par un nouvel émissaire et, sans réfléchir, Tobin descendit aux nouvelles. Tharin se trouvait avec l'individu dans la grande salle et leva des yeux ahuris quand il entendit dévaler l'escalier. Mais la distraction du gosse était telle qu'il ne s'avisa pas sur le moment de ce qu'impliquait la stupeur du capitaine.

Le visiteur se révéla être un messager des plus insolites. Il n'était rien moins que le propre valet de chambre d'Orun, Bisir. Un garçon doux et effacé, mignon comme l'étaient tous les jeunes gens de la maisonnée d'Orun. Ce qu'avaient toujours évoqué pour Tobin ses grands yeux sombres et veloutés, ses pattes fébriles, c'était un lièvre. Il était du reste l'un des rares de ladite maisonnée à se montrer toujours aimable envers lui et, chose plus importante, le seul et unique poli avec Ki.

« Une lettre à votre intention de la part de mon maître Lord Orun, prince Tobin, dit-il d'un air contrit tout en lui tendant le parchemin scellé. Et m'est-il permis de le dire, mon prince ? c'est un vrai plaisir que de vous voir une mine si florissante. Le dernier courrier du capitaine Tharin avait induit mon maître à croire que vos jours pouvaient être en péril. »

Tobin s'aperçut alors, trop tard, de la bourde qu'il avait commise. Il ne servirait à rien, désormais, de répliquer par une nouvelle lettre invoquant sa mauvaise santé. Mais il lui suffit d'ouvrir celle qu'il tenait pour constater que cela revenait au même, de toute façon, puisque Orun menaçait de dépêcher une voiture le ramener, si besoin était.

« Très bien, fit Ki, lorsque Tobin rentra en trombe dans leur chambre. Je me sens tout à fait capable de faire la route à cheval, je t'assure. »

Iya s'en montra quant à elle moins convaincue, et c'est assez déprimés qu'ils allèrent se coucher cette nuit-là. D'abord incapable de fermer l'œil, Tobin ébaucha tant bien que mal une supplique à l'adresse de Sakor et d'Illior, non sans se demander ensuite si les dieux entendaient jamais les prières que n'élevait pas vers eux la fumée d'une offrande.

À son réveil, le lendemain matin, le premier objet qu'il repéra fut quelque chose de blanc par terre. C'était de la neige. L'un des volets s'étant ouvert, une légère averse avait saupoudré la jonchée au bas de la fenêtre. Et il en affluait d'autre à l'intérieur, poussée par le vent. Il ne fit qu'un bond du lit jusqu'à la fenêtre et, se penchant dehors, éclata de rire en sentant les rafales de flocons lui picoter les joues.

La prairie s'en était allée, perdue quelque part derrière l'épais rideau de blancheur mouvante. C'est tout juste si se distinguait encore l'angle du toit des baraquements, tandis que le pont ne formait plus rien d'autre, au-delà, qu'une vague silhouette sombre.

Il cueillit une poignée de neige et en bombarda Ki

pour le réveiller. Manifestement, les dieux s'étaient sentis en veine de générosité.

Le blizzard qui s'évertua trois jours durant amoncela la neige jusqu'à mi-hauteur des montants de porte, si bien que Bisir se retrouva comme tout un chacun pris au piège à l'intérieur du fort. Ce qui n'allait d'ailleurs pas sans compliquer quelque peu les choses. Pas pour Iya, qui s'était fait connaître, mais pour Arkoniel, qui se vit contraint à demeurer caché au second étage, de peur que Bisir n'ait la fantaisie d'aller se balader dans les coins du manoir où il était indésirable.

Le pauvre valet de chambre se montra d'abord aussi pataud que mal à son aise ; il se sentait à l'évidence déplacé dans cette rude maisonnée d'arrière-province. Il n'avait rien à faire là, personne à servir. Et comme les femmes ne tenaient pas à l'avoir dans la grande salle tout le temps dans leurs jambes, Koni et certains des plus jeunes gardes se chargèrent de sa personne et l'entraînèrent vers les casernements. Vu du haut de l'escalier, où se tenaient tapis Tobin et Ki, cela n'était pas loin de ressembler à une arrestation. Cerné de soudards aussi dépourvus de manières que d'expressions fleuries, Bisir avait tout l'air de quelqu'un qu'on emmène se faire pendre.

On ne le revit qu'au petit déjeuner du lendemain. Tout ébouriffé, fripé, froissé qu'il était, contrairement à son habitude, il n'en riait pas moins à gorge déployée, lui si timide, avec ses nouveaux compères, chose que jamais jusque-là Tobin ne lui avait vu faire.

84

Finalement, la tempête eut beau se calmer, les routes se trouvaient si bien bloquées par la neige qu'il ne fut plus question pour l'heure de voyage. Ainsi s'écoulèrent trois semaines en or qu'ils vécurent comme s'ils n'avaient jamais mis les pieds à Ero.

Les congères leur interdisaient de monter à cheval, mais ils passèrent des heures entières à tirer à l'arc, à livrer des batailles de boules de neige aux gardes, à élever des bataillons de bonshommes de neige et à pratiquer l'escrime à l'intérieur des baraquements. Grâce à Koni, Bisir se joignit à ces passe-temps, mais il se révéla n'avoir rien d'un guerrier.

Les rares fois où ils réussirent à saisir l'occasion de s'esquiver en catimini, Tobin et Ki parcoururent l'orée des bois en quête de Lhel, mais ce fut toujours en pure perte, soit parce que la sorcière se trouvait bloquée chez elle par la neige ou qu'elle refusait de se montrer.

Ki recouvra peu à peu toute sa vigueur, mais il lui arrivait encore de souffrir de troubles de la vision lorsqu'il s'exerçait au tir. Après avoir envisagé d'aller en parler à Tharin, il préféra finalement, une nuit, se présenter à la porte d'Iya dès que Tobin se fut endormi. Mais il avait si peur qu'une fois chez elle, il eut le plus grand mal à lui exposer l'objet de sa visite. La magicienne l'accueillit gentiment, le fit asseoir au coin de son feu et lui offrit du vin aux épices. Quand il eut fini par lâcher ce qui l'amenait, elle parut soulagée.

« Tes yeux, dis-tu ? Eh bien, tâchons de voir ce que je puis faire. » Elle s'inclina vers lui et lui appliqua une main sur le front. Elle resta sans rien dire quelques minutes, à se tenir dans cette position, les paupières à demi fermées, comme si elle était à l'écoute de ce qu'il avait dans le crâne. Il éprouva des picotements frisquets sur la peau qui le chatouillaient un brin mais qui ne manquaient pas non plus d'agrément.

« Vous ne m'aviez jamais dit que vous étiez guérisseuse.

— Oh, je sais une chose ou deux », murmura-t-elle.

Quoi qu'elle fût en train de faire, elle eut bientôt l'air satisfait. « Je n'irais pas m'affoler pour si peu. Le choc que tu as reçu à la tête est encore en train de se réparer. Je suis persuadée que ça va te passer.

— Je l'espère bien. Quand nous rentrerons...

— Tu auras à prouver de nouveau tout ce que tu vaux, devina-t-elle avec sa perspicacité coutumière. Mais tes mérites sont déjà connus de tes amis et, quoi que tu fasses, tu ne modifieras pas l'opinion de tes ennemis.

— Mes amis... », souffla Ki, songeant à Arkoniel. En dépit de ce que pouvaient dire Tobin et n'importe qui d'autre à cet égard, Arkoniel l'évitait bel et bien. Celui-ci n'avait rien fait de plus que risquer un œil par la porte quand il gisait encore au fond de son lit, et à peine s'étaient-ils vus tous les deux depuis. Ki en souffrait. Il avait toujours eu de la sympathie pour le magicien, même quand le jeune homme le forçait à apprendre à lire et à écrire. Il avait d'autant plus de peine à supporter la froideur, aussi soudaine qu'inexpliquée, de leurs relations.

Il n'avait pas osé questionner Tharin sur ce point, de peur que la réponse ne soit trop cruelle. Mais voilà qu'il ne se sentait pas de taille à se taire un instant de plus. Iya connaissait Arkoniel mieux que quiconque d'autre. « Est-ce qu'Arkoniel m'en veut d'avoir laissé Tobin s'enfuir ? »

Iya haussa un sourcil en accent circonflexe. « T'en vouloir, à toi ? Pourquoi vas-tu t'imaginer une chose pareille ? Tu sais bien qu'il ne peut pas courir le risque de se laisser voir par notre visiteur...

Il m'évitait déjà avant l'arrivée de Bisir.

— Il n'arrête pas de demander de tes nouvelles. »

Ki papillota. « Vraiment ?

— Je te l'affirme.

— Mais je ne le vois jamais. »

Iya lissa le devant de sa robe à deux mains. « Il est occupé à mettre en œuvre un charme qui ne lui laisse pas un instant de répit. »

Le gamin soupira. Tous ses travaux n'empêchaient pas Arkoniel de continuer à faire appeler Tobin – mais lui non, jamais.

Iya dut s'apercevoir de son air sceptique, à moins qu'elle n'ait lu dans ses pensées en lui touchant l'esprit, car elle se mit à sourire. « Ne te tracasse pas de ça, cher enfant. Ta maladie l'a bien plus effrayé qu'il ne veut l'admettre. Il se peut qu'il ait une façon bizarre de le témoigner, mais il t'aime énormément. Je lui toucherai mot de notre entretien. »

Ki se leva et lui adressa un salut plein de gratitude. Elle l'impressionnait encore trop pour qu'il ose l'embrasser. « Je vous remercie, Maîtresse. Je serais affreusement désolé, s'il ne m'aimait plus. »

Iya l'abasourdit en lui effleurant doucement la joue. « Ne va jamais te figurer que ça puisse arriver, mon petit. »

4

Nyrin s'amusait prodigieusement à regarder Orun fulminer de rage et crever d'inquiétude à propos de l'absence du prince Tobin. Il l'avait flairé dès le début, le lord chancelier du Trésor n'avait manigancé pour se faire attribuer la garde de Tobin que dans l'espoir de cimenter par le biais du gamin son raccordement sur la famille royale. Si celui-ci avait été une fille, nul doute qu'il serait allé jusqu'à solliciter des fiançailles. Il était puissant, chose indéniable, et l'onctueuse loyauté dont il avait fait preuve envers la défunte mère du roi lui avait valu tout à la fois son opulence et sa position prestigieuse ; Erius n'aurait pas forcément dédaigné une pareille alliance.

Seulement, voilà, tel n'était pas le cas, on avait affaire à ce garçonnet malingre et capricieux, seul et unique héritier des plus riches domaines de tout le royaume, et c'était Orun qui tenait les cordons de la bourse. Nyrin était certes assez sûr de sa propre emprise sur le roi, mais le fait qu'un fruit si pulpeux soit tombé dans le giron de l'homme le plus haïssable d'Ero ne laissait pas que de l'agacer. Aussi guettait-il son heure et entretenait-il des mouchards dans la maison d'Orun pour ne pas rater son moindre faux pas. Si son penchant pour les jouvenceaux n'était un secret pour personne, le bougre s'était en revanche sagement borné à le satisfaire avec des domestiques et des prostitués qui ne risquaient pas de se hasarder à jaser. Mais n'allait-il pas s'oublier avec Tobin ? Ça, ce serait vraiment un sacré coup de veine, se disait le magicien, qui avait même envisagé de seconder benoîtement les choses.

Du vent, d'ailleurs, que tout cela. Qu'il en prît seulement fantaisie à Erius – et Nyrin se flattait d'exercer quelque influence sur ses fantaisies... –, c'est à n'importe quel moment et en toute impunité qu'il pourrait saisir les possessions du petit prince, châteaux, domaines et trésors. Tobin n'était encore qu'un gosse à peu près dépourvu d'amis au sein de la noblesse et, vu son état d'orphelin, fort peu susceptible de susciter une quelconque féauté.

Si c'était la fille d'Ariani qui avait survécu, plutôt que son fretin de frère, les choses auraient été bien différentes. Alors que plus s'aggravaient les sécheresses et les épidémies, plus les paysans se tournaient vers Illior, il n'avait pas été terriblement sorcier de faire voir au roi que n'importe quel rejeton féminin du sang constituait une menace pour sa propre lignée. Si les illiorains venaient à prendre le dessus, n'importe laquelle de ces prétendantes serait en mesure de faire valoir sa qualité de « fille de Thelátimos » et de lever une armée contre lui. La solution qui s'imposait, l'usage et le temps l'avaient bien consacrée, non ?

Il n'empêchait que Nyrin avait commis une gaffe

presque fatale lorsqu'il s'était, non sans détours et cir-
conlocutions, permis d'insinuer que la pire menace
pesant sur le trône d'Erius était incarnée par sa propre
sœur, Ariani. Il s'en était fallu d'un rien que le roi
n'ordonne alors l'exécution du magicien ; et c'était en
cette occasion-là que le magicien avait retourné pour
la première fois son art contre le roi.

Une fois réparée l'anicroche, Nyrin s'était réjoui de
constater que l'indulgence du souverain ne s'étendait
manifestement pas jusqu'à la progéniture de sa sœur.
Ils avaient l'un et l'autre pris pour un excellent présage
la mise au monde par celle-ci d'une fille mort-née. Et
en s'enfonçant par la suite dans la folie, la princesse
s'était en quelque sorte elle-même chargée d'accomplir le reste de la besogne à la place du magicien.
L'accession au trône d'une nouvelle reine démente
n'avait franchement pas de quoi séduire les plus fana-
tiques même des illiorains. Personne n'était dès lors
disposé à soutenir la cause d'Ariani, pas plus d'ailleurs
que celle de son maudit possédé de fils.

L'affaire n'en était pas pour autant classée, néanmoins. Une fille, n'importe quelle fille, susceptible de
faire valoir sa qualité, même éloignée, de « fille de
Thelátimos » risquerait toujours de s'aviser que la
prophétie d'Afra continuait de hanter les mémoires, si
nombreux que soient les prêtres et les magiciens
réduits en fumée par ordre de Sa Majesté. C'était au
demeurant là-dessus que tablait Nyrin...

Lorsqu'il avait commencé à se rendre à Ilear une
fois par mois, personne n'y avait prêté d'attention. Il

est vrai qu'il s'habillait pour ce faire en riche négociant, et qu'il s'adjoignait un charme propre à embrouiller le cerveau des gens qui l'auraient d'aventure reconnu malgré son déguisement. Grâce à quoi cela faisait des années qu'il allait et venait à sa guise. Puis qui, de toute manière, aurait eu le front d'espionner le chef des Busards ?

Tout en poussant son cheval par les rues du bourg en cet après-midi brumeux d'hiver, il se délectait comme à l'accoutumée de son anonymat. C'était un jour de foire à la volaille, et les façades de la place du marché répercutaient en un vacarme assourdissant les cocoricos, les caquets, cacardages et coin-coin des oiseaux captifs dans leurs cages. Nyrin se sourit à lui-même pendant que, bien tenue en main, sa monture fendait la foule. Qui, là-dedans, se doutait que le cavalier que visaient les murmures, les sourires ou les quolibets pouvait d'un mot, d'un seul, terminer ses jours ?

Délaissant tout ce tintamarre, il gravit la colline en direction du quartier cossu puis de la belle maison de pierre qu'il y possédait. Un jeune page accourut ouvrir, et Vena, la vieille nourrice à demi aveugle, vint à ses devants dans la grande salle.

« Elle n'a pas quitté sa fenêtre, à se faire un mouron du diable depuis tôt matin, Maître, rouspéta-t-elle en le débarrassant de son manteau.

— C'est lui ? cria de l'étage une fille.

— Oui, Nalia, ma chérie, c'est moi ! » répondit Nyrin.

Elle descendit en trombe les escaliers et l'embrassa

sur les deux joues. « Vous avez toute une journée de retard, vous savez ! »

Il lui retourna ses baisers puis la maintint à bout de bras pour l'admirer. D'un an plus âgée que le prince Korin dont elle était parente, elle en avait bien les yeux et les cheveux noirs, mais aucun des attraits physiques. C'était un laideron de fille, et un laideron qu'achevait d'enlaidir, en plus d'un menton rentré, la marque de naissance irrégulière et rose qui lui faisait depuis la joue gauche jusqu'à l'épaule comme des éclaboussures de vin. Cette disgrâce la rendait timide au point de fuir toute espèce de société, mais elle l'avait bien arrangé, lui, car cela devenait dès lors un jeu d'enfant que de tenir cachée la pauvrette au fin fond de ce trou perdu à l'écart du monde.

Sa mère, une cousine au second degré d'Erius du côté maternel, avait eu beau être plus moche encore, ça ne l'avait quand même pas empêchée de réussir à se dégotter un mari et à mettre bas une paire de filles. Une bonne fortune que Nyrin s'était adjugée. Les meurtres, il les avait perpétrés lui-même en frappant l'homme d'un arrêt cardiaque au moment même où celui-ci lui ouvrait la porte et en tuant la femme à même son lit d'accouchée. Cela s'était passé à l'époque où débutaient tout juste les massacres ordonnés par Erius et où le magicien se chargeait encore personnellement de telles besognes.

Passée comme par miracle au travers du destin funeste qui s'était comme à plaisir acharné sur sa mère et sur sa sœur Nalia, la première des jumelles était une adorable petite chose qui promettait de devenir, en grandissant, une véritable beauté. Mais c'était difficile à cacher, la beauté. Ou difficile à tenir en main.

La ferme intention de Nyrin était d'abord de les liquider tous, mais au moment même où il soulevait la seconde enfant qui braillait à pleine gorge auprès de sa mère morte, brusquement l'avait frappé une vision..., la vision qui précisément lui dictait depuis chacun de ses gestes et agissements. Dès lors il avait sciemment cessé d'être le pur et simple chien courant d'Erius et avait endossé le rôle de maître des destinées à venir de Skala.

Quant à elle, il y eut d'autres magiciens pour l'entr'apercevoir dans leurs propres visions, de même que certains prêtres d'Illior. Exploitant les craintes qu'inspirait au roi le sort de Korin, Nyrin lui avait arraché de haute lutte le pouvoir et les moyens d'écraser tous ses rivaux avant qu'ils ne parviennent à y voir net et ne puissent révéler l'existence de sa douce et docile petite Nalia. Nul autre que lui ne devait produire cette reine future au moment opportun. Nul autre que lui ne devait la plier à ses quatre volontés lorsqu'elle accéderait au trône.

Il menait Erius par le bout du nez, mais il savait pertinemment que cela ne lui serait jamais possible avec ce jeune cabochard de Korin. Il coulait dans les veines du prince infiniment trop du sang de sa mère et pas une once de démence. Il régnerait longtemps, tandis que la peste et la male chance ne feraient que croître et embellir dans le pays jusqu'à ce que Skala s'écroule sous la poussée de ses ennemis comme une vulgaire poutre pourrie.

93

Agnalain la Folle et sa nichée n'avaient fait que souiller la couronne, de cela nul ne disconviendrait. Lui, sa Nalia pouvait d'autant mieux justifier de son ascendance que celle-ci remontait jusqu'à Thelátimos des deux côtés. Nyrin en fournirait les preuves, le moment venu. C'était lui, et lui seul, qui replacerait l'Épée de Ghërilain dans une main de femme, le jour où l'Illuminateur en signifierait l'ordre. Entre-temps, elle avait poussé dans un paisible anonymat, ignorée de tous et s'ignorant même elle-même. Elle savait seulement qu'elle était orpheline, et que Nyrin lui tenait lieu gracieusement de bienfaiteur et de gardien. Toute autre compagnie masculine lui étant interdite, elle l'adorait, et il lui manquait affreusement quand ses affaires d'armateur – elle y croyait dur comme fer – le retenaient dans la capitale.

« C'est trop cruel à vous de me faire attendre aussi longtemps », reprit-elle, toujours sur le ton de la réprimande, mais non sans que le rouge du plaisir, s'aperçut-il, envahisse sa joue intacte, pendant qu'elle l'entraînait par la main jusqu'à son fauteuil du salon. Après s'être installée, tout heureuse, sur ses genoux, elle l'embrassa de nouveau et s'amusa à lui tirailler la barbe.

Abstraction faite de la disgrâce de son visage, elle avait fini par devenir une jeune femme joliment tournée. Nyrin enlaça d'un bras sa taille fine puis, tout en l'embrassant, pelota d'une main amoureuse la généreuse rondeur de ses seins. La nuit, dans leur chambre à coucher, toutes lumières éteintes, elle était aussi belle qu'aucune des maîtresses qu'il avait jamais possédées, et la plus abjectement dévouée.

Qu'Orun le garde, pour l'instant, son petit bonhomme de prince en bois. Sans la puissance du duc Rhius pour l'appuyer – et Nyrin n'était pas sans avoir aussi quelque peu contribué à cette disparition-là –, le fils d'Ariani n'était rien d'autre qu'un usurpateur mâle potentiel de plus en tant que prétendant au trône, et un usurpateur maudit, par-dessus le marché ! Lui régler son compte ne serait pas bien difficile, le moment venu...

5

L'arrivée d'un vent chaud qui soufflait du sud mit fin à l'exil de Tobin dans les premiers jours de Cinrin. Les pluies du milieu de l'hiver firent fondre les congères comme des pains de sucre. Les fortins de neige s'écroulèrent, et les bonshommes de neige de leur garnison s'affalèrent, éparpillés comme autant de cadavres grêlés de petite vérole, abattus par le fléau du redoux.

Deux jours plus tard survint une estafette royale qui apportait, avec une lettre de Korin, de nouvelles sommations virulentes de Lord Orun.

« Cette fois, ça y est. » À la suite de Tobin, Ki en fit la lecture à haute voix pour Tharin et les autres groupés tout autour du feu.

Si le teint de Bisir s'était coloré durant son séjour involontaire et si son caractère était devenu plus expansif, voilà qu'il avait à nouveau son pauvre petit air de lièvre apeuré. « Et de moi, est-ce qu'il ne dit rien ?

— Ne t'inquiète pas des réactions d'Orun, le rassura Tobin. Ce n'est pas ta faute si la neige t'a bloqué ici. Il ne peut quand même pas te faire grief des intempéries. »

Bisir secoua la tête. « N'empêche qu'il le fera.

— Nous nous mettrons en route demain dès le point du jour, intervint Tharin, que cette perspective enchantait, manifestement, autant que le valet de chambre. Nari, veille à faire emballer d'ici là toutes leurs affaires.

— Évidemment ! » jappa-t-elle d'un air offensé, mais Tobin la surprit à s'essuyer les yeux avec un pan de son tablier tandis qu'elle grimpait au premier étage.

Cuistote s'était fendue d'un excellent dîner d'adieu, ce soir-là, mais personne n'avait très faim.

« Vous venez toujours avec moi, n'est-ce pas, Iya ? demanda Tobin en faisant faire à un morceau d'agneau le tour complet de son écuelle.

— Vous ne pourriez pas servir à Tobin de magicien de cour, le cas échéant ? suggéra Ki.

— Je doute que le roi goûterait fort cela, répliqua-t-elle. Mais je viendrai quand même faire un petit séjour là-bas, juste histoire de voir dans quel sens le vent souffle. »

Tobin avait le cœur lourd, le lendemain matin, pendant que Ki et lui s'habillaient à la lueur d'une chandelle. Il ne se sentit aucun appétit pour déjeuner, une boule obstruait sa gorge, et une autre lui pesait comme une pierre au creux de l'estomac. Loin de jaser comme d'habitude, Ki réduisit même ses adieux à quelques mots hâtifs quand sonna l'heure du départ. Bisir affichait une mine carrément lugubre.

Le lever du jour s'annonça pluvieux et froid lorsqu'ils traversèrent Bierfût. Tournées en fondrières et bourbiers gluants, les routes imposaient de n'aller qu'au pas. La pluie se mit à les fustiger par rafales aussitôt qu'ils amorcèrent, parmi les collines boisées, la descente vers le plateau découvert qui ondulait au loin. En ce dernier mois de l'année, le crépuscule survenait tôt. Ils passèrent la nuit dans une auberge en bord de route et ne parvinrent en vue de la côte que le lendemain vers midi. Le ciel était d'un gris de fer, la mer et la rivière se détachaient en noir sur le brun hivernal des champs. Même Ero, perchée sur sa haute colline, présentait l'aspect d'une ville en cendres.

Ils forcèrent leurs montures à prendre le galop pour parcourir les quelques derniers milles, et l'âpre senteur de la mer leur sauta au visage en signe d'accueil. Grâce à elle et à la griserie de foncer à bride abattue, talonné par ses propres hommes, Tobin se sentit un peu moins déprimé. Si bien qu'au moment d'aborder le large tablier de pierre du pont Mendigot, l'idée d'affronter son gardien ne l'impressionnait plus. Même le spectacle des bouges qui grouillaient depuis l'autre berge jusqu'aux remparts de la cité ne réussit pas à l'abattre. Il vida sa bourse en jetant aux mendiants qui bordaient la voie tout ce qu'elle contenait de pièces de cuivre et d'argent. Avant d'enfiler le grand passage voûté qui perçait le mur, lui et ses guerriers se firent un devoir d'honorer les divinités patronnes de la capitale et saluèrent à cet effet l'emblème flamme-et-croissant sculpté sur le linteau de la porte sud en portant la main à leur cœur puis à la garde de leur épée. Tharin annonça l'arrivée du prince, et les piquiers du guet s'inclinèrent sur son passage. Iya s'écarta un instant du cortège afin d'exhiber son insigne d'argent, et l'un des pandores nota quelque chose sur une tablette de cire à pointer. Indignés par ces vexations de basse police, les guerriers pincèrent les lèvres en un pli teigneux, pendant que la magicienne regagnait sa place aux côtés de Tobin. Quant à lui, on avait eu beau le mettre au courant des insignes que les Busards imposaient à leurs confrères indépendants, il avait même eu beau voir celui que portait Iya, leur véritable signification ne commençait à lui apparaître que maintenant.

Après toutes ces semaines dans les montagnes, il trouvait les rues étroites d'autant plus noires et crasseuses. On parcourait encore un quartier pauvre, et les visages à l'affût qu'il apercevait aux fenêtres comme au coin des portes étaient aussi blêmes et tirés que ceux de fantômes.

« Ero la puante », ronchonna-t-il en tordant le nez.

Iya lui décocha un coup d'œil bizarre de sous sa capuche, mais ne pipa mot.

« Gagerais que notre absence a été suffisamment longue pour nous en tirer l'arôme du pif », ironisa Ki.

Relançant leurs chevaux au galop, ils remontèrent à grand fracas les rues abruptes et sinueuses aboutissant devant l'enceinte Palatine. Elles devenaient imperceptiblement plus propres aux abords du sommet, et les dessus de porte de certaines arboraient déjà çà et là les guirlandes tressées de branchages à la verdure persistante et d'épis de blé que l'on y suspendait à l'occasion de la Fête de Sakor.

Le capitaine de la Garde palatine accueillit Tharin aux portes. « Le prince Korin m'a chargé d'un message à l'intention du prince Tobin, messire, dit-il en s'inclinant bien bas. Il prie son cousin de venir le rejoindre à la salle des festins dès son arrivée.

— Et Lord Orun, est-ce qu'il vous en a lui aussi laissé un pour moi ? s'enquit Tobin.

— Non, mon prince.

— Toujours ça de pris », marmonna Ki.

À contrecœur, Tobin se tourna vers Bisir. « M'est avis que tu ferais mieux d'aller annoncer les nouvelles à ton maître. »

Le jouvenceau s'inclina en selle et, sans un mot, s'exécuta en prenant les devants.

Les branches des ormes séculaires dénudées par l'hiver formaient comme un tunnel d'entrelacs au-dessus de leurs têtes quand eux-mêmes repartirent au petit trot.

Tobin marqua une pause auprès de la nécropole

royale afin de saluer les restes de ses parents qui repo-
saient tout au fond des cryptes. Au travers des piliers
de bois noircis par le temps qui supportaient le toit de
tuiles plates se discernaient le feu qui brûlait sur l'autel
et ses reflets mouvants, derrière, sur les traits des
reines en effigie.

« Tu souhaites entrer ? » demanda Tharin.

Tobin secoua la tête et redémarra.

Les jardins du Palais Neuf offraient toute la palette
des gris et des noirs. Des lumières clignotaient aux
fenêtres un peu partout, telles des nuées de lucioles
hivernales, au sein du dédale de belles demeures qui
couronnaient les hauteurs d'Ero.

Une fois au Palais Vieux, Iya poursuivit sa route
avec Laris et les autres vers l'ancienne villa d'Ariani
où elle comptait établir ses quartiers. Tharin demeura
pour sa part avec les garçons, qu'il escorta dans l'aile
réservée aux Compagnons. Ne sachant trop quel
accueil on lui réserverait, Tobin se félicita de la présence du capitaine et de celle de Ki tandis que ses
pas le menaient dans les enfilades de corridors aux
couleurs fanées.

La salle du mess était vide, mais rires et joyeux
flonflons les guidèrent jusqu'à celle où Korin donnait
ses festins. Les doubles portes en étaient ouvertes, et
elles déversaient des flots de lumière et de musique à
la rencontre des enfants prodigues. Des centaines de
lampes éclairaient la pièce, et la chaleur qui y régnait
paraissait presque suffocante après toute cette journée
de chevauchée dans le froid.

Korin et tous ses nobles Compagnons étaient assis à la table haute, en compagnie d'une poignée de copains de haut vol et de donzelles favorites. Les écuyers s'échinaient à servir. Debout derrière le fauteuil de Korin, Garol tenait, prêt à verser, son pichet de vin, et Tanil, sur sa gauche, s'affairait à trancher. De tous les convives habituels de ce genre de réunion, il n'en manquait qu'un seul, apparemment, le maître d'armes Porion. On ne voyait trace de lui nulle part. Mais, malgré tout le goût qu'il avait pour ce bourru de vétéran, Tobin n'était pas franchement pressé d'essuyer les remontrances que lui vaudrait assurément sa longue absence à l'entraînement.

Des dizaines d'invités de tout âge occupaient deux longues tables au bas de l'estrade. Un coup d'œil circulaire permit à Tobin de repérer également le ramassis coutumier d'amuseurs. Pour l'heure, une troupe d'acrobates mycenois jonglaient en se lançant en l'air mutuellement.

L'arrivée des trois voyageurs avait échappé à Korin. Aliya se trémoussait sur ses genoux, riant et rougissant de ce qu'il lui chuchotait à l'oreille tout en jouant avec l'une de ses tresses. Comme Tobin approchait de la table, il s'avisa, non sans un brin d'étonnement, que son cousin était déjà cramoisi de boisson, bien qu'il fût encore très tôt.

Près du bout de la table, ses amis Nikidès et Lutha bavardaient avec la brune Lady Una, mais d'un air plus grave que libidineux.

Lutha fut le premier à remarquer leur présence. Sa face étroite s'illumina puis, tout en décochant un coup de coude à Nikidès, il se mit à crier : « Visez-moi ça, prince Korin, voilà de retour enfin votre indomptable de cousin !

— Viens çà, cousinet ! s'exclama Korin en lui ouvrant largement les bras. Et toi aussi, Ki. Alors, comme ça, vous avez quand même fini par vous désembourber ? Vous nous avez manqué. Ta fête aussi, d'ailleurs.

— Eh bien, moi, ça m'avait permis de récupérer mon ancien poste pendant quelque temps ! » fit Caliel en éclatant de rire. Puis d'abandonner aussitôt la place d'honneur à la droite de Korin pour aller s'en frayer une autre à grands coups d'épaules auprès de la barbe rouge de Zusthra.

Ki partit assurer le service avec les autres écuyers. Tharin se vit offrir un siège honorifique parmi les plus âgés des amis de Korin à la table de droite. Tobin chercha d'un œil inquiet son gardien ; chaque fois qu'il le pouvait, Orun venait se mêler de son propre chef à tout ce que faisait Korin ; mais non, il n'y était pas arrivé, ce coup-ci, constata-t-il avec soulagement.

On avait plutôt bien accueilli Ki, semblait-il aussi. Peut-être Orun n'avait-il pas, en définitive, mis ses menaces à exécution. Au bas bout de la table, il aperçut pourtant leur persécuteur de toujours, ce sale crapaud de Moriel. Qui, justement, louchait sur son rival avec une franche aversion de tout son museau blafard et pointu. Et c'est avec ça, pas avec Ki, qu'il aurait dû partager ses appartements, si Orun était parvenu à ses fins... ?

Comme il regardait alentour pour voir si Ki s'était

rendu compte de quelque chose, il se retrouva comme prisonnier d'une paire de prunelles sombres. Lady Una lui adressa un petit geste intimidé. Le cas qu'elle faisait ouvertement de lui l'avait toujours mis mal à l'aise. Mais à présent qu'il portait son nouveau secret planté comme une écharde en travers du cœur, force lui fut de se détourner vivement. Comment pourrait-il jamais la regarder en face de nouveau ?

« Hm, voilà quelqu'un qui est bien aise de ton retour ! observa Caliel, se méprenant du tout au tout sur sa rougeur subite.

— Hanap ! Échanson ! glapit Korin. Un toast de bienvenue pour mon cher cousin ! » Lynx apporta bien vite à Tobin un hanap d'or, et Garol, que menaçait tout sauf l'abus de sobriété, l'emplit à ras bords de vin.

Korin se pencha pour dévisager le fugitif. « M'as pas trop l'air amoché par ta maladie... T'étais figuré que tu avais attrapé la peste, à ce qu'il paraît ? »

Il était plus ivre que Tobin ne l'avait d'abord cru, et il empestait le vin. Mais le bon accueil qu'il lui faisait n'en était pas moins sincère, quoiqu'un rien bafouillé, et cela lui réchauffa le cœur.

« Je ne voulais pas que les oiseaux de mort viennent clouer les issues du palais, expliqua-t-il.

— À propos d'oiseaux, ton faucon s'est langui de toi ! lui lança de sa place Arengil, dont l'accent aurënfaïe conférait aux mots la grâce d'une mélodie. Je te l'ai maintenu bien en forme, mais ça n'empêche pas son maître de lui manquer. »

Tobin éleva son hanap en signe de bonne amitié.

Non sans tanguer pas mal, Korin se mit debout et,

armé d'une cuillère, fit sonner comme un gong un plat de carcasses d'oie. Les ménestrels firent silence, et les acrobates s'esquivèrent en douce. Une fois sûr d'être seul à capter l'attention de tous, Korin brandit sa coupe en direction de Tobin. « Versons des libations pour mon cousin, en l'honneur de sa fête ! » D'une main tout sauf assurée, il inonda la nappe maculée puis s'envoya le peu de contenu restant, tandis que l'assistance entière se contentait de répandre les quelques gouttes de rigueur. Se torchant alors la bouche à même sa manche, le prince proclama d'un ton emphatique : « Comme c'est douze ans qu'il a, mon cousin, c'est douze baisers qu'il aura de chacune des filles de cette table afin de hâter sa virilité. Plus un en prime, en raison du mois qui s'est écoulé depuis. À toi l'entame, Aliya. »

Il ne servait à rien de discuter, Korin aurait le dernier mot, de toute manière. Tobin s'efforça de faire bonne figure lorsque Aliya s'enroula tout autour de lui pour lui délivrer la douzaine requise un peu partout sur le museau. Libre à Korin de faire autant de cas d'elle, mais lui pour sa part l'avait toujours trouvée méchante et vipérine. Le dernier baiser, elle le lui colla vachement sur les lèvres avant de déguerpir en éclatant de rire. Cinq ou six autres filles se bousculèrent pour avoir leur tour, mais dans l'espoir sans doute de complaire au prince héritier plus qu'à son cousin. Mais lorsque ce fut à Una de s'exécuter, tout juste lui effleura-t-elle, et paupières verrouillées, la joue. Par-dessus l'épaule de la jeune fille, Tobin aperçut Alben qui, sous sa tignasse noire, se délectait de le voir si embarrassé et s'en tordait les côtes de conserve avec Zusthra et Quirion.

Ce supplice achevé, Ki vint déposer devant lui un tranchoir de pain persillé et un rince-doigts. Il avait les lèvres crispées d'un air hargneux.

« Ce n'était qu'une plaisanterie », lui souffla Tobin, loin de se douter que ce n'était pas la séance de bécots qui l'avait mis dans cet état.

Sans se dérider pour autant, Ki emporta le plat de carcasses. Un instant plus tard parvint aux oreilles de Tobin un fracas de vaisselle accompagné d'un juron étouffé. Il se retourna et surprit Arius et Mago qui pouffaient tandis que son ami ramassait les détritus graisseux et les remettait dans le plat qu'il avait laissé tomber. Au regard que leur décocha celui-ci, il n'eut pas de mal à deviner que les deux salopards n'avaient pas perdu de temps pour renouveler leurs anciennes vilenies.

Il n'avait toujours pas digéré la façon dont Mago s'y était pris pour pousser Ki à la bagarre et, par là, lui faire administrer le fouet sur les marches du temple. Et il se soulevait déjà de son fauteuil quand l'écuyer de Korin, Tanil, survint à ses côtés pour lui servir dans le tranchoir plusieurs tranches d'agneau rôti.

« Je vais leur faire leur affaire », murmura-t-il.

À son corps défendant, Tobin se laissa retomber dans son fauteuil. Comme d'habitude, Korin ne s'était aperçu de rien. « Qu'est-ce qui te ferait plaisir comme cadeau, cousinet ? s'enquit-il. Exprime un désir, quel qu'il soit. Un corselet d'or ciselé, peut-être, pour remplacer cette vieille carapace de tortue cabossée que tu

105

te payes ? Ou bien un faucon pèlerin ? Ou encore un nouveau cheval aurënfaïe de toute beauté ? J'y suis... une épée ! Il y a un nouveau forgeron, rue Frappe-Devant, tu n'as jamais vu le pareil... »

Tout en mastiquant posément, Tobin réfléchit à la proposition. Il n'avait aucune envie de changer de cheval ou d'épée – ceux qu'il possédait étant des présents de Père –, et sa vieille armure lui allait comme un gant..., encore que peut-être elle commençait à être un peu juste. Mais à vrai dire, on lui avait offert tellement de cadeaux depuis son arrivée à la cour qu'il ne voyait strictement rien à demander, somme toute, à l'exception d'une chose. Seulement, il n'osait pas, ici, mettre sur le tapis la question du bannissement éventuel de Ki. Il n'était d'ailleurs même pas certain que la régler soit au pouvoir de son cousin, et il n'allait assurément pas courir le risque, en plus, d'embarrasser Ki au vu et au su de toute l'assemblée.

« Je n'en ai pas la moindre idée », confessa-t-il finalement.

Sa déclaration fut accueillie par des huées bienveillantes et des tas de sifflets, mais tout ce boucan ne l'empêcha pas d'entendre la sœur d'Urmanis, Lilyan, susurrer à Aliya cette rosserie : « Faut toujours qu'il joue son petit seigneur tout simple de la cambrousse, hein ?

— Peut-être le prince aimerait-il mieux un autre genre de présent, suggéra Tharin. Un voyage, par exemple ? »

Korin s'épanouit aussitôt. « Un voyage ? Mais voilà un cadeau dont nous pourrions tous profiter ! Où te

106

plairait-il d'aller, Tobin ? À Afra, peut-être, ou jusqu'à Erind ? Tu ne saurais déguster nulle part meilleure friture d'anguilles, et les putains de là-bas passent pour les plus friandes de toute Skala. »

Caliel lui jeta un bras autour du cou dans l'espoir d'arrêter ces propos d'ivrogne. « Il est quand même un peu jeunot pour ça, tu ne penses pas ? »

Et là-dessus d'adresser un clin d'œil complice à Tobin pardessus l'épaule de Korin. Lui et Tanil étaient les seuls capables de manœuvrer le prince royal lorsqu'il se trouvait dans un état d'ivresse aussi avancé.

Toujours aussi perplexe, Tobin questionna Tharin d'un coup d'œil. Avec un sourire, le capitaine leva une main vers sa poitrine, un peu comme s'il désignait quelque chose.

Tobin comprit instantanément. Touchant la saillie que formait le sceau de Père sous sa tunique, il déclara : « J'aimerais bien aller voir mon apanage d'Atyion.

— C'est tout ? Pas plus loin que ça ? » Korin s'écarquilla, bouffi de désappointement.

« Je n'y ai jamais mis les pieds, lui rappela Tobin.

— Eh bien alors, va pour Atyion ! J'en profiterai toujours pour monter un nouveau cheval, et il n'y a pas de meilleurs haras de ce côté-ci de l'Osiat. »

Toute l'assistance poussa de nouvelles acclamations. Réconforté par son petit triomphe, Tobin s'accorda une bonne lampée de vin. Lord Orun l'avait invariablement régalé de prétextes pour l'empêcher d'y aller. À cet égard au moins, Korin avait le dernier mot.

« Tiens tiens. Regardez-moi qui ça qu'est de retour, railla Mago, pendant que Ki prêtait la main au collectage des restes destinés au panier des pauvres de Ruan.

— Mais oui, regardez-moi qui ça qu'est là, abonda son ombre et son écho d'Arius en bousculant le bras de Ki. Notre chevalier de merde qu'est rentré au bercail. Me suis laissé dire que Lord Orun s'est foutu dans des colères folles contre toi, d'avoir laissé le prince filer comme ça.

— Puis y a maître Porion qu'est pas non plus très très content de toi..., jubila Mago. Te tenterait, des fois, te foutre à genoux de nouveau sur les marches du temple ? Combien de coups tu crois qu'il priera ton prince de te flanquer, cette fois-ci ? »

En guise de réponse, Ki décocha une ruade en biais qui expédia Mago s'aplatir par terre avec le plat d'agneau rôti qu'il avait sur les bras.

« Encore à t'empêtrer dans tes propres pieds, Mago ? gloussa Tanil au passage. Tu ferais mieux de nettoyer tout ça avant que Chylnir ne t'attrape. »

L'autre rassembla ses abattis pour se relever, sa belle tunique tapissée de gras. « Te crois très malin, mon mignon ? cracha-t-il à Ki, puis, s'adressant à Tanil : Si je suis tellement pataud, pourquoi que le sieur Kirothius ici présent finirait pas le boulot tout seul ? » Il se dirigea d'un air digne vers les cuisines avec le plat vide, et Arius lui trotta derrière, non sans foudroyer Ki d'un coup d'œil lourd de représailles.

« Pas la peine que tu t'attires des emmerdes à cause de moi », marmonna Ki tout en réparant les dégâts.

Ça le gênait affreusement, que Tanil ait entendu les vacheries des deux autres morveux.

Mais un fou rire contenu faisait étinceler les yeux de l'écuyer en chef. « Pas ta faute, hein, s'il ne sait pas contrôler ses pieds, si ? C'était ravissant, ce jeté-battu... Tu me l'apprendras ? »

Il était plus de minuit quand Tharin et Caliel reconduisirent les princes à leurs appartements. Korin était ivre mort et, après lui avoir vu faire plusieurs tentatives pour piquer du nez, Tharin finit par l'empoigner pour le mettre debout puis par le charrier jusqu'à sa porte.

« Bonne nuit, cousinet chéri. Bonne nuit, cousinet chéri, roucoula Korin, lorsque Tanil et Caliel le prirent en charge. Fais de beaux rêves, et bienvenue chez toi ! Caliel, je crois que je vais dégueuler... »

Ses amis s'empressèrent de le rentrer dare-dare, mais, d'après les bruits qui suivirent, pas encore assez promptement pour qu'il atteigne une cuvette.

Tharin secoua la tête d'un air écœuré.

« Il n'est pas toujours comme ça, lui dit Tobin, toujours prêt à prendre la défense de son cousin.

— Trop souvent pour mon goût, grommela Tharin. Et, j'en jurerais, pour celui de son père.

— Comme pour le mien », ronchonna Ki tout en soulevant le loquet de leur propre porte.

Le vantail buta contre quelque chose quand il le poussa. De l'autre côté s'entendit comme un grognement de surprise, et puis le page Baldus ouvrit tout grand la porte et sourit à Tobin d'un air aussi endormi

109

qu'enchanté. « Bienvenue chez vous, mon prince ! Heureux de vous revoir, messire Tharin. »

Il avait laissé des bougies allumées, et la pièce embaumait des senteurs suaves et hospitalières de la cire d'abeille et des pins, par-delà le balcon.

Il se hâta de tirer les pesantes courtines or et noir du lit puis d'en rabattre les couvertures. « Je vais aller chercher une bassinoire, mon prince. Si vous saviez comme nous avons été contents, Molay et moi, d'apprendre que vous reveniez enfin ! Les bagages se trouvent dans la penderie, sieur Ki. Je vous ai comme toujours laissé le soin de les défaire. » Il étouffa un gigantesque bâillement. « Oh, j'oubliais, prince Tobin, vous avez une lettre de votre gardien. Molay a dû la laisser sur l'écritoire du bureau, si je ne me trompe. »

Vieilles Tripes molles n'a donc pas perdu une seconde, en fin de compte..., songea Tobin tout en s'emparant du parchemin plié. À en juger par la façon dont le regard du page papillonnait de toutes parts sauf en direction de Ki, la position précaire de l'écuyer n'était un secret pour personne.

« Va coucher aux cuisines, il y fait plus chaud, lui dit Tobin, préférant s'épargner la présence de tout public. Et puis avertis Molay que je n'ai pas besoin de lui d'ici demain. Je n'aspire qu'à me mettre au lit. »

Baldus s'inclina et sortit avec sa paillasse.

Rassemblant vaille que vaille son courage, Tobin rompit le sceau et parcourut les quelques lignes du billet.

« Ça dit quoi ? demanda Ki tout bas.

110

— Simplement qu'il m'enverra chercher demain, et que je dois me rendre tout seul chez lui. »

Tharin s'offrit à son tour un bout de lecture. « Tout seul, hein ? M'a l'air nécessaire de vous rappeler, milord chancelier, à qui vous avez affaire... Je tiendrai une garde d'honneur à ta disposition. Fais-moi parvenir un mot quand tu auras besoin de nous. » Il tapa sur l'épaule de chacun des garçons. « Tirez pas ces gueules, ho ! À quoi ça vous avancera, de vous rendre malades d'inquiétude cette nuit ? Arrangez-vous tous deux pour roupiller un coup, puis, quoi que demain nous réserve, il sera toujours temps alors de nous en occuper. »

Tobin avait bien envie de suivre ces conseils, mais ni lui ni Ki ne trouvèrent grand-chose à se dire pendant qu'ils s'apprêtaient pour aller au lit. Une fois couchés, ils gardèrent longtemps le silence, l'oreille tendue vers les imperceptibles grésillements qu'émettaient les braises de l'âtre en se refroidissant.

À la fin, Ki poussa du pied le pied de Tobin et laissa s'exhaler leurs craintes communes. « Ça pourrait bien être la dernière nuit que je passe ici...

— Espérons que non », croassa Tobin, la gorge serrée.

Il eut l'impression qu'un temps fou s'écoulait avant que Ki ne s'assoupisse. Il attendit sans bouger d'en être tout à fait certain puis se faufila hors du lit, prit une chandelle et se rendit dans la penderie.

Leurs paquetages de voyage étaient empilés sur le sol. Il ouvrit le sien, y aventura la main jusqu'au fond et en retira la poupée. Il avait beau savoir qu'il n'était pas nécessaire de la tenir entre ses mains pour proférer la formule rituelle, il se défiait désormais plus que jamais de Frère et n'était pas d'humeur à prendre le moindre risque ici.

Ainsi seul dans le noir, il prit subitement conscience qu'il avait de nouveau peur du fantôme, plus peur que cela ne lui était arrivé depuis que Lhel lui avait donné la poupée. Et néanmoins, cela ne l'empêcha pas de chuchoter les mots fatidiques ; il arrivait à Frère de connaître l'avenir, et Tobin se sentait incapable de fermer l'œil tant qu'il n'aurait pas au moins posé la question.

Lorsque Frère apparut, brillant comme une flamme dans les ténèbres du minuscule cagibi, il avait toujours son aspect trop réel.

« Est-ce qu'Orun va congédier Ki, demain ? » demanda Tobin.

Aussi immobile et muet qu'une peinture, Frère se contenta de le dévisager.

« Dis-le-moi ! Tu m'as déjà dit des tas d'autres choses... » *Des choses méchantes, blessantes, et des mensonges aussi.* « Dis-le-moi !

— Je ne puis dire que ce que je puis voir, souffla Frère à la fin. Je ne le vois pas, lui.

— Qui, lui ? Orun ou Ki ?

— Ils ne me sont rien.

— Alors, tu ne me sers à rien ! riposta vertement Tobin. Va-t'en. »

Frère obtempéra, et Tobin rejeta violemment la poupée dans son ancienne cachette, sur le haut poussiéreux de l'armoire.

112

Regagnant la chambre, il escalada le lit et s'y nicha tout près de Ki. La pluie clapotait sur le toit, et il l'écouta clapoter, dans l'attente vaine que le sommeil veuille bien s'emparer de lui.

<h1 style="text-align:center">6</h1>

Il pleuvait encore plus fort, le lendemain matin. Dans toute l'aile où logeaient les Compagnons, des domestiques installaient des seaux et des cuvettes pour recueillir l'eau qui fuyait des plafonds par toutes les vieilles gouttières de la toiture.

Les lubies du temps, maître Porion s'en était toujours fiché. Tobin réveilla Ki dès qu'il entendit les domestiques aller et venir dans le corridor, et ils firent tous les deux en sorte de se retrouver les premiers à attendre le maître d'armes aux portes du palais. En dépit de ce qu'avait prétendu Mago, le vieux guerrier trapu parut sincèrement heureux de les récupérer.

« En pleine forme, oui ? s'enquit-il en les examinant de pied en cap. M'avez pas l'air tellement esquintés que ça.

— Nous nous portons comme un charme, maître, affirma Tobin. Et nous avons aussi continué de nous entraîner pendant notre absence. »

L'assertion leur valut un regard sceptique. « On verra bien, n'est-ce pas ? »

Ils étaient bien rétablis tous deux. Il avait eu beau

être le plus malade, Ki lui-même ne se laissa pas distancer par les autres quand débuta leur course du matin. Tout en faisant rejaillir les flaques et en pataugeant en pleine gadoue tandis que leurs manteaux courts détrempés leur battaient les cuisses, les Compagnons se tapèrent au trot le long circuit qui contournait le parc, longeait la nécropole royale et le bosquet drysien, comportait le tour de l'étang-miroir et, au-delà du Palais Neuf, venait aboutir comme d'habitude au temple des Quatre, en plein cœur du parc.

Les offrandes matinales des garçons étaient d'ordinaire expédiées en un tournemain, mais Tobin consacra ce jour-là plusieurs minutes à celle qu'il destinait à Sakor, un petit cheval de cire auquel il confia dans un murmure une prière fervente avant de le jeter dans les flammes. Après quoi, lorsqu'il se crut à l'abri des regards indiscrets, il s'esbigna furtivement jusqu'à l'autel de marbre blanc d'Illior et déposa l'une des plumes de chouette d'Iya sur les charbons couverts d'encens.

La convocation chez Lord Orun survint juste au moment où toute la bande achevait le pain et le lait du petit déjeuner dans la salle du mess. Tharin devait avoir exercé une surveillance constante, car il entra avec le messager. Revêtu d'une belle tunique bleue dont chaque boucle et chaque agrafe rutilaient, il avait une allure impressionnante. Korin encouragea son cousin d'un clin d'œil quand celui-ci sortit, escorté de Ki.

Aussitôt certain que plus personne ne risquait de

rien entendre, Tharin congédia l'émissaire et se tourna vers Ki. « Pourquoi ne pas aller nous attendre à la maison de Tobin, hein ? Nous passerons t'y rejoindre à notre retour. »

Les deux gamins échangèrent un pauvre regard entendu ; si le pire en venait à se produire, ainsi du moins ne risqueraient-ils pas de se couvrir de honte au vu et au su des autres Compagnons.

Ki assena un coup de poing sur l'épaule de Tobin. « Ne lui cède pas un pouce de terrain, Tob. Bonne chance. » Là-dessus, il s'éloigna à grands pas.

« Tu ferais mieux de te changer, tes affaires sont toutes trempées, dit Tharin.

— Je me fous éperdument de ce que peut penser Orun ! aboya Tobin. Je n'ai envie que d'une chose, c'est en avoir fini avec cette corvée ! »

Tharin se croisa les bras et prit un air sévère. « Alors, c'est ça, tu comptes aller te présenter devant lui dans cette tenue de simple soldat, crotté jusqu'aux genoux ? Souviens-toi donc de qui tu es le fils ! »

Les mêmes termes, une fois de plus, sauf qu'ils piquaient au vif, cette fois. Tobin se dépêcha de regagner sa chambre, où Molay tenait fin prêts à son intention une cuvette d'eau fumante et son plus beau costume. Une fois débarbouillé, changé, Tobin se planta devant le miroir d'argent poli et laissa au valet de chambre le soin de démêler, peigner ses cheveux noirs. Un garçon quelconque et maussade habillé de velours et de lin lui retourna, l'air combatif, sa mine renfrognée. Il plongea son regard dans les prunelles du reflet, et il eut un moment comme l'impression de partager son secret avec l'étrangère dissimulée derrière ses traits à lui.

La somptueuse demeure d'Orun se trouvait au sein du labyrinthe de villas ceintes de murs qui s'agglutinaient dans le parc du Palais Neuf. Bisir vint les accueillir à la porte et les introduisit dans le salon des réceptions.

« Bonjour ! » lui lança Tobin, tout heureux de trouver là un visage amical. Mais Bisir évita soigneusement de rencontrer son regard et ne desserra guère les dents. On aurait dit qu'il avait suffi d'une seule nuit chez son maître depuis leur retour pour anéantir tout le bien que lui avait fait son séjour au fort. Il était plus pâle que jamais, et Tobin discerna sur ses poignets et son cou des ecchymoses toutes fraîches.

Tharin aussi les avait repérées, et sa figure s'empourpra de fureur. « Il n'a pas le droit de... »

Bisir agita vivement la tête, tout en jetant à la dérobée un vif coup d'œil vers les escaliers. « Ne vous inquiétez pas pour moi, messire, chuchota-t-il puis, à haute voix : Mon maître est dans ses appartements. Vous pouvez attendre dans cette pièce, sieur Tharin. Son Excellence le lord chancelier du Trésor veut parler au prince seul à seul. » Il s'interrompit, les mains convulsives de nervosité, puis ajouta : « En haut. »

Pendant un instant, Tobin s'imagina que le capitaine allait monter en trombe avec eux. Il avait beau ne faire aucun mystère de son aversion pour Orun, jamais le petit prince ne l'avait vu écumer de colère à ce point.

Bisir fit un pas pour se rapprocher de lui, et Tobin l'entendit souffler : « Je me tiendrai juste à côté.

— Garde-toi d'y manquer, grommela Tharin. Haut les cœurs, Tobin. Je ne bougerai pas d'ici. »

Tobin hocha la tête et s'efforça d'ignorer sa frousse mais, tout en grimpant derrière Bisir, il tira de son col la bague et le sceau et les baisa pour qu'ils lui portent chance.

C'était la première fois qu'il mettait les pieds à l'étage. Tandis qu'ils enfilaient un long corridor menant sur les arrières de la maison, l'opulence des aîtres l'époustoufla. Les sculptures et les tapisseries y étaient de tout premier choix, et chacun des meubles soutenait la comparaison avec n'importe lequel de ceux du Palais Neuf. Des volées de jeunes serviteurs mâles s'éparpillaient sur leur passage pour laisser le champ libre. Bisir les ignora comme s'ils n'existaient pas.

Il s'arrêta devant la dernière porte et s'effaça pour introduire Tobin dans l'immense pièce sur laquelle elle ouvrait. « Souvenezvous, je serai là, dehors », chuchota-t-il.

Une fois le piège refermé sur lui, Tobin examina les lieux avec stupéfaction. Alors qu'il s'était attendu à une espèce de boudoir ou de salon privé, c'était bel et bien dans une chambre à coucher qu'il se retrouvait. Un gigantesque lit à baldaquin sculpté surplombait le milieu de la pièce. Ses courtines, en gros velours jaune galonné de minuscules clochettes d'or, étaient encore tirées. Et tirés aussi les rideaux des fenêtres. Les murs

117

lambrissés portaient des tapisseries à motifs de ver-
dures, mais il faisait aussi chaud là-dedans que dans
une forge, et les bûches de cèdre qui flambaient en
crépitant dans l'énorme cheminée de pierre alourdis-
saient encore l'atmosphère avec leur parfum capiteux.

Même la chambre du prince héritier n'était pas aussi
luxueuse, songea Tobin, avant de redémarrer en
entendant tintinnabuler les clochettes des courtines
jaunes. Une main blanche et grassouillette émergea des
lourdes tentures et en repoussa une.

« Ah, mais voilà donc notre petit vagabond de
retour enfin ! ronronna Vieilles Tripes molles en lui
faisant signe de se rapprocher. Venez, mon cher
enfant, venez un peu, que je voie comment vous avez
surmonté cette maladie. »

Étayé par des tas d'oreillers, Lord Orun était empaqueté dans une robe de chambre en soie jaune ; le
velours d'un vaste bonnet de nuit de la même couleur
parait son crâne chauve. Les ombres que projetait une
lampe de cristal suspendue au bout d'une chaîne lui
donnaient un teint plus cireux que jamais et le faisaient
paraître encore plus flasque, avec sa lourde carcasse
et ses monceaux de bourrelets. Des tas de documents
jonchaient sa courtepointe, et les reliefs d'un petit
déjeuner copieux traînaient sur un plateau posé à ses
côtés.

« Venez plus près », fit-il d'un ton pressant.

Le bord du matelas se trouvait presque à la hauteur
de la poitrine de Tobin. Obligé de lever les yeux pour
faire à peu près face à son argus, il apercevait les

poils gris qui foisonnaient à l'intérieur de ses grosses narines épatées.

« Prenez la peine de vous asseoir, mon prince. Il y a un tabouret juste derrière vous. »

Tobin ignora le siège et, affichant tout son mépris, rassembla ses pieds et noua ses mains dans son dos pour ne pas laisser voir la tremblote qui les agitait. « Vous avez demandé à me voir, Lord Orun, me voici. Que me voulez-vous ? »

Orun le régala d'une risette déplaisante. « Je vois que ta longue absence n'a pas amélioré tes manières. Tu sais très bien pourquoi tu es là, Tobin. Tu t'es conduit comme un vilain garnement, et ton oncle a été minutieusement tenu au courant de ta petite escapade. Je lui ai écrit une longue lettre aussitôt après avoir découvert que tu étais parti. Naturellement, j'ai fait de mon mieux pour te préserver de son mécontentement. J'ai rejeté le blâme sur qui de droit, sur ce rustre ignare d'écuyer que tu te coltines. Quoique peut-être nous aurions tort de par trop blâmer ce pauvre Kirothius. Il faut avouer qu'il ne t'est pas mal assorti, là-bas, dans votre cambrousse, mais à la cour, comment diable escompter de lui qu'il veille comme il sied sur un fils de princesse ?

— Il me sert parfaitement ici ! Korin lui-même en est d'accord.

— Oh mais, je sais, vous l'aimez tous beaucoup... Et je suis sûr que nous parviendrons à lui dénicher une position convenable. En fait, dans ma lettre, j'ai même offert de le prendre dans ma maisonnée. Je puis te le garantir, il recevra chez moi une éducation tout à fait correcte. »

Tobin serra les poings, révolté par le souvenir des poignets tout bleus de Bisir.

« Quant au motif pour lequel tu te trouves ici, eh bien, c'est assurément le désir de me présenter tes respects après une si longue absence, n'est-ce pas ? » Il marqua une pause. « Non ? Eh bien, tant pis. Quant à moi, comme la réponse du roi devrait me parvenir avec les dépêches de ce matin, je m'étais dit qu'il serait plaisant pour nous deux d'apprendre ensemble la bonne nouvelle. »

Cette vacherie-là s'annonçait infiniment plus odieuse qu'aucune des pires que Tobin était parvenu à s'imaginer. Le gros lard se montrait beaucoup trop enchanté de sa personne. Il disposait probablement d'espions dans l'entourage immédiat du roi, et il connaissait déjà la réponse. Le cœur de Tobin sombra même encore plus bas : Ki ne tiendrait pas deux jours dans une maisonnée pareille sans s'attirer de sérieux ennuis.

Faisant claquer sa langue d'un air de sollicitude affecté, Orun préleva sur le plateau une assiette émaillée de rinceaux délicats et la lui tendit. « Je te trouve bien pâle, mon petit chéri. Prends donc un morceau de gâteau... »

Tobin se contraignit à fixer la bordure brodée de la courtepointe, de peur de succomber à sa folle envie d'envoyer valser l'assiette à l'autre bout de la pièce. Le sommier couina pendant qu'Orun se recalait contre ses oreillers, puis émettait de petits gloussements de satisfaction. Tobin se repentait à présent d'avoir refusé le tabouret, mais sa fierté lui interdisait tout mouvement. Combien de temps allait-il s'écouler jusqu'à l'arrivée des dépêches ? Orun n'en avait rien dit, et la touffeur de l'atmosphère vous flanquait en plus de sales vertiges. Tobin sentait la sueur perler sur sa lèvre supérieure et lui dégouliner le long de l'échine au creux des omoplates. Il entendait la pluie battre les volets, mais il ne se serait que trop volontiers retrouvé dehors, à courir avec ses copains.

L'autre enflure avait beau garder maintenant le silence le plus complet, il percevait que son attention ne se relâchait pas, lui collait à la peau. « Je ne me laisserai pas séparer de Ki ! » grinça-t-il enfin avec un regard de défi.

Les yeux d'Orun avaient pris l'aspect de deux silex noirs, mais son sourire persistait. « J'ai expédié au roi une liste de remplaçants potentiels, tous de naissance, d'âge et d'éducation dignes de fixer son choix. Mais peut-être as-tu quelque candidat personnel à y ajouter ? Je m'en voudrais de paraître abusif... »

Sa fameuse liste, il n'avait pas dû la dresser bien longue. Ni la farcir d'autre chose que de favoris prêts à tous les mouchardages. Quant à celui qui figurait en tête, Tobin le connaissait déjà. L'attitude arrogante du Crapaud, la veille au soir, le lui avait bien assez dénoncé.

« Très bien, alors, lâcha-t-il enfin, tout en foudroyant Orun d'un regard furieux. Je prendrai Lady Una. »

Orun se mit à rire et fit clapoter ses mains boudinées, comme s'il venait d'entendre un trait d'esprit particulièrement brillant. « Très drôle, mon prince, très ! Il faut absolument que je me souvienne de la servir à votre oncle, celle-là... Mais soyons sérieux. Le jeune Moriel n'a pas de plus cher désir que de te servir, et Sa Majesté l'avait déjà agréé...

— Pas Sa Majesté.

— En ma qualité de gardien...

— Non ! » Tobin faillit taper du pied. « Moriel ne sera *jamais* mon écuyer. Dussé-je entrer sur le champ de bataille à poil et tout seul ! »

Une fois de plus, Orun se recala sur ses oreillers puis saisit une coupe dans le plateau. « C'est ce que nous verrons. »

Le désespoir envahit Tobin. En dépit de toutes ses courageuses déclarations à Tharin et à Ki, il savait qu'il avait affaire à trop forte partie.

Orun sirota paisiblement son infusion pendant un moment. « J'ai ouï dire que tu souhaitais te rendre à Atyion. »

Ainsi, Moriel était déjà à l'œuvre. À moins que le délateur n'ait été cet arrogant noiraud d'Alben. Orun l'avait ouvertement vanté devant lui. « Le domaine est à moi, maintenant. Pourquoi devrais-je m'abstenir de le visiter ? Korin a convenu que rien ne s'y opposait. »

Orun eut un petit sourire en coin. « Sous réserve que notre cher prince ait conservé le moindre souvenir de ses propos de la nuit dernière. Mais tu ne projettes sûrement pas de partir aujourd'hui même, si ? Écoute-moi seulement le tapage de cette pluie... Et elle n'est pas près de s'arrêter, c'est une évidence, à cette époque de l'année. Je ne serais d'ailleurs pas du tout surpris qu'il commence à geler bientôt.

— Nous n'en sommes qu'à une journée de cheval...

— Alors que tu relèves à peine de ta maladie, mon petit chéri ? » Orun secoua la tête. « On ne peut moins judicieux. En outre, j'aurais tendance à trouver que tu as eu ton compte d'aventures pour un certain temps. Quand tu seras plus vigoureux, bon, je ne dis pas non... Au printemps, c'est un endroit de rêve, Atyion.

— Au printemps ? C'est la maison de mon père, je vous signale. *Ma* maison ! J'ai le droit d'y aller. »

Le sourire d'Orun s'élargit. « Ah mais, c'est que, vois-tu, cher garçon, tu n'as encore pour l'instant aucun droit du tout. Tu n'es qu'un mioche, et je suis responsable de toi. Tu dois t'en reposer aveuglément sur moi de décider au mieux de tes intérêts. Ainsi que ne manquerait pas de te le confirmer Sa très estimée Majesté ton oncle, je n'ai rien de plus à cœur que ton bien. Après tout, c'est *toi*, le second héritier du trône. » Il reprit son petit déjeuner. « Pour le moment. »

Tobin en eut froid dans le dos, malgré la chaleur étouffante. Derrière son masque d'affabilité, Vieilles Tripes molles lui en voulait toujours autant. Tout cela n'était que le préambule du châtiment qu'il mijotait.

Trop fou de rage et de frayeur pour prononcer un mot, Tobin se dirigea vivement vers la porte afin de planter là Orun, que cela lui plaise ou non. Or, juste au moment où il l'atteignait, celle-ci s'ouvrit brusquement, et il donna tête baissée dans le malheureux Bisir.

123

« Pardonnez-moi, mon prince ! » Devant la compassion qui se lisait dans les yeux du valet de chambre, il s'arma de courage vaille que vaille. Le messager du roi avait dû arriver...

Au lieu de quoi, c'est Nyrin qui fit son entrée.

Complètement pris au dépourvu, Tobin leva vers la haute stature du magicien des yeux tout papillotants, puis il se bourra l'esprit de sa colère contre Orun, et se figura qu'elle lui tourbillonnait dans le crâne à la façon de flots de fumée captifs dans une pièce close.

Des gouttes de pluie scintillèrent dans la barbe rouge et fourchue du nouveau venu quand il s'inclina pour le saluer. « Le bonjour, mon prince ! Je caressais l'espoir de vous trouver ici. Comme c'est bien d'être revenu à temps pour la Fête de Sakor ! Et je me suis laissé dire que vous nous aviez aussi ramené une magicienne, hein ? »

À ces mots, Tobin éprouva comme un choc. Nyrin était-il quand même arrivé à farfouiller dans ses pensées, ou bien disposait-il de mouchards à lui ? « Maîtresse Iya était une amie de mon père, répliqua-t-il.

— En effet, oui oui, je me souviens de ça », murmura l'autre comme s'il s'agissait d'un sujet sans grand intérêt pour lui. Dressant un sourcil, il se tourna du côté d'Orun. « Encore au lit à cette heure-ci, messire ? Seriez-vous souffrant ? »

Orun s'extirpa pesamment de sa couche et se redrapa dans sa robe de chambre avec une dignité souveraine. « Je ne m'attendais pas à recevoir des visites officielles, messire Nyrin. Le prince est simplement venu me voir, maintenant qu'a pris fin son absence.

— Ah mais bien sûr, la mystérieuse maladie. Je veux croire que Votre Altesse est parfaitement rétablie ? »

Tobin aurait juré que le magicien venait de lui adresser un clin d'œil. « Je me porte à merveille, je vous remercie. » Il s'attendait à le sentir d'une seconde à l'autre lui peloter sournoisement l'esprit, mais le chef des Busards se montrait bien plus désireux d'asticoter son hôte.

Tout en guignant d'un œil soupçonneux son visiteur inattendu, celui-ci désigna d'un geste les sièges installés près du feu. Puis tous deux attendirent que Tobin se soit assis pour prendre à leur tour des fauteuils.

Le vieil hypocrite, songea Tobin. Il suffisait qu'un tiers interrompe leur tête-à-tête pour qu'Orun le traite avec toute la courtoisie requise.

« Le prince et moi-même étions en train d'attendre un messager du roi, déclara Orun.

— Et il se trouve d'aventure que c'est précisément en cette qualité que je me présente aujourd'hui chez vous. » Nyrin retira du fin fond d'une de ses manches un rouleau de parchemin qu'il déploya, lissa sur son genou. Tout au bas se balançaient les lourds sceaux royaux frappés sur des rubans de soie. « Je l'ai reçu ce matin même de bonne heure. Sa Majesté m'a prié de vous l'apporter en personne. » Il fit mine de se pencher sur le document, mais Tobin eut la certitude qu'il en connaissait déjà le contenu. « Sa Majesté commence par vous remercier du soin que vous prenez de

son royal neveu. » Il releva les yeux et sourit à Orun.
« Et il vous décharge par les présentes de toute responsabilité ultérieure à cet égard.

— Quoi ? » À l'embardée que fit Orun dans son fauteuil, le bonnet de velours glissa de traviole. « Que... Que signifie ? Qu'êtes-vous en train de m'annoncer là ?

— Mais une chose claire comme le jour, Orun. Vous n'êtes plus le gardien du prince Tobin. »

Orun le dévisagea, bouche bée, puis tendit une main tremblante pour s'emparer de la lettre. Nyrin la lui abandonna puis le regarda la lire avec une satisfaction non déguisée. Quand l'autre en eut terminé, les sceaux de cire cliquetaient en s'entrechoquant au bout de leurs rubans. « Et sans un mot d'explication ! Ne me suis-je pas acquitté de mes fonctions le plus loyalement du monde ?

— Je suis convaincu que vous n'avez aucun motif de vous en inquiéter. Sa Majesté vous remercie on ne peut plus gracieusement de vos services. » Nyrin se pencha pour lui indiquer le passage en question. « Ici même, vous voyez bien ? »

Il ne faisait pas le moindre effort pour cacher à quel point le ravissaient les réactions d'Orun. « La mort du duc est survenue tellement à l'improviste, et puis vous vous trouviez précisément là, juste au bon moment, à offrir votre aide, poursuivit-il d'un ton mielleux. Mais le roi Erius se fait un scrupule d'abuser plus longtemps de votre complaisance, de peur que cette charge-là ne vous détourne par trop de vos devoirs vis-à-vis du

Trésor. Il se propose de nommer un nouveau gardien quand il reviendra.

— Mais... ! mais j'avais cru comprendre qu'il s'agissait là d'un poste définitif ! »

Nyrin se dressa de toute sa hauteur et abaissa sur lui un regard apitoyé. « S'il existe une seule personne au monde à qui les caprices du roi soient tout sauf étrangers, cette personne-là, c'est assurément vous. »

Après être resté comme pétrifié durant toute cette scène, Tobin recouvra finalement la voix. « Mon on... – Sa Majesté va revenir ? »

Nyrin s'immobilisa sur le seuil. « Oui, mon prince.

— Quand ?

— Je ne saurais dire, mon prince. Cela dépend des négociations actuellement en cours avec Plenimar. Peut-être au printemps, des fois...

— Que peut bien signifier ceci ? marmonna Orun, les doigts toujours crispés sur la lettre. Nyrin, vous devez bien savoir, vous, ce que le roi a en tête dans cette affaire ?

— Par les temps qui courent, quiconque a la prétention de savoir ce que le roi Erius a en tête est en grand danger. Mais si je puis me permettre, mon vieil ami, j'inclinerais à suggérer que vous avez eu les yeux plus grands que le ventre, tout compte fait. Je me plais à croire que vous voyez de quoi je parle... Cela dit, puissent les bénédictions des Quatre être sur vous deux. Je vous souhaite une bonne journée, mon prince. »

Là-dessus, il fit une sortie pompeuse et, durant un

moment, seuls se perçurent dans le silence le crépitement des flammes et le clapotis permanent de la
pluie. Les yeux fixés sur le feu, Orun remuait les lèvres
sans émettre un son.

L'atmosphère était saturée d'électricité comme lorsqu'un orage est juste sur le point d'éclater. L'envie
de se défiler rongeait Tobin qui convoitait furtivement
la porte. Voyant que son hôte ne bougeait toujours
pas, il se leva tout doucement. « Puis-je... puis-je me
retirer ? »

Orun releva lentement les yeux, et les genoux du
gamin faillirent le trahir. Une haine non déguisée
défigurait l'affreux vieillard. Se levant brusquement, il
fondit sur Tobin d'un air menaçant. « Si tu peux te
retirer ? Tout ça, c'est ton ouvrage, sale marmot ! »

Tobin avait eu beau reculer d'un pas, l'autre avança
d'autant. « Avec tes sourires en coin, tes insultes...
Vieilles Tripes molles, n'est-ce pas ainsi que vous
m'appelez, toi et ton petit bâtard de rustaud, sitôt que
j'ai le dos tourné ? En rigolant ! De moi, comme si je
n'avais pas servi deux souverains, peut-être ? Oh...,
parce que tu te figures qu'il y a des choses qui
m'échappent, hein ? » glapit-il, bien que Tobin n'eût
pas dit un mot. L'attrapant par le bras, il lui brandit la
lettre du roi sous le nez. « Ça, c'est ton ouvrage !

— Non, je le jure ! »

Orun jeta la lettre de côté puis, attirant Tobin plus
près d'une saccade véhémente, le couvrit de postillons
en aboyant : « En écrivant au roi derrière mon dos !

— Non ! » Il était vraiment terrifié, maintenant. Les

doigts du vieux s'enfonçaient comme des serres dans son bras. « Je n'ai rien écrit, je le ju...

— Mensonges. En écrivant un tissu de mensonges ! » Il empoigna le col de la tunique de Tobin et se mit à le secouer comme un forcené. Ses doigts s'empêtraient dans la chaîne, et elle s'imprimait douloureusement dans la chair du cou.

« En le retournant contre moi, son plus fidèle serviteur ! » Ses yeux ne formaient plus qu'un pli dans les bourrelets de lard. « Ou bien le coupable est-il ce laquais qui t'attend en bas ? Le bon sieur Tharin ! » Le mépris s'ourlait de sarcasme. « Si humble. Si loyal. Toujours à lécher ton père comme un pitoyable chien perdu. Et toujours à pointer son museau là où personne ne veut de lui... » L'expression de sa physionomie prévint Tobin de l'imminence de quelque chose d'aussi scabreux qu'inédit. « Qu'est-ce qu'il a bien pu dire au roi, *lui* ? Qu'est-ce qu'il a bien pu lui *conter* ? » cracha t il en le secouant avec tant de violence que cela le contraignit à se cramponner à ses bras pour ne pas perdre l'équilibre.

L'étau se resserrant de plus en plus sur sa gorge, Tobin commençait à avoir un mal fou à respirer. « Rien ! » haleta-t-il dans un souffle.

Tout en persistant à l'étrangler, Orun continuait de tempêter, mais à peine Tobin arrivait-il à distinguer les mots, tant ses oreilles bourdonnaient. Des taches noires papillonnaient devant ses yeux, et la gueule bouffie du vieux lui paraissait grande comme la lune. La chambre se mit à tourner, s'assombrir, se brouiller. Il sentait ses jambes se dérober sous lui.

« Qu'est-ce que vous êtes allés raconter ? hurla l'autre possédé. Dis-le-moi ! »

Alors, pendant que Tobin s'effondrait, quelque chose lui passa par-dessus le corps, quelque chose d'un froid mortel. Une fois sa vue redevenue plus nette, il aperçut son agresseur qui s'éloignait à reculons, les mains brandies d'un air terrifié. Mais ce n'était pas lui que regardait Orun, réalisa-t-il, c'était un amas grouillant de ténèbres en train de prendre forme entre eux.

Toujours recroquevillé sur son point de chute, Tobin contempla d'un œil hébété la résolution de la chose en une menaçante silhouette familière. De sa place, il ne pouvait discerner le visage de Frère, mais les traits bouleversés d'Orun en étaient un miroir suffisant.

« C'est quoi, cette diablerie ? » hoqueta tout bas le vieillard, d'un ton horrifié, tandis que ses yeux ahuris ne cessaient d'aller et venir de Tobin au fantôme qui se rapprochait insidieusement. Il essaya bien de battre en retraite, mais il finit par se heurter contre la table à vin qui se renversa, interdisant toute échappée.

Trop sonné pour se relever, Tobin demeura complètement stupide quand Frère leva une main spectrale. Habituellement, le fantôme s'abattait à la manière d'un ouragan, faisant valser les meubles et voler les objets, frappant à tort et à travers. Sa façon d'avancer pas à pas, lentement, là, résolument, était beaucoup plus effroyable. Tobin percevait si bien la fureur meurtrière qui émanait de son jumeau que cela sapa le peu d'énergie qui lui restait. Il s'efforça bien de pousser un cri quelconque, d'appeler, mais sa langue se récusa.

« Non, geignit Orun, non, co... comment ? non, ce n'est pas possible... ! »

Et cependant, Frère n'attaquait toujours pas. Au lieu de cela, il finit simplement par tendre la main pour toucher la poitrine du gros lard éperdu de terreur. Lequel poussa un hurlement suraigu d'agonie puis, propulsé telle une poupée de son, ne fit qu'une embardée, les quatre fers en l'air, par-dessus la table renversée. Une gerbe d'étincelles vola s'éparpiller de tous côtés lorsque, comme désarticulée, l'une de ses mains atterrit dans les braises.

Après quoi ne surnagèrent plus dans la mémoire de Tobin que deux détails, les pieds embabouchés d'Orun qui tressautaient dans la lueur du feu et puis cette odeur de viande cramée...

7

La nouvelle avait fait le tour du Palais Vieux en un rien de temps. Pendant la course du matin, Mago et ses petits potes avaient gavé Ki de grimaces, et Alben, au temple, ne s'était pas contenté de lui rentrer dedans mais avait susurré : « Bon vent, chevalier de merde ! » assez bas pour que le destinataire soit bien le bénéficiaire exclusif de ce viatique.

Sitôt qu'il eut quitté Tharin et Tobin, il suivit le conseil du capitaine et, se glissant mine de rien par un passage de service, gagna au plus vite la maison de

131

son ami. Ses coups à la porte attirèrent l'intendant qui, loin de se montrer surpris de le voir là, paraissait l'attendre. Il le débarrassa de son manteau trempé puis l'installa dans un fauteuil au coin de la cheminée.

« Nos hommes sont en train de s'entraîner dans la cour de derrière, et maîtresse Iya se trouve dans la chambre d'invités. Me faut-il les informer de votre arrivée, sieur ?

— Non, je vais tout bonnement rester assis là. » L'intendant s'inclina et le laissa seul.

En dépit du bon feu qui flambait dans l'âtre, il faisait froid dans la grande salle peuplée d'ombres. Une vague brume grisâtre s'agglutinait aux fenêtres, et la pluie tambourinait sur les toits. Trop accablé pour tenir en place, Ki se mit à arpenter la pièce en se tourmentant. Combien de temps durerait l'absence de Tobin ? Et que se passerait-il si ce diable d'Orun se mêlait d'inventer va savoir quel prétexte pour le garder là-bas ? Tharin reviendrait-il tout de suite ici lui annoncer la nouvelle, ou bien l'y laisserait-il moisir éternellement, les tripes nouées ?

Reprenant vaguement conscience, il s'aperçut qu'il se trouvait au pied des escaliers à rampe sculptée. Il n'était monté qu'une seule fois, et cette unique expérience lui avait suffi. Comme cela faisait des années que le duc Rhius avait abandonné cette partie de la maison, les pièces, dépouillées de la plupart de leurs meubles, étaient devenues la propriété des souris. Et de fantômes, planqués dans tous les coins sombres à vous épier. Leur présence, Ki était sûr et certain de l'avoir perçue.

Le duc n'avait habité que le rez-de-chaussée, pendant ses séjours dans la capitale. Et, depuis sa disparition, seuls Tharin et les gardes y avaient logé régulièrement. Le capitaine avait sa chambre personnelle vers le fond du couloir, par là, tandis que les hommes étaient cantonnés sur les arrières, mais la grande salle n'en continuait pas moins de jouer le rôle de salle commune. Aussi y sentait-on flotter en permanence les senteurs hospitalières de l'encens brûlé sur l'autel domestique et des bonnes grosses flambées dans la cheminée.

La délaissant tout de même, Ki finit par s'aventurer dans le corridor principal. La chambre d'Iya, sur la droite, offrait porte close. Désormais devenue celle de Tobin et, par voie de conséquence, automatiquement la sienne à lui aussi, l'ancienne chambre à coucher du duc se trouvait sur la gauche. Après avoir quelques secondes envisagé d'y pénétrer, il préféra pousser jusqu'à la suivante.

L'ordre et la simplicité qui régnaient dans la pièce étaient l'image même de Tharin. Celle qu'il occupait dans les casernements du fort présentait tout à fait le même aspect. À Ero, Ki ne se sentait nulle autre part autant que là comme chez lui. Il alluma le feu puis s'enfonça dans un fauteuil pour attendre son sort.

Seulement, il lui fut impossible, même là, de rester longtemps sans bouger, et il eut tôt fait d'imprimer la trace de ses va-et-vient sur le tapis du capitaine. Plus la pluie tambourinait contre les fenêtres, plus s'emballait son imagination. *Que vais-je faire, une fois qu'Oran m'aura congédié ? Retourner à La-Chesnaie-Mont soigner les cochons ?*

Revenir disgracié chez son père..., ça, jamais, c'était impensable. Non, il rejoindrait le régiment d'Ahra, voilà, pour patrouiller le long des côtes, ou bien il partirait offrir son épée comme simple soldat sur les champs de bataille de Mycena.

Des pensées pareilles n'avaient rien de réconfortant. Le seul endroit où il avait envie d'être était celui où il était, aux côtés de Tobin.

Il enfouit sa figure dans ses mains. *Tout ça, c'est ma faute. Jamais je n'aurais du laisser Tobin seul, ce jour-là, sachant qu'il était malade. Il m'avait suffi de passer quelques semaines à la cour pour oublier toutes les leçons de Tharin !*

Sur les talons mêmes de ces réflexions se posa la question qu'il s'était constamment efforcé de refouler depuis la fameuse nuit où, guidé par Frère, il était reparti pour Bierfût. Qu'est-ce qui avait bien pu pousser Tobin à se taper toute cette route à bride abattue pour regagner leur point de départ ? Non certes qu'il n'eût pas cru les explications de Tobin à ce sujet, mais... Il soupira. Le fait est qu'il *avait voulu*, qu'il *voulait* les croire, alors qu'elles avaient quelque chose qui sonnait faux. Et puis il y avait que... que, de quoi qu'eût véritablement souffert Tobin cette nuit-là, leurs relations n'étaient plus du tout les mêmes depuis.

À moins..., songea-t-il non sans en éprouver une bouffée de culpabilité, *à moins qu'elles n'aient toujours reposé sur un malentendu ?*

Mais c'est aussi qu'elles avaient taillé profond, les

saloperies que ces fumiers d'Arius et de Mago lui avaient naguère balancées en pleine figure, aux écuries, les accusant, Tobin et lui, de faire plus que dormir ensemble... Du coup, il s'était bien efforcé de prendre ses distances, par-ci par-là, mais l'air blessé qu'avait eu Tobin en le voyant se cantonner, la nuit, sur le bord opposé du lit revint l'obséder. Était-ce à cause de ça qu'il ne l'avait pas emmené, le jour où il s'était enfui ? *Mais quel con j'ai été, quel con, d'aller écouter un seul mot des racontars de ces deux débiles... !* Pour être tout à fait honnête, le grand chambardement des dernières semaines lui avait fait, mais alors, là, complètement, oublier tout ça. Seulement, était-ce le cas de Tobin aussi ?

La vergogne et le doute lui barbouillaient l'estomac. « Enfin... marmotta-t-il, quoi qu'il en soit au juste, il me le dira quand il sera prêt à le faire. »

Dans son dos, l'atmosphère devint subitement glaciale, et un rire feutré, méchant, lui donna la chair de poule aux bras. Tout en pivotant en un éclair, Ki porta instinctivement ses doigts vers le cheval fétiche qu'il avait au cou. Frère était bien là, debout près du lit de Tharin, à darder sur lui ses yeux noirs fulminants de haine.

« Interroge Arkoniel.

— L'interroger sur quoi ? »

Frère s'évapora, mais à sa place eut l'air de rester en suspens l'espèce d'éructation qui lui tenait lieu de rire. Passablement secoué, Ki rapprocha un fauteuil du feu puis s'y pelotonna, plus perclus de désolation que jamais.

À force de se noyer dans ses rêveries désastreuses, il était à deux doigts de s'assoupir quand des appels tonitruants le firent sursauter. Ouvrant la porte à la volée, il se rua dans le corridor, manqua de peu y emboutir Iya, fusa avec elle vers la grande salle et, là, trouva Tharin, les bras chargés du corps inerte et flasque de Tobin.

« Qu'est-il arrivé ? demanda la magicienne.

— Sa chambre, Ki, commanda le capitaine en faisant mine de les ignorer, elle et sa question. Ouvre-moi la porte.

— J'ai fait du feu dans la vôtre. » Ki prit les devants à toutes jambes pour aller y découvrir le lit. Tharin déposa doucement son fardeau dessus puis entreprit de lui frictionner les poignets. Le gamin respirait, mais il avait les traits creusés et tout emperlés de sueur.

« Que lui a fait Orun ? gronda Ki. Je le tuerai. M'en fous qu'on me brûle vif pour ça.

— Gaffe à ta langue. » Tharin se tourna vers le magma de domestiques et de soldats qui obstruaient le seuil. « Koni, galope au bois sacré me chercher une drysienne. Mais ne reste pas là bouche bée, mon bonhomme, à cheval, ho ! Laris, tu me mets un planton à toutes les portes. Personne n'entre, en dehors des gens de la maisonnée royale. Et puis tu m'amènes Bisir. Je veux qu'il vienne tout de suite ici ! »

Le vieux sergent salua, le poing contre son cœur. « J'y vais de ce pas, mon capitaine.

— Uliès, une cuvette d'eau, fit Iya d'un ton calme.

Quant à vous autres, là, ou bien vous vous rendez utiles ou bien vous me déblayez le plancher. »

Quand ils se furent tous dispersés, Tharin se laissa choir dans un fauteuil à côté du lit et se prit le crâne à deux mains.

« Ferme la porte, Ki. » Iya se pencha sur Tharin et lui agrippa l'épaule. « Dis-nous ce qui s'est passé. »

Il secoua la tête lentement. « J'en sais foutre rien. Bisir l'a conduit à la chambre d'Orun, au premier étage. Quelque temps après, Lord Nyrin est arrivé, porteur d'un message du roi. Il n'a pas beaucoup tardé à redescendre, et j'ai cru que Tobin allait bientôt suivre, mais non. Et puis j'ai entendu Bisir gueuler. Quand je suis arrivé là-haut, Orun était mort, et Tobin gisait par terre, évanoui. Et comme je ne réussissais pas à le réveiller, j'ai fini par le rapporter ici. »

Iya défit le laçage de la tunique de Tobin, et sa physionomie s'assombrit de manière alarmante. « Regardez. Ces marques. Elles sont toutes fraîches. »

Elle ouvrit la chemise en lin qu'il portait dessous et leur fit voir autour de la gorge de longues traces rouges qui commençaient à bleuir déjà. Une fine écorchure emperlée de gouttelettes de sang à demi sèches entamait le côté gauche du cou. « Tu en as repéré, des marques, sur le corps d'Orun ?

— Me suis pas arrêté pour l'examiner.

— Nous trouverons qui a fait ça, grogna Ki, nous le trouverons, et nous le tuerons ».

Un coup d'œil indéchiffrable de Tharin lui cloua le bec. Sans les conneries qu'il avait commises, lui,

Tobin n'aurait absolument rien eu à foutre aujourd'hui chez Orun.

Lorsque Uliès reparut avec sa cuvette, le capitaine la lui prit des mains. « Expédie quelqu'un chercher le chancelier Hylus et Lord Nyrin.

— Inutile, en ce qui me concerne. » Le Busard entra dans la pièce et s'approcha du lit avec tous les dehors d'une véritable sollicitude. « Un serviteur s'est jeté à mes trousses pour m'annoncer la nouvelle. Comment va le prince ? Il se portait parfaitement bien quand je les ai laissés. Et Orun aussi. »

Sans y réfléchir, Ki lui barra le passage avant qu'il n'ait atteint le chevet de Tobin. Ses yeux et ceux de Nyrin s'affrontèrent. Cela lui fit éprouver une sensation de froid déplaisante, mais il ne céda pas pour autant le terrain.

« Si vous n'y voyez pas d'inconvénient, messire, je préférerais que nous attendions les drysiennes avant de le déranger », dit Iya, faisant front aux côtés de Ki. Et ce n'était pas une requête qu'elle formulait là, devina-t-il, en dépit du ton respectueux.

« Naturellement. Il ne se peut plus judicieux. » Nyrin s'empara du fauteuil placé près du feu. Pour sa part, Ki demeura campé au pied du lit, mais sans cesser, mine de rien, de garder le magicien à l'œil. La frousse que le bonhomme avait toujours inspirée à Tobin était une raison suffisante pour que lui-même s'en défie. Et puis voici qu'il était en plus, de son propre aveu, la dernière personne à avoir vu Tobin et Orun avant qu'ils ne soient agressés tous les deux. Ou qu'il le prétendait, du moins...

Nyrin se surprit épié de la sorte et sourit. Aussitôt en proie à une nouvelle sensation déplaisante et qui lui chavirait un peu le cœur, Ki s'empressa de détourner les yeux.

Au bout d'un moment, Tobin se redressa tout à coup, le souffle court. Ki grimpa gauchement sur le lit puis lui saisit la main. « Tu ne risques plus rien, Tob. Je suis là, Tharin et Iya aussi. »

Tobin se cramponna si fort à sa main qu'il lui fit mal. « Comment..., comment se fait-il que je sois ici ? demanda-t-il dans un souffle rauque.

— C'est moi qui t'ai rapporté. » Tharin s'assit au bord du lit, lui passa un bras autour des épaules. « Dirait que je passe ma vie à te trimballer, ces temps-ci. Tout va bien, maintenant. Tu peux nous dire qui t'a agressé ? »

La main du petit vola vers sa gorge. « Orun. Il était tellement fou furieux... Il m'a empoigné, et... » Il aperçut Nyrin et se pétrifia. « Orun, oui. »

Le magicien se leva, s'approcha. « Il vous a violenté ? »

Tobin acquiesça d'un hochement. « La lettre du roi, murmura-t-il. Il m'a empoigné, puis... puis j'ai dû perdre connaissance.

— Cela se conçoit assez, dit Iya. Il a tout bonnement voulu t'étrangler. »

Tobin hocha de nouveau la tête.

Une drysienne en robe brune arriva sur ces entrefaites et fit sortir tout le monde, à l'exception de Nyrin et d'Iya. L'anxiété empêcha Ki d'aller plus loin que le seuil, et c'est de là qu'il regarda la femme examiner son patient puis, tandis qu'elle apprêtait un onguent contre les ecchymoses, il se faufila en catimini jusqu'à son poste au pied du lit sans qu'elle s'oppose à l'y voir rester.

Une fois les soins achevés, elle alla s'entretenir avec Iya et Tharin dans le corridor, et cela dura des siècles, trouva-t-il. Et lorsqu'il rentra dans la chambre, le capitaine avait l'air plus inquiet que jamais.

« Le chancelier Hylus arrive à l'instant, Lord Nyrin, et l'on retient Bisir dans la grande salle. »

À ces mots, Tobin réagit en se redressant tant bien que mal. « Bisir n'est coupable de rien du tout !

— Nous souhaitons simplement lui parler, précisa Tharin.

— Toi, tu te reposes. Ki va rester te tenir compagnie.

— Lord Nyrin ? » coassa Tobin.

Le magicien s'immobilisa sur le seuil. « Oui, mon prince ?

— Ce message que vous avez eu du roi..., je ne l'ai pas lu. Ki est toujours mon écuyer ?

— Sa Majesté ne faisait mention de rien là-dessus. Pour l'instant, la position de votre écuyer semble tout sauf compromise. Appliquez-vous à demeurer toutefois digne d'elle, sieur Kirothius.

— Je n'y manquerai pas, messire. » Il attendit que le capitaine et les deux magiciens se soient éloignés pour refermer la porte et faire un signe de conjuration. « Me fait l'effet d'une couleuvre, ce type-là, quand il sourit... N'empêche, au moins nous a-t-il apporté quelques bonnes nouvelles. » Il s'assit sur le lit puis tenta de regarder Tobin droit dans les yeux, mais celui-ci les gardait constamment détournés. « Comment te sens-tu ? Réellement ?

— Bien. » Il grattouilla le bandage qui lui entourait le cou. « Ce truc y contribue. »

Il avait toujours le même ton rauque, mais Ki n'était pas dupe de son enrouement ; derrière s'entendait très nettement la peur qu'il tâchait de dissimuler.

« Alors, comme ça, Vieilles Tripes molles a finalement porté la main sur toi ? » Ki secoua la tête d'un air suffoqué.

Tobin poussa un soupir bizarrement entrecoupé, puis son menton se mit à trembloter.

Ki se rapprocha davantage en se penchant, lui reprit la main. « Tu es loin d'avoir tout lâché, n'est-ce pas ? »

Tobin jeta un coup d'œil effrayé du côté de la porte puis, collant ses lèvres à l'oreille de Ki, souffla : « C'est Frère qui a fait le coup. »

Ki ouvrit de grands yeux. « Frère ? Mais il était ici ! Il est venu me rendre visite pendant ton absence... »

Tobin en exhala un hoquet de stupéfaction. « Qu'est-ce qu'il a fait ?

— Rien du tout ! J'étais là à t'attendre, moi, et, subitement, le voilà !

— Il a dit quelque chose ?

— Simplement que je devrais questionner Arkoniel à propos... » Il n'acheva pas.

« À propos de quoi ? »

Ki hésita ; il s'était senti déloyal, tout à l'heure, à douter de Tobin, et maintenant, c'était bien pire. « Il a refusé de le dire. Il se comporte comme ça avec toi aussi ?

— Des fois.

— Mais tu dis qu'il est venu chez Orun... C'est toi qui l'avais appelé ? »

Tobin secoua la tête avec véhémence. « Non ! non, je te le jure par les Quatre, jamais de la vie ! »

Alarmé par son affolement, Ki scruta sa physionomie. « Je te crois, Tob. Qu'y a-t-il au juste ? »

Tobin avala durement sa glotte avant de se pencher à nouveau vers son ami pour lui glisser dans le tuyau de l'oreille : « C'est Frère qui a tué Orun.

— Lui ? mais... comment ?

— Je ne sais pas. Orun était en train de me secouer comme un prunier. Il allait peut-être me tuer. Je ne sais pas. Frère s'est interposé, l'a tout juste... tout juste touché, et Orun est tombé... » Il tremblait comme une feuille. Ses joues ruisselaient de larmes. « Je ne l'ai pas arrêté, Ki ! Et si par hasard, dis..., si c'était *moi* qui l'avais plus ou moins poussé à le faire, hein ? »

Ki le serra dans ses bras. « Toi, faire une chose pareille ? allons donc ! je sais bien que non, moi.

— Je ne me rappelle pas l'avoir fait. » Il se mit à sangloter. « Mais j'avais si peur, et je détestais tellement Orun, et il m'avait dit des choses si vilaines sur toi et...

— C'est toi qui as appelé Frère ?

— Nnn... non !

— C'est toi qui lui as ordonné de tuer Orun ?

— Non !

142

— Bien sûr que non. Ce n'est donc pas ta faute. Frère t'a protégé, c'est tout. »

Tobin releva son museau barbouillé de larmes et dévisagea Ki. « C'est là ton avis ? Vraiment ?

— Oui. Il est rancunier, fielleux et tout ce qu'on voudra, mais il *est* ton frère, et Orun était en train de te maltraiter. » Il s'interrompit pour tâter sur son cou une fine cicatrice presque estompée. « Rappelle-toi le jour où le couguar t'a attaqué. Tu as dit alors que Frère s'était jeté entre le fauve et toi jusqu'à ma propre apparition comme pour te couvrir...

— Seulement, c'est Lhel qui tua la bête.

— Oui, mais il était venu. Et il est venu quand Orun te faisait du mal. Personne d'autre ne t'avait jamais agressé jusque-là, n'est-ce pas ? »

Tobin s'essuya les yeux sur sa manche. « Non, jamais personne, excepté...

— Qui ? questionna Ki d'un ton pressant, non sans se demander auquel des Compagnons il allait avoir à faire payer ça.

— Ma mère, exhala Tobin. Elle a essayé de me tuer. Et Frère était là, ce jour-là aussi... »

L'indignation toute prête à éclater de Ki se dissipa d'un coup, le laissant sans voix.

« N'en pipe pas mot à qui que ce soit, tu m'entends ? reprit Tobin en se torchant le nez. D'Orun, je veux dire. Personne ne doit rien savoir de Frère.

— Nyrin lui-même n'arriverait pas à m'arracher l'ombre d'un aveu. Tu le sais bien. »

Tobin émit un nouveau soupir entrecoupé puis cala

sa tête au creux de l'épaule de son ami. « Si la lettre avait signifié ton congé, je me serais de nouveau enfui.

— En me laissant le soin de te rattraper, comme la dernière fois ? » Malgré tous ses efforts pour adopter un petit ton badin, Ki se sentit soudain la gorge étrangement serrée. « N'essaie même pas. Je vais te mettre à la longe, moi.

— Je t'ai déjà promis que je n'en ferais rien. C'est ensemble qu'on s'enfuirait.

— Parfait, dans ce cas. Vaudrait mieux maintenant que tu te reposes. »

Au lieu de suivre ce conseil, Tobin rejeta les couvertures et se tortilla comme un ver en dépit de Ki pour sortir du lit. « Je veux voir Bisir. Il n'a été strictement pour rien dans toute cette maudite histoire. »

Il avait presque atteint la grande salle lorsqu'un nouveau souci vint lui traverser la cervelle, effaçant momentanément toute autre espèce d'appréhension. Qu'aurait vu Bisir, au fait ? Va savoir... Et voilà, songea-t-il en maudissant sa pusillanimité, voilà ce que ça donnait, de s'évanouir comme une damoiselle de chansonnette ! Frère était-il resté près de lui après avoir tué Orun ? Puisque Orun avait pu voir le fantôme, n'importe qui d'autre risquait de s'être trouvé dans le même cas... S'armant de courage, il entra carrément dans la grande salle.

Entouré par Tharin et les autres auprès de la cheminée, Bisir, debout, se tordait les mains. Le seul à s'être adjugé un siège était le chancelier Hylus, qui devait être arrivé tout droit de la cour, car il portait encore la robe de son état et la toque plate en velours noir significative de ses fonctions.

« Mais le voici, le prince..., et en bien meilleure forme que je ne m'y attendais, loués soient les Quatre ! s'exclama-t-il. Venez donc vous asseoir près de moi, cher enfant. Ce jeune homme était justement en train de nous raconter l'abominable traitement que vous avez subi.

— Allons, Bisir, fit Iya, dites au prince ce que vous nous avez déjà dit. »

Le jouvenceau jeta vers Tobin un regard implorant. « Ainsi que j'étais en train de le leur expliquer, mon prince, je n'ai rien vu d'autre quand je suis entré que vous-même et mon maître étendus par terre.

— Mais tu écoutais aux portes, lui décocha Nyrin d'un ton sévère.

— Non, messire ! En fait, il y a un fauteuil placé près de la porte exprès pour moi. C'est là que je me tiens toujours, en cas que Lord Orun m'appelle. »

Hylus leva une main de vieillard frêle et tavelée. « Du calme, voyons, mon garçon, tranquillise-toi... Tu n'es accusé d'aucun crime. » Il fit signe à Uliès de servir au malheureux valet terrorisé une coupe de vin.

« Merci, messire. » Bisir prit une petite gorgée, et ses joues creuses recouvrèrent un rien de couleurs.

« Tu as bien dû quand même entendre quelque chose ? suggéra le vieux chancelier.

— Oui, Votre Excellence. J'ai entendu mon maître s'adresser au prince d'un ton furibond. Il n'aurait pas dû se permettre de parler au prince Tobin de cette façon. » Il s'interrompit, déglutit nerveusement.

« Daignez me pardonner, messires, je sais que je ne devrais pas dire de mal de mon maître, mais...

— Cela ne tire pas à conséquence, coupa Iya, impatientée. Tu l'as donc entendu glapir comme un putois. Et puis ?

— Et puis m'est parvenu ce cri épouvantable ! Je me suis rué dans la chambre aussitôt, et je les ai trouvés gisant tous deux privés de connaissance sur le tapis. Du moins j'ai cru... Mais quand j'ai vu la tête qu'avait mon maître... » Son regard papillota de nouveau du côté de Tobin, et cette fois, il était impossible de s'y méprendre, il était vraiment épouvanté. « Les yeux de Lord Orun étaient ouverts, mais... Non, jamais, les Quatre m'en sont témoins, jamais je n'oublierai l'air qu'il avait, les yeux exorbités et le visage devenu tout noir...

— La description est tout à fait exacte, abonda Tharin. C'est à peine si j'ai reconnu Orun. Que ça m'a fait d'emblée l'effet d'une attaque d'apoplexie.

— Sieur Tharin est alors survenu en trombe, et il a emporté le prince avant que je sache seulement s'il... je craignais qu'il soit mort, lui aussi ! » Il lui adressa une petite révérence. « Grâce aux Quatre, vous allez bien.

— Si je puis me permettre, messire ? » intervint Nyrin.

Hylus hocha la tête, et le magicien s'approcha du témoin qui tremblait à faire pitié. « Donne-moi ta main, Bisir. »

Le Busard sembla subitement plus grand, et l'air s'assombrit tout autour de lui. À cette vue, chacun des cheveux de Tobin se hérissa sur sa nuque. Ki se rapprocha de lui et lui effleura furtivement les doigts.

Bisir laissa échapper un gémissement de douleur et s'affala sur les genoux, sa main toujours emprisonnée dans celle de Nyrin. Lorsque celui-ci le relâcha, finalement, le jeune homme se recroquevilla sur place en blottissant sa main au creux de sa poitrine comme s'il souffrait d'une atroce brûlure.

Avec un haussement d'épaules, Nyrin alla s'asseoir sur le banc de la cheminée. « Il dit la vérité pour ce qu'il en sait. Il semblerait que la seule personne à savoir ce qui s'est réellement passé dans la pièce soit le prince Tobin. »

Pendant un moment, Tobin se figura, terrorisé, que le magicien comptait le soumettre à la même épreuve, mais l'autre se contenta d'appesantir fixement sur lui ses dures prunelles d'un brun rougeâtre. Il n'en éprouva aucune sensation bizarre, cette fois, mais n'en recourut pas moins au subterfuge que lui avait enseigné Arkoniel afin de parer simplement à toute éventualité.

« Il m'a empoigné violemment, puis m'a accusé d'avoir tout fait pour retourner le roi contre lui.

— Et c'était le cas ?

— Le cas ? Pas du tout ! Je n'ai jamais écrit une seule ligne à mon oncle. »

Nyrin lui faufila un sourire matois. « Jamais seulement essayé de faire jouer la moindre influence auprès de lui ? Ce n'était un secret pour personne que vous méprisiez Orun. Allant de soi que je me garderais de vous en blâmer...

« — Je... je ne dispose d'aucun moyen d'influence auprès du roi », murmura Tobin. Est-ce que Nyrin se remettait à grandir ? Est-ce que l'air à nouveau s'assombrissait en s'épaississant tout autour de lui ?

« L'idée n'en serait jamais venue au prince, intervint Tharin, et Tobin se rendit compte qu'une fois de plus il tenait sa colère en bride. Il n'est qu'un enfant. Il ignore tout des manigances usage à la cour.

— Pardonnez-moi, je songeais tout bonnement à tout ce qu'un noble cœur est capable de déployer de ressources par affection pour un valeureux ami. » Il jeta un coup d'œil du côté de Ki tout en s'inclinant vers Tobin. « Daignez accepter mes plus humbles excuses, mon prince, si j'ai eu le malheur de vous offenser en aucune façon. » Son dur regard dérapa derechef épingler Tharin. « Peut-être d'autres gens ont-ils pris d'eux-mêmes l'initiative de plaider la cause du prince ? »

Le capitaine haussa les épaules. « Pour quoi faire ? C'est Rhius en personne qui fit choix de Ki pour servir d'écuyer à son fils. Sa Majesté ne saurait méconnaître ce lien. »

Nyrin se tourna de nouveau vers Ki. « À propos de vous, écuyer Kirothius..., où donc étiez-vous pendant que le prince Tobin se trouvait avec son gardien ?

— Ici, messire. L'intendant peut se porter garant de moi.

— Inutile. C'était là pure curiosité de ma part. Eh bien, il semblerait qu'il n'y ait rien de plus à apprendre ici. »

Lord Hylus hocha gravement la tête. « Nul doute

que votre hypothèse ne soit la bonne, Tharin. Les émotions fortes sont une chose dangereuse pour les gens d'âge. Il me paraît raisonnable de supposer que Lord Orun s'est détruit lui-même et a succombé à une attaque d'apoplexie.

— À moins que ne soit intervenue quelque magie noire. »

Tous les regards se fixèrent sur le magicien.

« Il existe des sortilèges susceptibles de provoquer pareille mort. La victime n'avait pas manqué de s'attirer bien des inimitiés, et certains magiciens ne sont pas exempts de vénalité. N'est-ce pas aussi votre avis, maîtresse Iya ? »

Iya tendit la main. « Si c'est moi que vous accusez, messire, je suis toute prête à me soumettre à l'épreuve. Je n'ai rien à redouter de vous.

— Je vous garantis, Maîtresse, que si vous étiez en cause je le saurais déjà. »

Tharin se racla la gorge. « Sauf votre respect, messeigneurs, le prince Tobin a eu une journée pénible. Si vous considerez votre enquête comme terminée, peut-être conviendrait-il de lui accorder un peu de tranquillité ? »

Hylus se leva et tapota gentiment le dos de Tobin. « Vous êtes un garçon courageux, mon cher prince, mais je crains que votre ami n'ait tout à fait raison. Reposez-vous, maintenant, et tâchez d'oublier cet épisode consternant. À moins que vous n'y voyiez d'objection, c'est moi qui vous tiendrai lieu de gardien jusqu'à ce que votre oncle en désigne un autre.

— J'en serais enchanté !

— Que Votre Excellence daigne m'excuser...,
murmura Bisir, toujours pelotonné dans la jonchée,
d'une voix presque inaudible, mais que va-t-il advenir
de la maisonnée de Lord Orun ?

— Debout, jeune homme, s'il te plaît. Rentre chez
toi, et dis à l'intendant qu'il lui incombe d'entretenir
la demeure et la domesticité jusqu'au règlement de la
succession. Et maintenant, fais diligence, avant que
tout ce petit monde ne déguerpisse avec l'argenterie !

— Quant à vous, prince Tobin, venez vite, que l'on
vous installe bien comme il faut, le pouponna Iya d'un
ton que Nari n'aurait certes pas désavoué.

— Bisir ne pourrait-il pas venir habiter ici ? »
chuchota-t-il pendant qu'elle et Ki l'entraînaient vers
sa chambre.

La magicienne secoua la tête. « Oublie-le. Allume-
nous du feu, Ki. »

Tobin se rebiffa. « Comment pouvez-vous dire une
chose pareille ? Vous avez vu comment il s'est com-
porté au fort durant toutes les semaines de son séjour.
Et il a fait l'impossible pour m'aider, aujourd'hui.
Demandez à Tharin...

— Je sais. Mais les apparences ont une extrême
importance, ici. Cela serait inconvenant. » Le voyant
s'opiniâtrer quand même, elle lui fit une légère
concession. « Alors, c'est moi qui te suppléerai en
veillant sur lui. »

Sa vieille défiance envers la magicienne reprit tout
à coup le dessus, et il n'acquiesça que d'un hochement
rétif et malgracieux. Il n'aurait pas eu à se chamailler
de la sorte, avec Arkoniel...

8

En rejoignant les Compagnons, le matin suivant, les deux gamins se retrouvèrent en dépit d'eux le centre d'insatiables curiosités. Korin et les autres se seraient volontiers fait raconter trois fois de suite et de bout en bout durant la course du matin toute cette maudite histoire si maître Porion n'avait finalement brandi la menace de les envoyer décrotter les écuries s'ils ne fichaient pas la paix à Tobin.

Au fur et à mesure que s'écoulait la journée, toutefois, ses menaces elles-mêmes se révélèrent insuffisantes pour interrompre les chuchotements et les mines écarquillées des questionneurs. Tandis que l'on stationnait en soufflant sur ses doigts frigorifiés tout autour des lices de tir à l'arc, chacun brûlait de savoir à quoi ressemblait la gueule d'Orun au moment de sa mort. Quel genre de glouglous il faisait. S'il pissait le sang. Après avoir fourni tout ce qu'il pouvait de détails, Tobin fut fort aise d'entendre finalement Ki promettre d'assommer le prochain qui s'aviserait de lui casser les pieds.

La nouvelle ayant fait le tour du Palatin comme une traînée de poudre, Tobin se vit durant les quelques jours suivants la cible de tous les regards. Sur son passage, les domestiques aussi bien que les courtisans se mettaient à chuinter sous main. Aussi se claquemura-t-il le plus possible avec Ki dans ses appartements, quitte à filer parfois se réfugier carrément chez lui.

Comme il arrive cependant de la plupart des commérages, on eut bientôt épuisé cette friande affaire, et
moins de huit jours plus tard, la voracité des curieux
s'était déjà jetée sur des scandales frais. Si bien que
lorsqu'un soir, au cours du dîner, Caliel le défia de
disputer une partie de bakshi contre lui, Tobin laissa Ki
remplir ses tâches avec les autres officiers de bouche et
partit chercher dans sa chambre les pions de pierre.

Il atteignait presque sa porte quand Lady Una surgit
tout à coup des ténèbres d'une pièce vacante en face,
dans le corridor. Juste surpris d'abord, il fut littéralement suffoqué lorsque la jeune fille d'ordinaire si
réservée lui saisit la main pour l'entraîner chez lui.
Baldus et Molay s'étant absentés pour aller dîner aux
cuisines, il se retrouva là seul avec elle.

Elle referma soigneusement la porte puis le dévisagea, muette, un bon moment. Ses yeux bruns brillaient d'un étrange éclat.

« Qu'y a-t-il ? finit-il par s'enquérir, on ne peut
plus perplexe.

— Est-ce vrai ? questionna-t-elle.

— Vrai..., vrai quoi ?

— La rumeur circule qu'avant de mourir, Lord
Orun a prétendu te contraindre à choisir un autre
écuyer, et que... eh bien... » Elle piqua un fard épous-
touflant mais sans cesser de le fixer droit dans les yeux.
« Il y a des gens pour prétendre que c'est moi que tu
as nommée ! »

Tobin ne put s'empêcher de ciller. Il n'avait prononcé son nom que pour faire enrager Orun mais

152

l'avait complètement oublié depuis. Bisir avait dû surprendre ce détail de leur entretien puis le colporter...

Il se serait volontiers englouti dans le sol quand, lui serrant de nouveau la main, elle la plaqua contre son corsage. « Est-ce vrai, prince Tobin ? Avez-vous vraiment avancé ma candidature pour entrer dans les Compagnons ? »

Il répondit tant bien que mal par un simulacre de hochement, et elle lui étreignit la main plus fort encore, tout en le fixant ardemment. « Et vous parliez sérieusement ?

— Eh bien... » Il hésita, il répugnait à lui mentir. « Je crois que tu ferais un écuyer distingué », réussit-il à proférer, se résignant à une demi-vérité. Il souhaitait la voir libérer sa main. « S'il était possible aux filles d'être écuyers, tu serais un bon écuyer.

— C'est trop injuste ! se récria-t-elle, l'œil flamboyant d'une passion qu'il ne lui avait jamais vue. À Skala, les femmes ont toujours été des guerriers ! Ki m'a conté des tas de choses à propos de sa sœur, Ahra. Elle est bien le guerrier authentique qu'il m'a décrit, n'est-ce pas ?

— Oh, ça oui ! » Il ne l'avait rencontrée qu'une seule fois, mais elle lui avait enseigné deux ou trois trucs de première bourre pour le combat au corps à corps. Il était tout prêt à miser sur elle contre la plupart des hommes, en duel.

« C'est une injustice tellement criante ! » Relâchant enfin la main de Tobin, elle se croisa les bras, fronça les sourcils. « Si je n'étais pas de si noble naissance, je pourrais m'engager, comme elle l'a fait. Ma grand-mère était général, tu sais ? Elle est morte en brave pour la défense de la reine. Et je vais te confier un secret, tiens..., fit-elle en se penchant à nouveau de manière alarmante pour le lui souffler à l'oreille. Il lui arrive de me rendre visite, en rêve, montée sur un énorme destrier blanc. Et puis je possède aussi son épée. C'est Mère qui me l'a donnée. Mais Père se refuse à me laisser m'exercer avec un maître d'armes digne de ce nom. Il ne veut même pas entendre parler d'escrime au fleuret. N'empêche qu'un jour, s'il m'était seulement possible d'apprendre... » Elle s'arrêta pile, puis lui adressa un petit sourire gêné. « Je suis confuse. Je me conduis comme une idiote, hein ?

— Pas du tout ! Je t'ai vue tirer, aux lices. Tu es aussi adroite à l'arc que n'importe lequel d'entre nous. Et tu montes comme un vrai soldat. Même maître Porion en est convenu.

— Vraiment ? » Elle s'illumina littéralement. « L'ennui, c'est que tout cela ne sert à rien si l'on ne sait pas manier l'épée. J'en suis réduite à me gorger de traités théoriques et, pour la pratique, à picorer de-ci de-là ce que je peux attraper en vous regardant vous entraîner, vous autres, les garçons. Il y a des fois, j'en crèverais de jalousie... Quelle calamité ç'a été pour moi, de naître une fille, alors que j'étais faite pour être un garçon ! »

La réflexion frappa Tobin d'une façon dont il ne comprit pas toute la portée, et c'est à l'étourdie qu'il répondit : « Je pourrais t'apprendre...

154

— Tu ferais ça ? Tu ne le dis pas juste par gentillesse, ou pour me taquiner, comme le font les autres ? »

À peine la proposition lui avait-elle échappé qu'il aurait tout donné pour la retirer, mais il n'en eut pas le courage, rien qu'à voir la manière qu'elle avait de le considérer. « Non, je t'apprendrai. Ki aussi. Pourvu simplement que personne n'en sache rien. »

Sans préavis, Una s'inclina vers lui et l'embrassa carrément sur la bouche, mais d'un baiser si vif et si maladroit que Tobin en eut l'intérieur de la lèvre meurtri par ses dents. Il n'eut pas le temps de s'en remettre qu'elle avait déjà pris la fuite, le plantant là, stupide et rougissant, près de la porte ouverte.

« Par les couilles à Bilairy ! maugréa-t-il, le goût du sang sur les papilles. Qu'ai-je donc fait pour me valoir ça ? »

Comme par un fait exprès, il se trouva d'aventure qu'Alben et Quirion passaient au même instant par là. *Naturellement !* songea Tobin. Quirion collait comme une merde de chien aux semelles de son aîné.

« T'as un problème ? fit Alben d'une voix traînante. Elle t'a mordu ? »

Rageusement, Tobin les écarta d'un mouvement d'épaules et, sans plus se souvenir des pions de bakshi qu'il était venu prendre, s'éloigna dans le corridor.

« T'as un problème ? lui décocha Quirion dans le dos. C'est être embrassé par les *filles* que t'aimes pas ? »

En virevoltant pour lui lancer une réplique de son

cru, Tobin s'emmêla les pieds et se rattrapa tant bien que mal à l'une des tapisseries qui ornaient les murs. La tringle qui la supportait cassa net, et tout le foutu machin poussiéreux s'effondra sur sa propre chute comme une tente mal arrimée. Les deux autres se mirent à hurler de rire.

« Sang, mon sang. Chair, ma... », murmura Tobin avant de se plaquer une main sur la bouche. Tandis que les éclats de rire des autres salopards s'estompaient peu à peu vers le fond du couloir, lui demeura prostré sur place, horrifié de ce qu'il avait bien failli faire. Tout en s'étreignant à deux bras dans le noir qui puait le moisi, il farfouilla pour la centième fois dans ses souvenirs. Est-ce que, d'une manière ou d'une autre, il n'avait pas, en définitive, appelé Frère à la rescousse contre Orun ?

Son aventure avec Una, c'est au coin du feu, le lendemain, dans la chambre du capitaine, qu'il en fit part à Tharin et Ki, non sans garder par-devers lui le déplaisant épisode qui s'était ensuivi avec Alben. Mais il n'apprécia qu'à demi la crise d'hilarité que déchaîna finalement sa confidence.

« Mais quel nigaud tu fais, Tob ! s'étouffa Ki. Enfin..., Una s'est coiffée de toi dès notre arrivée à Ero !

— De moi ?

— De toi, oui. Tu ne comptes quand même pas me faire avaler que tu n'as jamais remarqué qu'elle n'arrêtait pas de te dévorer des yeux ?

— Même moi, je m'en suis douté ! dit Tharin, entre

deux gloussements. Mais elle est une... rien qu'une fillette !

— Enfin quoi, tu désires bien les filles, non ? » s'esclaffa Ki, se faisant ingénument l'écho des insinuations vachardes de Quirion.

Tobin s'abîma dans la contemplation renfrognée de ses bottes. « Je n'éprouve aucun désir pour qui que ce soit.

— Fiche-lui la paix, Ki, repartit Tharin. Il est encore jeune et sans expérience de la gaudriole. J'étais tout à fait pareil, à son âge. Pour croiser ce fer-là, du moins ! » Sa physionomie redevint sérieuse. « Elle l'a bien dit elle-même ; le duc Sarvoi, son père, est tout sauf partisan des anciens usages, et il n'est pas homme à se laisser monter sur les pieds. Elle fera mieux de s'en tenir au tir à l'arc et à l'équitation. »

Tobin hocha la tête, encore que la désapprobation du père l'effarât infiniment moins que l'intérêt marqué de la fille. Il avait encore la lèvre tout endolorie par le baiser qu'elle lui avait dérobé.

« De toute façon, tu risques de réagir tout autrement dans un an ou deux, poursuivit Tharin. La puissance de sa famille fait d'elle un beau parti. Et c'est un joli brin de fille, aussi.

— Ah, pour ça, oui ! approuva chaudement Ki. Si je pouvais me figurer qu'elle daigne abaisser les yeux deux fois de suite sur un modeste écuyer, je ne serais vraiment pas fâché de me retrouver à ta place... »

En l'entendant s'échauffer tout à coup de la sorte et en lui voyant ce sourire mélancolique, Tobin sentit son ventre se serrer comme s'il avait avalé quelque chose d'amer.

Qu'est-ce que ça peut me fiche qu'il la désire ? Mais il ne s'en fichait pas. « En tout cas, c'est par pure gentillesse que j'ai parlé comme je l'ai fait, grommela-t-il. Elle a déjà dû oublier ma promesse.

— Pas son genre à elle, dit Ki. J'ai bien vu, moi, de quel œil elle nous regarde... »

Tharin hocha la tête. « Ce qu'elle t'a raconté de sa grand-mère est parfaitement vrai. Le général Elthia valait n'importe quel homme sur le champ de bataille, et elle se montrait également un stratège astucieux. Ton père en avait une très haute opinion. Ouais, tout bien réfléchi, je retrouve un rien de la vieille guerrière dans la jeune Una. Là qu'est l'ennui, avec les nouveaux usages. Le sang des héros coule dans les veines de beaucoup trop de filles, et on a beau les affubler de jupes et les séquestrer au foyer, les hauts faits de l'histoire n'en verdoient pas moins dans leur cœur.

— Pas étonnant qu'Una soit jalouse d'un simple soldat comme Ahra, fit Ki.

— En effet. À ceci près que je vois mal Erius tolérer beaucoup plus longtemps ce genre de situation. Et où iront-elles toutes, une fois limogées ?

— Vous voulez dire qu'il y en a des quantités ? Des femmes guerriers ? demanda Tobin.

— Oui. Rappelle-toi seulement la vieille Cuistote – ou plutôt le sergent Catilan, comme on l'appelait autrefois –, condamnée depuis tant d'années à travailler dans les cuisines de ton père. Erius en a forcé des flopées d'autres du même âge à prendre leur retraite. Elle était trop loyale pour discuter, mais cela blesse encore sa fierté. Des comme elle, il y en a des centaines et des centaines, éparpillées dans tout le pays. Voire davantage. »

Tout en fixant la flambée dans l'âtre, Tobin imagina une armée tout entière de ces femmes guerriers rebutées qui chevauchaient comme des fantômes à une distance inconnue. Et cette idée lui fit froid dans le dos.

9

Arkoniel s'étira pour se dérouiller les épaules et s'approcha de la fenêtre du cabinet de travail. Déployant les lettres que lui avait apportées Koni le matin même, il entreprit de les relire plus posément.

Au-dehors, la lumière de l'après-midi déclinait rapidement. L'ombre de la tour s'allongeait comme un doigt crochu sur la neige toute neuve qui recouvrait la prairie. Exception faite du sillage baratté par les sabots du cheval de Koni, celle-ci avait la blancheur éclatante et lisse d'un drap de lit frais : aucun château de neige ne la hérissait au-delà des baraquements, aucune empreinte de pas n'y sinuait en direction de la rivière ou des bois.

Et l'écho d'aucun rire n'égayait non plus le silence du corridor, songea-t-il avec nostalgie. Jamais sa solitude n'avait été si totale. Il ne restait plus au manoir que Cuistote et Nari ; et ils cliquetaient aussi vainement là-dedans tous les trois que des dés au fond d'un cornet.

Avec un soupir, il se remit à sa lecture. Sa présence en ces lieux demeurant secrète, les lettres étaient prétendument adressées à Nari. Arkoniel lissa le parchemin de la première contre le rebord de la fenêtre, et son pouce s'attarda distraitement sur les aspérités du cachet rompu. Les deux garçons lui avaient écrit pour l'informer de la mort d'Orun. Iya les ayant devancés de quelques jours, la nouvelle n'en était plus une, mais les versions qu'ils en donnaient l'intéressaient au plus haut point.

Celle de Tobin était laconique : Orun avait succombé à une espèce d'attaque provoquée par sa fâcheuse révocation. Celle de Ki se révélait d'autant plus précieuse, en dépit du fait qu'il ne se trouvait pas sur place au moment des événements. Arkoniel ne put réprimer un sourire en dépliant la double page. Malgré les répugnances initiales de Ki pour l'apprentissage de l'écriture et un graphisme pas joli joli, la narration coulait de sa plume avec autant d'aisance que s'il la faisait de vive voix. Ses missives personnelles étaient toujours les plus détaillées. Ainsi évoquait-il, lui, les ecchymoses au cou de Tobin et le fait qu'on l'avait rapporté chez lui privé de connaissance. Le plus étrange étant ces quelques mots de conclusion : *Tobin en reste épouvantablement navré.* Alors que le message d'Iya n'avait fait mention d'aucune espèce de regret, Arkoniel subodorait que la phrase était tout sauf une platitude désinvolte. Ki connaissait mieux que qui-conque son Tobin, et il avait partagé l'insurmontable aversion que celui-ci portait à son gardien. Dès lors, pourquoi le petit prince se montrait-il aussi *navré* de la disparition d'Orun ?

Arkoniel replia la lettre de Tobin et la fourra dans sa manche avant d'aller retrouver Nari, mais il joignit celle de Ki à la pile impeccable qui se dressait sur l'écritoire de son bureau.

J'ai failli le tuer, mais je ne l'ai pas fait, se remémora-t-il comme il le faisait chaque fois qu'il grossissait d'une nouvelle lettre cette pile-là. Il ne savait trop pourquoi il les conservait ; peut-être afin de s'attester la vanité des cauchemars qui persistaient à l'obséder, cauchemars au cours desquels il n'hésitait pas à frapper, si bien que Ki ne se réveillait plus jamais.

Il refoula l'horrible souvenir et jeta un coup d'œil vers la fenêtre pour contrôler la marche du soleil. La veille, il s'était beaucoup trop attardé.

À son arrivée ici, le fort lui avait fait l'effet d'une tombe hantée par les vivants comme par les morts. Appuyé par Iya, il avait cajolé le duc pour le résoudre à des restaurations qui métamorphosent le vieux manoir délabré en une demeure digne de ce nom pour son fils, et elle l'avait été pendant un certain temps. Elle avait fini par devenir aussi celle d'Arkoniel, la première qu'il eût connue depuis qu'il avait quitté la maison paternelle.

Elle se délabrait de nouveau, désormais, retombait dans son abandon. Les tapisseries neuves et les plâtres

161

pcints présentaient déjà un aspect fané. L'argenterie, dans la grande salle, avait cessé de rutiler, faute de servir, et les araignées s'étaient retaillé leur royaume parmi les poutres. Par manque de feux réguliers dans la plupart des pièces, la baraque tout entière redevenait aussi glaciale, humide et lugubre qu'auparavant. On aurait juré que les deux gamins avaient emporté la vie même des aîtres dans leur paquetage.

Il retourna non sans soupirer vers son pupitre afin de compléter ses notes de la journée. Une fois ce journal de bord en sécurité sous triple verrou, il entreprit de ramasser toutes les épaves éparpillées par le naufrage de ses dernières tentatives.

Il avait presque terminé ses rangements quand quelque chose froufrouta vaguement dehors le long de sa porte, sans faire plus de bruit d'ailleurs que des moustaches de souris. Arkoniel retint sa respiration. La tige de verre qu'il était en train de nettoyer lui échappa des doigts et vola en éclats à ses pieds.

Un rat, c'est tout. Il est encore trop tôt. Des lueurs dorées s'attardaient dans l'azur à l'ouest. *Elle ne descend jamais aussi tôt.*

La chair de poule lui cloquait néanmoins les bras lorsque, ayant allumé une chandelle, il gagna sa porte à pas comptés. Sa main tremblait, et un ruisselet de cire bouillante dégoulina le long de ses doigts.

Il n'y a rien. Il n'y a rien, se ressassa-t-il comme un mioche dans les ténèbres.

Aussi longtemps que Tobin et les autres avaient occupé les étages inférieurs, il était vaille que vaille arrivé à tenir sa peur en échec, et ce lors même que le

162

séjour inopiné de Bisir l'avait piégé dans son second durant des jours et des jours d'affilée. Dans la mesure où il y avait du monde dans la maison, les chuchotements presque imperceptibles qui lui parvenaient du corridor l'effaraient infiniment moins.

Mais à présent que le premier étage était entièrement désert, ses appartements personnels lui paraissaient beaucoup trop éloignés des cuisines bien chaudes où s'activait Cuistote, et beaucoup trop proches de la porte d'accès à la tour. On avait eu beau fermer cette porte à clef depuis sa mort, cela n'empêchait nullement l'esprit tourmenté d'Ariani de sortir errer sans relâche.

Arkoniel n'avait gravi qu'à deux reprises l'escalier de la tour depuis sa première rencontre avec le fantôme enragé de la malheureuse. Poussé par la curiosité comme par les remords, il s'y était d'abord risqué dès le lendemain du départ de Tobin pour Ero, mais en pure perte. Tout autant soulagé que frustré de n'avoir rien ressenti là-haut, il avait alors rassemblé son courage pour se contraindre à y retourner sur le coup de minuit – soit à l'heure même où Tobin l'y avait entraîné –, et, alors, il avait entendu gémir la princesse aussi distinctement que si elle se trouvait juste derrière lui. Écartelé entre la terreur et l'angoisse, il s'était enfui d'un trait jusqu'aux cuisines et y avait couché, la clef de la tour enserrée dans son poing comme un talisman. Quitte à la balancer à la rivière le lendemain matin puis à déménager sa chambre à coucher dans la salle de jeux du premier étage. Il aurait volontiers déplacé aussi son cabinet de travail, mais les meubles en étaient trop lourds, et puis descendre tous les bouquins et tous les instruments qu'il y avait amassés lui aurait pris le reste de l'hiver. Aussi avait-il finalement préféré se résigner à s'y tenir exclusivement durant les heures où l'éclairait la lumière du jour.

Or, voilà qu'aujourd'hui il était encore resté trop longtemps dans le cabinet de travail... Après avoir pris une grande goulée d'air, il agrippa le loquet et ouvrit la porte.

Ariani se tenait au fond du corridor. Des larmes inondaient son visage ensanglanté, ses lèvres remuaient. Pétrifié sur le seuil, Arkoniel tendit désespérément l'oreille, mais elle n'émettait pas le moindre son. Elle avait eu beau l'attaquer, lors de leur première rencontre après sa mort, il s'imposa de patienter, dans l'espoir fou de finir par entendre ce qu'elle disait, de pouvoir répondre quelque chose. Mais elle fit alors un pas vers lui, les traits convulsés en un masque de vraie furie, et il sentit d'un seul coup tout son courage l'abandonner.

La flamme de la chandelle projeta des ombres burlesques tout autour de lui lorsqu'il prit ses jambes à son cou, puis elle s'éteignit. Les yeux écarquillés pour tenter de percer les ténèbres soudaines, il dévala quatre à quatre les escaliers, perdit l'équilibre avant d'avoir réussi à accommoder, foula le vide une seconde et, tombant pesamment, dégringola cul par-dessus tête les dernières marches avant d'atterrir dans le halo bienvenu de lumière que diffusait au premier étage la lampe du corridor. Résistant à la tentation de jeter un coup d'œil en arrière, il se dépêcha de boiter jusqu'à l'escalier menant dans la grande salle.

Un de ces jours, il allait finir par se prendre lui-même pour un fantôme.

10

Lord Orun n'avait pas laissé d'héritier. Il en résulta que ses biens allèrent à la Couronne et furent absorbés par ce même Trésor à l'administration duquel il avait apporté tant de compétence. C'était d'ailleurs le seul et unique domaine où, d'après Nyrin, il eût jamais fait du bon travail. Quant à son honnêteté scrupuleuse en ce qui concernait ses fonctions officielles, elle avait toujours abasourdi le magicien.

On eut tôt fait de liquider la demeure et son ameublement comme d'installer le nouveau chancelier du Trésor. Seul restait à régler le sort des domestiques de la maisonnée, mais leur en eût-on fait cadeau que les habitants du Palatin n'auraient pas été foule à vouloir d'eux.

Les plus notoires des mouchards furent mis hors circuit par ceux-là mêmes qu'ils avaient contribué à compromettre. Orun avait éprouvé une véritable passion pour le chantage. Non par goût de l'argent – il était suffisamment bien pourvu de ce côté-là –, mais par pur sadisme : il adorait tenir les gens sous sa coupe. Eu égard à quoi comme à ses autres passe-temps tout aussi ragoûtants, personne, hormis quelques privilégiés, ne pleura sa perte.

Ainsi donc ses mouchards périrent étranglés dans quelque venelle ou empoisonnés, tandis que la fine fleur de ses gitons filait en douce se placer dans un certain nombre d'autres maisonnées, et que le surplus se voyait renvoyé de la ville avec de bonnes références et assez d'or en poche pour rester au diable.

Nyrin suivit de près toutes ces opérations, et il s'était fait un devoir d'assister à la crémation d'Orun. C'est au cours de celle-ci que la présence d'un jouvenceau parmi les rares endeuillés retint son attention.

Les traits de celui-ci lui étaient familiers, mais il mit un moment à reconnaître en lui un nobliau du nom de Moriel que le défunt avait coûte que coûte prétendu imposer comme écuyer au prince Tobin. Le testament d'Orun l'avait mentionné comme bénéficiaire d'un modeste legs, pour services rendus, sans doute. Apparemment âgé de quatorze ou quinze ans, il avait le teint blême, un petit air fielleux, l'œil vif et perçant. Par curiosité, le magicien lui frôla l'esprit pendant qu'ils se tenaient auprès du bûcher, et ce qu'il y découvrit le charma sans l'étonner du tout.

Aussi lui expédia-t-il dès le lendemain une invitation à dîner, si toutefois son chagrin ne l'empêchait pas d'accepter. Le porteur ne tarda guère à revenir avec la réponse escomptée, rédigée de cette même encre violette qu'avait entre toutes chérie le feu protecteur du jeune Moriel. Qui serait enivré de dîner avec le magicien de Sa Majesté.

11

Assez peu chagrinée qu'Orun eût débarrassé le plancher, Iya n'avait pas été sans partager le soulagement manifeste de Tobin quand le lord Chancelier s'était de son propre chef attribué les fonctions de gardien provisoire. Elle allait jusqu'à espérer qu'Erius maintiendrait à ce poste l'excellent vieillard. Hylus était un homme comme il faut, une relique des temps anciens, de ces temps si bien révolus depuis qu'Agnalain la Folle et son fils avaient terni l'éclat de la Couronne. Aussi longtemps que ses conseils demeureraient appréciés d'Erius, peut-être bien qu'on ne verrait pas triompher Nyrin et son engeance.

Elle se cramponnait à cet espoir, jour après jour, lorsqu'elle agrafait à son manteau la broche exécrée des Busards, avant d'aller courir les rues d'Ero.

Elle ne pouvait faire autrement, lorsqu'elle quittait le Palatin, que de passer devant le quartier général des Busards. Des magiciens en robe blanche escortés de leurs gardes en uniforme gris croisaient invariablement dans les ruelles et les cours qui l'environnaient. Et comme la seule vue de la vieille auberge de pierre lui évoquait l'image d'un nid de frelons, elle la traitait comme tel en rasant les façades sur le bord opposé de la rue. Elle n'y était entrée qu'une seule fois, le jour où ils avaient noté dans leur registre noir le matricule qu'ils venaient de lui attribuer. Le peu qu'elle avait vu durant cette visite forcée lui avait suffi pour comprendre qu'une seconde visite lui serait probablement fatale.

Aussi gardait-elle ses distances et faisait-elle preuve de la plus extrême circonspection lorsqu'elle partait en quête de ses propres semblables, des magiciens tout ce qu'il y avait de banal et obligés, comme elle, à arborer l'infâme insigne numéroté. Les tristes temps que l'on vivait avaient considérablement réduit leur nombre à Ero, et la plupart de ceux qui n'avaient pas pris le large se révélaient trop apeurés ou soupçonneux pour oser parler avec elle. De toutes les tavernes autrefois fréquentées par la corporation, une et une seule demeurait ouverte, *La Chaîne d'or*, et elle était bondée de Busards. Pour ne rien gâcher, des magiciens qu'elle avait connus toute une existence ne saluaient plus Iya que d'un air méfiant, et rares étaient ceux qui s'aventuraient à lui offrir l'hospitalité. Enfin, s'il vous arrivait de penser un instant que la cité s'était auparavant glorifiée d'honorer plus que n'importe quelle autre au monde les magiciens indépendants, le changement des choses avait de quoi vous atterrer.

Un soir où son errance inconsolable l'avait amenée à traverser le marché semi-désert du Clos Dauphin, brusquement la désintégra l'explosion d'une fulgurante douleur. Elle n'y voyait plus du tout, n'entendait plus rien, se trouva même incapable d'appeler à l'aide.

Ils m'ont eue ! songea-t-elle en pleine agonie muette. *Que va-t-il advenir de Tobin ?*

Comme en une vision lui apparut alors, dans un halo de flammes incandescentes, un visage, mais qui n'était pas celui de Tobin, un visage d'homme. Défiguré par une souffrance encore plus atroce que celle qu'elle ressentait, l'individu lui fit l'effet de la fixer droit dans les yeux, tandis que toute la chair de son crâne grésillait en se ratatinant. Elle connaissait cette physionomie. Il s'agissait d'un magicien méridional appelé Skorus. Elle lui avait, voilà des années, remis l'un de ses menus gages de sympathie et n'avait plus jamais, depuis, repensé à lui.

Les traits suppliciés disparurent, et elle se découvrit vautrée à plat ventre sur les pavés crottés, suffocante et cherchant à se gorger d'air.

Il devait toujours avoir mon machin sur lui quand ils l'ont brûlé, se dit-elle, trop anéantie pour bouger. Mais à quoi cela rimait-il ? Les petits cailloux n'étaient rien de plus que des charmes mineurs, et l'infime étincelle magique qu'ils recelaient ne devait servir qu'à localiser les gens loyaux et à les attirer, le moment venu. Elle n'avait jamais imaginé qu'ils puissent également agir comme un canal dans le sens inverse à son intention. Or, celui-ci l'avait fait, et c'était précisément par son intermédiaire qu'elle-même venait de faire l'expérience d'une fraction des souffrances atroces qu'avait dû supporter Skorus avant de mourir. On avait déjà brûlé des dizaines, voire des vingtaines de magiciens, mais lui devait être le premier de ceux qu'elle avait choisis à s'être laissé attraper. Elle fut stupéfaite de la vitesse invraisemblable avec laquelle s'estompait la douleur. Elle s'était attendue à se retrouver couverte de cloques mais, par bonheur, le charme n'avait transmis que les ultimes sensations de l'agonisant, pas la magie qui l'avait tué.

« Hé, la mémé, t'es malade ? demanda quelqu'un.

— Soûle, qu'elle me paraît plutôt, rigola un autre passant. Debout, vieille peau ! »

Des mains compatissantes l'aidèrent à se mettre à genoux. « Kiriar ! hoqueta-t-elle en reconnaissant le jeune homme. Tu es toujours avec Dylias ?

— Oui, Maîtresse. » Lors de leur dernière rencontre, il n'était encore qu'un apprenti. Et voilà qu'il avait une vraie barbe, maintenant, sans compter quelques fines rides, mais il portait des vêtements aussi loqueteux que ceux d'un mendiant. L'insigne des Busards agrafé à son col était la seule chose à trahir son véritable état. Son matricule était le quatre-vingt-treize.

Il avait lui aussi les yeux attachés sur le sien. « Deux cent vingt-deux ? Il leur a fallu plus de temps pour vous dénicher, à ce que je vois. » Il la considéra d'un air affligé. « Triste à dire, mais voilà bien le genre de détail qui nous frappe, actuellement. Vous vous sentez mieux ? Qu'est-ce qui s'est passé ? »

Iya secoua la tête pendant qu'il l'aidait à se remettre sur ses pieds. Malgré la profonde estime que lui avaient toujours inspirée maître Dylias et son disciple, elle se sentait encore beaucoup trop salement secouée pour jouir de toute sa jugeote et aventurer sa confiance. « C'est dur, de vieillir, fit-elle en affectant un ton léger. Une gorgée de quelque chose et deux ou trois bouchées devraient me permettre de m'en tirer.

— Je connais une bonne maison, Maîtresse. Souffrez

170

que je vous y offre un dîner bien chaud en l'honneur du bon vieux temps. Nous n'en sommes pas loin, et vous y trouverez une compagnie digne de ce nom. »

Toujours aussi circonspecte mais décidément intriguée, Iya s'accrocha au bras de Kiriar et se laissa mener en dehors du Clos Dauphin.

Elle eut un moment d'angoisse quand le jeune homme dirigea ses pas comme pour revenir vers le Palatin. Et s'il était en définitive un traître futé ne mijotant depuis le début que de l'attirer dans le repaire des Busards ?

Quelques rues plus loin, toutefois, il vira dans l'un des marchés aux orfèvres. Tout se ressentait, là aussi, de la dureté des temps, remarqua-t-elle ; pas mal de boutiques étaient à l'abandon. Mais ce n'est qu'après en avoir dépassé une bonne douzaine que l'évidence lui sauta aux yeux : la plupart d'entre elles avaient jadis appartenu à des artisans aurënfaïes.

« Retournés chez eux. Un grand nombre », expliqua son guide. « Les 'faïes ne sont pas chauds chauds pour les nouveaux usages, ainsi que vous pouvez sans peine vous l'imaginer, et il devient de plus en plus manifeste que les Busards se défient d'eux. À présent, veuillez consentir à patienter ici. Juste une minute. »

Et il disparut dans les ténèbres d'une écurie. Lorsqu'il reparut, un moment plus tard, ce fut pour lui faire emprunter une venelle sur les arrières. Celle-ci déboucha à son tour sur une ruelle étroite que surplombaient des encorbellements de guingois, pochés, et où

171

flottaient les arômes étranges, épicés de la cuisine 'faïe.

De-ci de-là s'ouvraient entre les pâtés de maisons des transversales exiguës. À l'un de ces croisements, Kiriar s'arrêta de nouveau. « Avant que nous fassions un pas de plus, Maîtresse, il me faut vous poser la question que voici : par quoi jurez-vous ?

— Par mes mains, mon cœur et mes yeux », lui répondit-elle, tout en repérant sur le mur opposé, juste au-dessus de son épaule, le gribouillage d'un croissant de lune. Le flamboiement révélateur d'une aura éclair le fit scintiller tandis qu'elle parlait. « Et par le véritable nom de l'Illuminateur », ajouta-t-elle pour faire bonne mesure.

« Elle peut passer », chuchota quelqu'un du fond de l'ombre sur leur droite, comme si cela n'avait pas été déjà suffisamment attesté par le fait que l'aura éclair ne l'avait pas jetée par terre. Iya regarda son loqueteux de guide avec un redoublement d'intérêt. Ce n'était pas lui qui avait tracé là ce charme puissant, ni lui ni son maître ; elle pouvait compter sur les doigts d'une seule main les magiciens de sa connaissance qui pouvaient l'avoir fait.

Kiriar haussa les épaules en signe d'excuse. « Il nous faut demander. Venez, c'est juste là, au bout. »

Il la fit pénétrer dans la ruelle transversale la plus immonde qu'elle eût jamais vue. L'odeur de pourriture et de pisse vous y sautait à la gorge. Des chats squelettiques aux oreilles déchiquetées s'y faufilaient d'ombre en ombre ou, juchés sur les tas d'ordures qui bordaient les murs, étaient à l'affût de rats. Les façades

172

des deux côtés qui se touchaient presque, à hauteur des toits, n'y laissaient rien filtrer des dernières lueurs pâlissantes de cette journée d'hiver.

Presque sous leurs pieds surgirent de l'opacité trois silhouettes enveloppées de manteaux, tandis que sur leur passage en émergeait une autre dans l'embrasure d'une porte. Leur allure furtive avait de quoi les faire prendre pour des détrousseurs, mais tous les quatre s'inclinèrent pour saluer la magicienne et portèrent la main à leur cœur et leur front.

« Par ici. » Kiriar lui indiqua d'un geste une volée de marches abruptes et croulantes qui s'enfonçaient vers une cave. En bas, l'aspect de la porte n'avait rien d'extraordinaire, mais allez savoir quelle espèce de magie chatouilla plaisamment le bout des doigts d'Iya lorsqu'elle souleva le loquet rouillé.

Pour quelqu'un du commun, les ténèbres au-delà n'auraient pas manqué de paraître impénétrables, mais Iya n'eut aucun mal à distinguer les longues lames qui saillaient des murs à des hauteurs constamment diverses tout le long du boyau souterrain. Quiconque s'y serait risqué à l'aveuglette aurait eu tôt fait de s'en repentir.

Elle finit par aboutir devant une nouvelle porte sous protection magique et, après l'avoir poussée, fut éblouie quelques secondes en se retrouvant face à la flambée chaleureuse d'une taverne. Son entrée fit se retourner dix ou douze têtes de magiciens parmi lesquelles elle eut la joie de reconnaître des traits familiers. Il y avait là, tout voûté, le vieux maître de Kiriar, Dylias, et, près de lui, une ravissante sorcière d'Almak

173

nommée Elisera, dont Arkoniel avait eu la tête tournée, un certain été. Les autres, elle ne les connaissait pas, mais l'un d'entre eux était une femme aurënfaïe, et du clan Kathmé, comme l'indiquaient son sen'gaï rouge et noir et les tatouages de sa figure. *L'aura éclair était probablement son œuvre*, se dit Iya.

« Bienvenue au *Trou de Ver*, mon amie ! s'écria Dylias en se portant au-devant d'elle pour l'accueillir. Peut-être pas le plus élégant établissement d'Ero, mais indubitablement le plus sûr. J'espère que Kiriar et ses copains ne vous ont pas trop donné de fil à retordre.

— Absolument pas ! » Iya laissa vagabonder son regard tout autour avec ravissement. Les murs lambrissés de chêne étaient moirés d'ors douillets par le reflet mouvant des flammes du brasero planté au milieu de la pièce. Elle retrouvait là des bribes et des morceaux de quantité de leurs anciens lieux de retrouvailles favoris – statues, tentures, et même, même les alambics à eau-de-vie de vin dorés et les pipes à eau qui avaient fait l'orgueil de l'*Auberge de la Sirène*, close désormais... Point de tableau affichant le menu, mais des senteurs de viande en train de rôtir embaumaient la salle. Quelqu'un lui planta dans les mains un hanap d'argent plein d'un excellent cru.

Après en avoir tâté à petites gorgées bienheureuses, elle haussa un sourcil vers son guide. « Je commence à te soupçonner de n'être pas tombé sur moi tout à fait par hasard, aujourd'hui...

— En effet. Nous n'avons pas cessé de vous épier depuis... », débuta Kiriar, avant de s'arrêter net.

C'était Dylias qui, d'un coup d'œil aigu par-dessous

ses sourcils neigeux et proéminents, venait de lui imposer silence, avant de se tourner vers elle, l'index plaqué sur une aile du nez. « Moins on en sait, mieux on le garde, hein ? Qu'il suffise de dire que les Busards ne sont pas les seuls à tenir les magiciens à l'œil, en ville. Et depuis des années ! Comment vous portez-vous, ma chère ?

— Elle n'allait pas bien du tout quand je l'ai trouvée, intervint Kiriar. Que vous est-il arrivé, Iya ? J'ai bien cru que c'était votre cœur qui avait flanché...

— Un instant de faiblesse, répondit-elle, n'osant toujours pas en dire davantage. Mais je me sens parfaitement bien, maintenant, et, grâce aux lieux où je me trouve et à votre compagnie à tous, encore mieux que parfaitement ! Cela dit, n'est-ce pas risqué, de se rassembler comme ça ?

— Les immeubles que nous avons au-dessus de nos têtes sont de construction 'faïe, répondit la femme aurënfaïe. Il faudrait toute une armée de ces minables de Busards rien que pour en découvrir tous les sortilèges, et une seconde armée pour se frayer une brèche au travers.

— Bravo pour le résumé, Saruel, et à nous tous de prier les dieux que votre confiance soit solidement fondée, fit Dylias. De toute manière, nous prenons mille précautions. Nous avons un certain nombre d'hôtes dont la vie dépend de notre prudence. Venez, Iya. Nous allons vous montrer. »

Saruel et lui la conduisirent par les arrières de la taverne à travers un fouillis de minuscules chambres souterraines où logeaient d'autres magiciens.

« Pour certains d'entre nous, ce refuge a aussi tout d'une prison, déclara tristement Dylias en pointant le doigt vers un vieillard émacié qui s'était assoupi sur sa paillasse. Ça lui coûterait la vie, à maître Lyman, de montrer en ville le bout de son nez. Une fois que vous figurez sur la liste des chasses busardes à titre de proie désignée, vous n'avez pas grand-chance d'en réchapper.

— Vingt-huit déjà, qu'ils en ont brûlé, là-haut, à Traîtremont, depuis qu'a débuté toute cette hystérie, reprit Saruel avec amertume. Et ce sans compter les prêtres assassinés en même temps. Puis c'est une abomination, vous savez, leur façon de tuer les serviteurs de l'Illuminateur...

— Oui, je sais. J'y ai assisté. » Et elle savait à présent mieux que quiconque le genre de mort que c'était.

« Mais est-ce un supplice bien pire que celui de se trouver ici, enterré vivant ? » murmura Dylias en refermant tout doucement la porte de l'homme endormi.

Une fois de retour à la taverne, Iya se joignit au reste de l'assistance, et chacun lui conta son histoire. La plupart circulaient encore librement par la ville et, tout en affichant comme il se devait une indéfectible loyauté, gagnaient leur vie dans le cadre étrique que les ordonnances du roi toléraient encore. Il leur était possible de fabriquer des articles utiles et de pratiquer des conjurations domestiques usuelles à titre onéreux. Les opérations magiques de plus grande envergure étaient le monopole exclusif des Busards. La simple confection d'un charme chevalin était désormais un crime passible de mort.

« Ils nous ont réduits à n'être plus que des brico-leurs ! crachota un magicien d'âge appelé Orgeüs.

— Personne n'a essayé de résister ? demanda Iya.

— Vous n'avez donc pas entendu parler de la muti-nerie de la Fête-Créateur ? s'étonna un certain Zagur. Neuf jeunes têtes brûlées se barricadèrent ce jour-là dans le temple de la rue Limande, afin d'essayer de protéger deux des leurs condamnés à la peine capitale. Vous êtes allée faire un tour dans le coin ?

— Non.

— Eh bien, le temple n'y est plus. Trente Busards surgirent de nulle part, escortés de deux cents culs-gris. Les insurgés ne tinrent même pas une heure.

— Ils n'avaient eu recours à aucune espèce de magie contre les Busards ?

— Quelques-uns, si, tant bien que mal. Mais ils n'étaient pour la plupart que des faiseurs d'amulettes et des diseurs de temps, répondit Dylias. Quelles chances avaient-ils, je vous prie, face à de tels monstres ? Combien sommes-nous ici, dans cette pièce, à pouvoir rendre coup pour coup ? Ce n'est pas là ce qu'enseigne l'école orëskienne.

— Peut-être pas votre Deuxième Orëska demi-sang, riposta dédaigneusement Saruel. En Aurënen, certains magiciens sont capables de raser une maison, si tel est leur bon plaisir, ou de déchaîner un typhon sur la tête de leurs ennemis.

— Sornettes que cela ! s'esclaffa une femme

177

skalienne. Aucun magicien ne détient ce genre de pouvoir !

— Croyez-vous que les Busards laisseraient un seul d'entre nous survivre s'ils pensaient le contraire ? » abonda quelqu'un d'autre.

La femme aurënfaïe riposta sur un ton hargneux dans sa propre langue, et de nouvelles voix aigrirent la dispute.

Complètement désemparée, Iya repensa à Skorus et à son épouvantable agonie solitaire.

C'est le moment, songea-t-elle en levant une main pour réclamer silence.

« Certains Skaliens ne sont pas sans savoir pratiquer ce type de magie, dit-elle finalement. Et il peut s'enseigner à ceux qui ont les talents requis. » Elle se leva, lampa ce qu'il y restait de vin puis déposa le hanap d'argent sur le sol dallé de pierre. Elle se sentit le centre de tous les regards lorsqu'elle étendit ses mains au-dessus. Tout en fredonnant tout bas, elle déversa l'énergie sans cesser de la concentrer vers le récipient.

L'afflux s'amplifia plus rapidement qu'il ne le faisait en des circonstances normales. Ce phénomène-là se produisait toujours quand il y avait du monde, et cependant sans rien emprunter aux potentialités d'aucun des assistants.

Durant un instant, l'air se mit à frémir autour du hanap, lui fit comme un halo mouvant, puis le bord du métal commença à fondre et à s'affaisser sur lui-même à la façon d'une figurine de cire par une journée d'été caniculaire. Iya interrompit l'opération avant que l'objet ne se soit totalement effondré puis le refroidit en soufflant dessus. Après l'avoir décollé des dalles, elle le tendit à Dylias.

« Cela peut s'enscigner », répéta-t-elle, tout en étudiant l'expression des physionomies de chacun de ses compagnons au fur et à mesure qu'ils se passaient de main en main le magma de métal informe.

Lorsqu'elle quitta *Le Trou de Ver*, cette nuit-là, tous les magiciens présents dans la salle – y compris même la fière Saruel – avaient accepté d'empocher l'un de ses petits cailloux.

12

Tobin venait tout juste de s'accoutumer à la voir installée chez lui à demeure quand la magicienne annonça qu'elle allait partir. Lui et Ki la regardèrent d'un air morose empaqueter ses rares effets personnels.

« Mais nous ne sommes plus qu'à quelques jours de la Fête de Sakor ! protesta Ki. Vous devez bien avoir envie de rester pour y assister, non ?

— Non. Aucune », ronchonna-t-elle en fourrant un châle dans son sac.

Tobin savait que quelque chose la tracassait. Elle avait passé beaucoup de temps en ville et n'appréciait manifestement pas ce qu'elle y avait trouvé. Il savait que ce quelque chose avait plus ou moins de rapport avec les Busards, mais elle ne voulait même plus l'entendre prononcer leur nom à haute voix.

« Tiens-toi loin d'eux », lui lança-t-elle en guise d'avertissement. Elle avait lu sur sa figure à quoi il pensait. « Ne pense pas à eux. Ne parle pas d'eux. Et tout ça vaut aussi pour toi, Kirothius. Rien ne passe inaperçu, de nos jours, pas même ce que se jacassent comme des pies les petits garçons.

— Petits garçons ? » crachouilla Ki.

Elle interrompit sa besogne pour lui jeter un coup d'œil attendri. « Il se peut que tu aies grandi d'une miette depuis le jour où je t'ai découvert. Mais il n'empêche que vous deux, même additionnés, vous pesez moins qu'un clignement de magicien.

— Vous retournez au fort ? questionna Tobin.

— Non.

— Où, alors ? »

Ses lèvres décolorées grimacèrent un petit sourire bizarroïde pendant qu'elle se plaquait l'index sur une aile du nez. « Moins on en sait, mieux on le garde. »

Elle refusa mordicus d'en dire davantage. Ils l'escortèrent à cheval jusqu'à la porte sud, et la dernière image qu'ils eurent d'elle fut celle de sa maigre natte lui rebondissant dans le dos tandis qu'elle s'engloutissait au petit galop dans la foule amassée sur le pont Mendigot.

C'est à grand fracas que fut célébrée la Fête de Sakor, en dépit de l'opinion publique unanime et ouvertement exprimée selon laquelle l'absence du roi et les rumeurs de graves revers colportées à leur retour par des vétérans se prêtaient mal aux fanfaronnades et à la pompe ordinaire de ces trois journées de réjouissances. En revanche, elles firent à Tobin, qui n'avait assisté jusque-là qu'à leur version de Bierfût, campagnarde et grossière, l'effet d'une féerie grandiose au-delà de toute expression.

À la première heure de la Nuit du Deuil, les Compagnons se rendirent avec Korin et la crème des nobles d'Ero dans le plus grand des temples de Sakor que possédât la ville, juste en dessous de la porte Palatine, à mi-hauteur de la colline. La place du parvis, dehors, était noire de monde. D'étourdissantes acclamations retentirent lorsque le prince, en lieu et place de son père, abattit d'un seul coup le taureau dédié à Sakor. Après avoir scruté les entrailles de la victime en fronçant les sourcils, les prêtres se montrèrent fort laconiques, mais la populace ovationna derechef l'héritier du trône quand, brandissant l'épée, il voua sa famille à la défense de Skala. Le clergé lui remit le pot à feu sacré, les cors du temple résonnèrent, et la cité sombra peu à peu dans les ténèbres comme par magie. Au-delà des remparts, le port, la rade et le moindre hameau, là-bas, jusqu'à l'horizon, tout fit de même. Durant cette nuit, la plus longue de toute l'année, l'extinction de toute espèce de flamme dans Skala tout entière symbolisait la mort annuelle de Vieux Sakor.

Korin et ses Compagnons assurèrent la veillée de bout en bout durant cette interminable nuit froide et, au point du jour, contribuèrent à rapporter par toute la ville le feu de l'an neuf.

Les deux jours suivants ne furent qu'un tourbillon

181

miragineux de bals, de balades à cheval et de média-noches. Comme il n'y avait pas dans la capitale de convive plus recherché que Korin, le chancelier Hylus et ses secrétaires avaient à l'avance dressé la liste des demeures, temples et hôtels des guildes où il était absolument obligé de paraître avec ses Compagnons, ne serait-ce, dans nombre de cas, que le laps de temps juste inévitable pour y procéder à la libation rituelle du Nouvel An.

L'hiver au sens strict suivit de fort peu. La pluie se changea en grésil, et le grésil en neige dense et drue. Des nuages scellaient le ciel depuis la mer jusqu'aux montagnes, et Tobin ne tarda guère à avoir l'impression qu'il ne reverrait jamais le soleil.

Sans tenir aucun compte du temps, maître Porion continuait de leur imposer la course du matin jusqu'au temple et l'entraînement au combat monté, mais il avait tout de même fini par consentir à ce que les exercices d'escrime et de tir à l'arc aient désormais lieu entre quatre murs. La salle des banquets avait été débarrassée de ses meubles et le sol nu marqué à la craie de lices pour le tir et de cercles pour les duels. Le fracas de l'acier vous y assourdissait, des fois, et mieux valait faire gaffe à ne pas vous aventurer entre les archers et leur cible, mais, mis à part ces inconvénients, il n'était pas déplaisant de travailler là. Les autres jeunes sang bleu de la cour, filles et garçons, traînassaient en touche comme d'habitude, en simples spectateurs des Compagnons, quand ils ne s'adonnaient pas à des joutes entre eux.

Una se trouvait là presque tous les jours, et force fut à Tobin de remarquer, non sans éprouver des bouffées de remords, de quel œil elle le traquait. Et pourtant, s'il lui avait manqué de parole jusqu'à présent, tâchait-il de se persuader, c'était uniquement parce que l'accomplissement de toutes ses tâches ne lui laissait pas une seconde à lui. En fait, chaque fois qu'elle lui tombait sous les yeux, il avait l'impression qu'elle lui écrasait de nouveau les lèvres, avec ses baisers.

Ki l'asticotait volontiers sur ce chapitre et lui demanda plutôt cent fois qu'une s'il comptait vraiment remplir un jour ou l'autre sa promesse.

« Oui, rétorquait toujours Tobin. Je n'en ai pas encore trouvé le temps, voilà tout. »

L'hiver ne fut pas sans apporter d'autres changements à leur train-train quotidien. Durant les mois froids, tous les garçons de la noblesse reçurent les leçons du général Marnaryl, un vieux de la vieille qui avait servi le roi Erius et les deux reines précédentes. Aussi rauque qu'un croassement, son timbre de voix – il le devait à une blessure à la gorge reçue sur le champ de bataille – lui avait comme par hasard valu d'être surnommé « le Corbeau », sobriquet que l'on ne prononçait toutefois que sur le ton du plus profond respect.

Son enseignement consistait à raconter d'illustres batailles à nombre desquelles il avait personnellement pris part. En dépit de son âge, il se montrait un professeur vivant, et il pimentait ses récits de digressions piquantes sur les us, coutumes et singularités des divers peuples auxquels il s'était frotté, tant comme adversaire que comme allié.

Il illustrait également ses cours d'une manière qui frappa Tobin d'admiration. Lorsqu'il entreprenait de décrire une bataille, il descendait de son estrade afin d'esquisser par terre, à la craie, les grandes lignes du champ de bataille, puis il se servait de cailloux peints et de bâtonnets de bois pour représenter les forces en présence et faisait avancer, reculer chacune d'elles tour à tour avec l'embout d'ivoire de sa canne.

Il y avait certains garçons que ces leçons faisaient bâiller à se décrocher la mâchoire et se tortiller tout du long, tandis que Tobin s'en délectait. Elles lui rappelaient les heures qu'il avait passées en compagnie de Père à s'amuser avec son Ero miniaturisée. Il éprouvait aussi de secrètes délices chaque fois que le Corbeau se mettait à évoquer les femmes célèbres en tant que généraux ou comme guerriers. Loin d'afficher la moindre condescendance à leur égard, le vieillard ne se privait pas de fustiger de coups d'œil cinglants ceux qui se permettaient d'en ricaner.

L'Aurënfaïe Arengil se trouvait parmi les jeunes aristocrates à qui ces cours permettaient de se joindre aux Compagnons, et les relations amicales qu'il avait toujours entretenues avec Tobin et Ki ne tardèrent pas à se faire beaucoup plus intimes. Il possédait, en plus d'une intelligence vive et pleine d'humour, des dons exceptionnels de comédien qui le rendaient capable d'imiter n'importe lequel des personnages de la cour. Au cours des soirées qui le réunissaient aux cadets des

Compagnons dans la chambre de Tobin, il leur donnait à tous des fous rires irrépressibles en parodiant les mines hautaines et les airs guindés d'Alben puis se transformait à vue pour incarner quelqu'un d'autre, cette brute épaisse et rechignée de Zusthra, par exemple, ou bien cette antiquité voûtée de Marnaryl.

Korin et Caliel étaient parfois des leurs, mais ils faisaient désormais volontiers bande à part avec les garçons de leur âge et filaient en catimini vers les bas quartiers de la ville. Au lendemain de telles escapades, ils se présentaient pour la course matinale au temple les yeux injectés de sang, un petit sourire supérieur aux lèvres, et ils se dépêchaient de régaler de leurs exploits les petits jeunots dès qu'ils se figuraient pouvoir compter sur l'inattention de maître Porion.

Si leur auditoire était tout ouïe, bavant d'admiration tout autant que d'envie, Ki ne fut pas long à s'alarmer pour Lynx. Ce n'était un secret pour personne qu'il était follement épris d'Orneüs, mais son maître n'avait plus d'autre idée en tête que de damer le pion à Korin en matière de débauche et de soûlographie, toutes choses pour lesquelles il était singulièrement peu doué.

« Je ne comprends toujours pas ce que notre pauvre Lynx peut bien trouver à ce jean-foutre, de toute façon, maugréait Ki, quand il voyait de quel air navré l'écuyer nettoyait les aigres vomissures de son idole ou se tapait de la porter jusqu'à leur chambre lorsqu'elle était trop ivre morte pour mettre un pied devant l'autre.

— Orneüs n'était pas du tout comme ça quand ils sont arrivés ensemble », leur confia Ruan, un soir où ils faisaient rôtir sur le feu des boulettes de fromage à pâte dure dans la demeure de Tobin. Il neigeait à verse dehors et, dedans, chacun se sentait bien au chaud et pleinement adulte en l'absence de tous les aînés.

« Là, tu as raison, convint Lutha entre deux bouchées de fromage. Les propriétés de mon père et du sien sont toutes proches, et nous avons eu fréquemment l'occasion de nous rencontrer, soit à des fêtes ou à des parties de campagne, avant que nous n'entrions tous les deux dans les Compagnons. Lui et Lynx étaient alors comme des frères, mais par la suite... » Il haussa les épaules en rougissant. « Enfin, vous savez comment ça tourne pour certains. En tout cas, Orneüs est un assez brave type, mais je pense que le seul motif qui l'ait fait choisir comme Compagnon n'est pas sans rapport avec l'influence dont jouit son père à la cour. Le duc Orneüs senior possède un domaine presque aussi important, tiens, que ton Atyion.

— S'il m'est jamais permis de m'y rendre, je verrai mieux ce que tu entends par là », grommela Tobin. Orun avait beau n'être plus là pour s'y opposer, non seulement le mauvais temps s'était chargé d'anéantir pour le moment leurs projets d'excursion, mais Korin semblait au surplus avoir complètement oublié sa promesse.

« C'est comme ça que tout se passe, intervint Nikidès. Je ne me trouverais probablement pas là, tranquillement assis avec vous, si je n'étais pas le seul et unique petit-fils de Son Excellence le lord Chancelier.

— À ceci près que ce qui te manque au combat, tu

186

le compenses largement par ton intelligence, répliqua Lutha, toujours aussi prompt à donner plus d'assurance à son ami. Quand nous serons tous en train de nous faire hacher menu sur je ne sais quel champ de bataille, tu te trouveras douillettement à Ero, toi, coiffé de la crêpe en velours de ton grand-père, à gouverner le pays au nom de Korin.

— Pendant que le pauvre Lynx continuera probablement à ligoter Orneüs dans ses étriers parce qu'il sera une fois de plus trop soûl pour tenir en selle, ajouta Ki dans un éclat de rire.

— Des deux, c'est Lynx qui devrait être le seigneur, déclara soudain de sa petite voix timide Barieüs, mais d'un ton singulièrement vibrant. Orneüs n'est pas même digne de lui cirer les bottes. »

Tous les regards s'étant portés stupéfaits sur lui, il s'empressa de s'affairer avec une fourchette à rôties. Il n'était pas dans les habitudes du petit écuyer basané de médire beaucoup de quiconque, et il ne lâchait jamais un seul mot contre un Compagnon.

Ki secoua comiquement la tête.

« Pour l'amour de l'enfer ! s'exclama-t-il, il n'y a donc personne qui aime les filles, en dehors de moi ? »

Pendant quelques semaines, les cours du Corbeau laissèrent Tobin muet comme une carpe. Il ne comprenait pas toujours de quoi il y était question, mais il écoutait de toutes ses oreilles et interrogeait ses condisciples après coup. Il ne manquait jamais de consulter Korin, mais il s'aperçut bien vite que Caliel et Nikidès avaient bien davantage de compétence. Fils de général, le premier montrait de sérieuses dispositions pour la stratégie. Le second, très calé en histoire, avait lu plus de bouquins à lui seul que tous les membres de leur groupe réunis. Lorsque Tobin et Ki se furent révélés pris d'un véritable intérêt pour l'histoire ancienne, c'est Nikidès qui les introduisit à la librairie royale, installée dans la même aile du palais que la salle du Trône désaffectée.

En fait, elle occupait presque entièrement ladite aile sur plusieurs étages, chacune de ses salles donnant sur les jardins de l'est. Au début, les gamins se sentirent complètement perdus parmi ces interminables rangées de rayonnages et ces falaises de livres et de rouleaux, mais une fois que Nik et les bibliothécaires en robe noire leur eurent montré comme s'y prendre pour déchiffrer les étiquettes délavées collées sur chaque étagère, ils se plongèrent sans plus tarder dans des traités consacrés aux armes, à la stratégie, la tactique, ainsi que dans des volumes de chroniques et de poésie richement historiés.

Les aîtres n'eurent bientôt plus de secret pour Tobin, qui, à force de tournicoter, découvrit une salle entière vouée à l'histoire de sa famille. Il interrogea le conservateur sur la reine Tamir, mais ce qui la concernait se réduisait à un maigre lot de rouleaux poussiéreux où ne se lisait que le procès-verbal sec et aride des quelques lois et mesures fiscales qu'elle avait pu prendre. Il n'y avait pas d'ouvrage consacré à sa brève existence ou à son règne, et l'archiviste avoua ne connaître aucune autre source.

Tobin se rappela l'étrange réaction qu'avait eue

Nyrin, à la nécropole royale, en l'entendant faire état du meurtre de la reine, ainsi qu'il l'avait tout bonnement appris. Le magicien avait nié la chose avec une invraisemblable véhémence, en dépit des versions tout à fait concordantes de Père et d'Arkoniel selon qui Tamir serait bel et bien morte assassinée par son propre frère, lequel n'aurait du reste usurpé le trône que pour peu de jours avant de connaître une fin misérable.

Dans son désappointement, Tobin délaissa en douce ses amis pour s'aventurer vers les portes condamnées de l'ancienne salle du Trône. Plaquant ses paumes contre les vantaux sculptés, il patienta, dans l'espoir de percevoir à travers le bois l'esprit de la reine assassinée tout comme il lui était arrivé de percevoir celui de sa mère au-delà de la porte de la tour. Le Palais Vieux passait pour être hanté par toutes sortes de fantômes. Ce n'était qu'un cri là-dessus. À en croire Korin, le spectre sanglant de leur propre grand-mère persistait à y vagabonder de façon régulière de pièce en pièce ; tel aurait été le motif décisif pour lequel son père avait poursuivi la construction du Palais Neuf.

Il n'était apparemment pas une seule femme de chambre et pas un seul gardien des portes qui n'ait à conter quelque histoire de fantôme, encore que Tobin n'eût pour sa part jamais fait aucune rencontre de ce genre, si l'on exceptait la fois où il avait entr'aperçu Tamir dans les ténèbres de la salle du Trône. Il ne trouvait pas là de raison de s'en plaindre – les fantômes, il en avait déjà plus que son content –, mais il ne lui en arrivait pas moins de souhaiter que la reine se manifeste derechef et s'explique de façon plus nette. Étant donné ce qu'il savait désormais de lui-même, il était persuadé qu'elle avait voulu lui révéler quelque chose d'important lorsqu'elle lui avait offert son épée. Mais la présence de Korin et de toute la bande l'avait empêché de se concentrer comme il aurait fallu, et elle s'était évaporée avant qu'il ne puisse lui adresser la parole.

Se trouvait-elle prisonnière à l'intérieur et dans l'incapacité de sortir ? se demanda-t-il.

En rebroussant chemin vers la bibliothèque, il découvrit une pièce inoccupée, non loin de la salle du Trône. Après avoir soulevé l'espagnolette d'une des fenêtres, il ouvrit celle-ci puis s'aventura au-dehors sur la large corniche de pierre qui courait au-dessous le long de la façade. La neige emplit ses chaussures pendant qu'il progressait pouce après pouce vers la fenêtre démantibulée par laquelle il s'était déjà faufilé, la nuit où Korin et les autres s'étaient amusés à jouer les revenants.

Les ténèbres étaient alors beaucoup trop denses pour permettre une vue un peu détaillée des lieux. En s'y glissant cette fois, Tobin se retrouva planté sur le bas-côté d'une immense pièce plongée dans l'obscurité. Les fissures des grands volets clos ne laissaient filtrer au-dedans qu'une pauvre lumière hivernale.

Le dallage de marbre usé permettait encore de discerner l'ancien emplacement de bancs et de fontaines. Tobin prit ses repères et se dépêcha de gagner le centre de la salle qu'occupait toujours le trône de marbre massif juché sur sa haute estrade.

Il avait eu trop peur, la dernière fois, pour se livrer à un examen attentif de celui-ci, mais ce qui le frappait à présent, c'était sa beauté. Les bras en étaient sculptés en crêtes de vagues, et son grand dossier portait les symboles des Quatre incrustés en bandes horizontales rouge, noir et or. Des coussins avaient dû occuper le vaste siège, mais ils avaient disparu, et des souris bricolé leur nid dans un angle.

Autour, tout respirait d'ailleurs la désolation d'un abandon complet. Tobin s'installa sur le trône et, les mains reposant sur les accoudoirs ciselés, promena un regard circulaire et imagina ses aïeules écoutant requêtes et doléances, accueillant des dignitaires de contrées lointaines. Le poids des années écoulées lui était nettement perceptible. L'arête des degrés de l'estrade était usée, polie par les centaines de genoux venus se poser là devant les souveraines.

Là-dessus s'exhala un soupir, tellement proche de son oreille qu'il bondit sur ses pieds et jeta un rapide coup d'œil alentour.

« Salut, vous. » Il aurait dû être effrayé, mais il ne l'était pas. « Reine Tamír ? »

Il eut l'impression qu'une main fraîche lui frôlait la joue, mais cela pouvait s'attribuer tout simplement au hasard de quelque vent coulis qui s'était infiltré par les fissures de tel ou tel volet. Il entendit néanmoins s'exhaler un nouveau soupir, plus fort cette fois, et juste à sa droite.

Tournant les yeux du côté du son, il avisa sur le sol, auprès de l'estrade, une longue tache rectangulaire. Elle pouvait avoir trois pieds de long, mais n'était pas plus large que sa paume. Les souches rouillées de boulons de fer et quelques bribes d'un ouvrage en pierre démoli marquaient encore l'emplacement qu'avait occupé quelque chose.

Quelque chose. Le cœur de Tobin fit une embardée.

Rétablis...

La voix était presque inaudible, mais il percevait maintenant la présence de quelqu'un – *sa* présence.

Rétablis...

Leur présence, rectifia-t-il à part lui, car d'autres voix faisaient désormais chorus. Des voix féminines. « *Rétablis... Rétablis...* » Aussi tristes et ténues que le bruissement de feuilles lointaines agitées par la brise.

Même à présent, Tobin n'éprouvait aucun effroi. Ses sentiments n'avaient rien à voir avec ceux que lui inspiraient Frère ou sa mère. Il n'y avait que de la bienveillance dans l'accueil qu'il recevait ici.

Se laissant tomber à genoux, il toucha l'endroit où s'était autrefois dressée la tablette d'or de l'Oracle.

Tant qu'une fille issue de la lignée de Thelátimos...

Depuis l'époque de Ghërilain et pendant tant et tant d'années consécutives sous le règne de tant de reines, les mots gravés sur la tablette avaient proclamé pour quiconque approchait de ce trône que la femme qui l'occupait ne l'occupait que par la volonté d'Illior.

Rétablis.

« Je ne sais pas comment m'y prendre, chuchota-t-il. Je sais bien que je suis censé le faire, mais je ne sais quel acte accomplir. Aidez-moi ! »

La main fantomatique lui caressa de nouveau la

joue, d'un geste aussi tendre qu'indubitable. « J'essaierai, promis. De quelque façon que ce soit. J'en fais le serment par l'Épée. »

Tobin ne souffla mot de son aventure à personne, mais il passa davantage encore de temps à bouquiner dans la bibliothèque cet hiver-là. Les événements historiques qu'Arkoniel et Père s'étaient échinés à lui enseigner prirent vie lorsqu'il entreprit d'en lire les récits de première main mis noir sur blanc par les reines et par les guerriers qui en avaient été les protagonistes. Ki se laissa gagner par la contagion de son enthousiasme, et ils restaient plongés dans ces grimoires jusqu'à une heure avancée de la nuit, se relayant pour en faire la lecture à haute voix chacun son tour, à la lumière d'une chandelle.

Les champs de bataille dessinés à la craie du Corbeau s'enrichirent également de nouvelles significations. En regardant le vieux général pousser dans tel ou tel sens sa cavalerie de cailloux multicolores et ses archers en copeaux de bois, Tobin commença à entrevoir la logique des formations. Il arrivait parfois à s'imaginer les scènes aussi clairement que s'il était en train de lire l'une des chroniques de la reine Ghërilain ou quelque historiette du général Mylia.

« Allez-y, maintenant, l'un de vous doit bien avoir une idée ! » jappa le vieil homme un jour, en martelant impatiemment de sa canne la figure dont il était question. Celle-ci représentait un vaste champ découvert bordé de part et d'autre par une ligne incurvée de bois.

À l'étourdie, Tobin se leva pour répondre. Il n'eut pas le loisir de se raviser que tous les yeux étaient posés sur lui.

« Votre Altesse aurait-elle une stratégie à nous proposer ? lui lança Marnaryl en haussant un sourcil broussailleux sceptique.

— Je... il me semble qu'à la faveur de la nuit je dissimulerais ma cavalerie dans le boqueteau du flanc est...

— Oui ? Et puis quoi ? » Sa physionomie toute ridée demeurait indéchiffrable.

Tobin poursuivit bravement. « Et la moitié, voire davantage, de mes archers par ici, dans les bois de l'autre côté. » Il s'accorda une pause pour repenser à une bataille dont il avait lu le récit quelques jours plus tôt. « Le restant, je le disposerais en faisceaux ici, devant les hommes d'armes alignés en rangs. » Échauffé par son sujet, il s'accroupit pour montrer du doigt la bande étroite de terrain découvert entre les fourrés, tout au fond de la partie tenue par les troupes skaliennes. « Vu du côté de l'ennemi, cela se présenterait comme une ligne de front dépourvue d'épaisseur. J'ordonnerais à mes cavaliers d'empêcher leurs montures de faire le moindre bruit, de manière que l'ennemi se figure avoir à faire uniquement à des fantassins. Il lancerait probablement sa première charge à l'aube. Aussitôt que ses cavaliers seraient engagés, je dévoilerais les miens qui fondraient leur couper la retraite, et je ferais pleuvoir les traits de mes archers sur son infanterie afin d'y semer la panique. »

Le général se tirailla la barbe d'un air pensif puis

finit par croasser : « Diviser ses forces, hein, c'est ça ?
Tel est bien votre plan ? »

Quelqu'un se mit à ricaner, mais Tobin n'en hocha
pas moins la tête affirmativement. « En effet, général
Marnaryl, voilà ce que j'essaierais de faire.

— Eh bien, il se trouve que c'est tout à fait de cette
manière que procéda votre grand-mère à la seconde
bataille d'Isil, et que cette tactique lui valut un assez
joli succès.

— Bravo, Tobin ! cria Caliel.

— Hein, qu'il est de mon sang ? fanfaronna Korin.
Je n'aurai qu'à me féliciter de l'avoir comme général
quand je serai roi, ça, je vous le garantis. »

Cette belle déclaration transforma brusquement le
plaisir de Tobin en panique, et il se rassit au plus vite,
à peine capable de respirer. L'éloge de son cousin ne
cessa de l'obséder tout le reste de la journée.

Quand je serai roi.

Skala ne pouvait avoir qu'un seul souverain, et
l'idée que Korin céderait tout bonnement sa place
était inimaginable. Après que Ki se fut profondément
endormi, cette nuit-là, Tobin se releva pour aller brûler
une plume de chouette sur la flamme de la veilleuse,
mais il ne sut de quelle prière accompagner l'offrande.
Alors qu'il se creusait la cervelle pour trouver quelques
mots à dire, son esprit s'obstinait à ne lui offrir que
l'affectueux sourire de son cousin.

13

Arkoniel fut réveillé par un courant d'air frisquet sur ses épaules nues. Tout frissonnant, il farfouilla dans le noir et se remonta jusque sous le menton la robe en peau d'ours de Lhel. Elle lui avait accordé plus souvent la permission de passer la nuit avec elle depuis le milieu de l'hiver, et il éprouvait d'autant plus de gratitude en ces occasions qu'au plaisir de la compagnie s'ajoutait celui d'échapper aux corridors hantés du fort.

La paillasse bourrée de fougères protesta en crissant lorsqu'il se blottit encore plus avant sous les couvertures. Le lit sentait bon les ébats, le baume et les peaux fumées. Mais le froid persistait. Il tâtonna du côté de Lhel mais la place était vide, et d'une tiédeur qui s'estompait déjà.

« *Armra dukath ?* » appela-t-il tout bas. Il s'était mis à apprendre sa langue et faisait des progrès d'autant plus rapides qu'il n'utilisait jamais qu'elle ici, malgré les taquineries de la sorcière qui déclarait son accent plus compact que du ragoût de mouton figé. Il avait également appris le véritable nom de son peuple, les *Retha'noï* ; ce qui signifiait « les sages ».

Pour toute réponse, il entendit craquer la membrure dépouillée du chêne, tout là-haut là-haut. Supposant qu'elle était simplement sortie se soulager, il se rallongea, tout au désir d'avoir à nouveau contre lui sa chaleur et sa nudité. Mais il ne parvint pas à se rendormir, et Lhel ne revenait toujours pas.

Plus curieux qu'inquiet, il s'emmitoufla dans la robe de fourrure et se dirigea tant bien que mal vers la petite issue masquée par son rideau de cuir. Écartant celui-ci, il risqua un œil au-dehors. Au cours des deux semaines écoulées depuis la marée-Sakor, il avait moins neigé que de coutume dans le coin ; on n'enfonçait pas plus haut que le tibia dans la plupart des congères qui cernaient le chêne.

Le ciel était clair, par ailleurs. En suspens dans le firmament constellé comme une pièce toute neuve, la pleine lune brillait d'un tel éclat sur la neige éblouissante qu'elle permettait au jeune homme de distinguer très nettement les fines spirales de ses bouts de doigts. Lhel affirmait qu'une pleine lune ne pouvait montrer tant d'éclat qu'en dérobant la chaleur du jour, et Arkoniel le croyait sans peine. Chacun des souffles qu'il exhalait scintillait une seconde comme une poussière d'argent puis retombait en une pluie de minuscules cristaux épars.

De petites empreintes de pas menaient vers la source. Arkoniel finit par dénicher ses bottes et, un peu grelottant, suivit la piste.

Installée à croupetons sur le bord du bassin gelé, Lhel scrutait fixement le petit cercle d'eau libre qui bouillonnait au milieu. Enfouie jusqu'au menton dans le manteau neuf que lui avait offert le magicien, elle avait la main gauche tendue au-dessus de la flaque glauque. Voyant ses doigts recourbés en posture de convocation visionnaire, Arkoniel demeura quelques pas en arrière pour éviter de la déranger. L'opération pouvait prendre un temps plus ou moins long selon la

197

distance qui séparait la sorcière de ce qu'elle essayait de voir. De sa place, il ne distinguait rien d'autre que l'ondulation des rides argentées qui plissaient la surface noire de la source, mais l'affût du spectacle énigmatique qu'elle s'appliquait à évoquer faisait luire les yeux de Lhel comme ceux d'un chat. L'ombre qui soulignait les pattes d'oie creusées au coin de ses orbites et de sa bouche trahissait l'usure des ans d'une manière beaucoup plus cruelle que ne le faisait jamais le grand soleil. Lhel prétendait ignorer son âge. À l'en croire, le peuple des sages estimait celui d'une femme en fonction non du nombre de ses années mais des saisons de ses entrailles : impubère, pubère ou stérile. Elle saignait encore au déclin de la lune mais n'était pas une jeunesse pour autant.

Elle releva la tête sur ces entrefaites et le lorgna sans paraître surprise.

« Que fabriques-tu là ? demanda-t-il.

— J'ai fait un rêve, répondit-elle en massant ses reins ankylosés et en s'étirant pour se redresser. Il y a quelqu'un qui vient, mais comme je n'arrivais pas à voir qui c'était, je suis sortie me rendre compte ici.

— Et l'eau t'a permis de savoir ? »

Après un hochement de tête affirmatif, elle lui prit la main pour le ramener vers le chêne. « Des magiciens.

— Busards ?

— Non. Iya et un autre que je n'ai pas réussi à discerner. Il y a comme un nuage autour de celui-là. Mais c'est pour te voir qu'ils viennent.

— Il faudrait que je retourne au fort ? »

Avec un sourire, elle lui caressa la joue. « Non, rien

ne presse, et j'ai trop froid pour dormir seule. » Une fois de plus, les années s'enfuirent à tire-d'aile de son visage quand elle faufila une main glacée sous les fourrures du jeune homme et la laissa glisser vers le bas de son ventre. « Tu vas rester me tenir bien chaud. »

En regagnant le fort, le matin suivant, Arkoniel s'attendait à trouver dans la cour des chevaux couverts d'écume. Mais Iya ne survint ni ce jour-là ni celui d'après. On ne peut plus perplexe, il reprit à cheval le chemin des montagnes en quête de la sorcière, mais elle ne se montra point.

En fait, il s'écoula près d'une semaine avant que ne s'avère la vision qu'elle avait eue. Arkoniel était attelé à un charme de transmutation quand il entendit tintinnabuler les grelots d'un traîneau sur la route de la rivière. Ce carillonnement suraigu lui étant familier, il poursuivit ses opérations. C'était tout simplement la fille du meunier venant pour sa livraison mensuelle aux cuisines.

Il se trouvait toujours absorbé dans les problèmes inextricables qu'impliquait la transformation d'une châtaigne en coupe-papier quand le ferraillement du loquet de sa porte le prit au dépourvu. Nul ne montait jamais le déranger dans son cabinet de travail à cette heure de la journée.

« Tu ferais mieux de descendre, Arkoniel », dit Nari. Ses traits habituellement placides trahissaient quelque agitation, et elle avait les mains boulées dans son tablier. « Maîtresse Iya est ici.

— Qu'est-ce qui ne va pas ? questionna-t-il tout en se précipitant derrière elle vers l'escalier. Elle est blessée ?

— Oh, non, elle va plutôt bien. Mais je n'en dirais pas forcément autant de la femme qu'elle a amenée. »

Iya était dans la grande salle et, assise sur le banc de la cheminée, soutenait une espèce de ballot tout ratatiné. Malgré le manteau dans lequel était totalement enfouie l'inconnue, Arkoniel parvint à discerner le bord d'un voile noir que le capuchon rabattu laissait à peine dépasser.

« Qui est-ce ? demanda-t-il.

— Tu te rappelles sûrement notre hôtesse », répondit calmement Iya.

Quand l'autre souleva son voile d'une main gantée, Nari ne put s'empêcher de pousser un cri étouffé.

« Maîtresse Ranaï ? » Il eut du mal à réprimer un mouvement de recul. « Vous... vous voilà bien loin de chez vous. »

Il ne l'avait rencontrée qu'une seule fois, mais le visage de la vieille magicienne n'était pas de ceux que l'on oublie si facilement. Ce qu'il en avait là sous les yeux, tourné de son côté, c'était la moitié en ruine, celle où la chair ravagée de balafres se soulevait en crêtes cireuses. Ranaï se remua pour poser sur lui l'œil qui lui restait et sourit. La moitié intacte de sa figure exprimait toute la douceur et toute la bonté d'un cœur de grand-mère.

« Je suis bien heureuse de te revoir, en dépit des circonstances déplorables qui m'amènent auprès de toi », répondit-elle d'une voix rauque et à peine audible. Ses mains noueuses tremblaient très fort quand elle retira son voile.

Des siècles auparavant, lors de la Grande Guerre, cette femme s'était battue aux côtés du maître d'Iya, Agazhar. Non content de lui labourer le visage avec ses griffes et de le réduire à ce masque hétéroclite, un démon de nécromancien l'avait rendue infirme de la jambe gauche. Elle était beaucoup plus frêle que ne se la rappelait Arkoniel, et sa joue droite portait la marque violacée d'une brûlure toute récente.

Lors de leur première entrevue, la puissance qui émanait d'elle lui avait fait l'effet d'une nuée de foudre si saturée d'électricité qu'il en avait eu les poils des bras tout hérissés. Or, c'est à peine s'il la percevait à présent.

« Que vous est-il arrivé, Maîtresse ? » Recouvrant ses bonnes manières, il lui prit la main pour lui offrir tacitement de sa propre énergie. Un léger flottement au creux de son ventre lui signala qu'elle venait d'accepter le don.

« Ils ont incendié ma maison pour me contraindre à déguerpir, éructa-t-elle. Mes propres voisins !

— Ils ont eu vent que des Busards patrouillaient sur la route qui mène à Ylani, et ça les a rendus fous, expliqua Iya. On avait fait publier à la ronde l'annonce que toute ville abritant un magicien contestataire serait passée par la torche.

— Deux cents ans de ma vie que j'habitais au milieu d'eux ! » Ranaï étreignit plus fort la main d'Arkoniel. « J'ai soigné leurs enfants, radouci leurs puits, fait pleuvoir sur leurs champs. Iya ne se serait pas trouvée avec moi, cette nuit-là... » Une quinte de toux l'empêcha d'achever sa phrase.

Iya lui tapota gentiment le dos. « Je venais tout juste d'atteindre Ylani quand j'ai vu leur bannière flotter dans le port. J'ai eu beau deviner à temps ce que cela signifiait, il s'en est fallu de bien peu tout de même que je n'arrive trop tard. Les flammes dévoraient déjà la chaumière, cernant notre amie qui, dedans, gisait coincée sous une poutre.

— Sans parler des magiciens busards qui se tenaient dehors et qui bloquaient les portes ! croassa Ranaï. Je dois être vraiment bien vieille pour qu'une meute pareille de petits chenapans parvienne à l'emporter sur moi ! Mais aussi, ce que leurs diableries peuvent faire mal, houlala ! J'avais l'impression qu'ils m'enfonçaient des pointes dans les yeux. J'en étais complètement aveugle... » Sa voix s'éteignit sur une tenue plaintive, pendant que sa pauvre carcasse paraissait se réduire et s'amenuiser davantage encore sous les yeux d'Arkoniel.

« Bénie soit la Lumière, il lui restait suffisamment de forces tout de même pour supporter la virulence du brasier, mais, comme tu peux le constater toi-même, l'épreuve a prélevé sa dîme. Il nous a fallu près de deux semaines pour arriver jusqu'ici. Encore avons-nous fait notre tout dernier petit bout de route à bord du traîneau d'un meunier... »

Il épousseta des traces de farine sur les jupes d'Iya. « C'est ce que je vois. »

Nari, qui s'était esquivée à un moment ou à un autre, reparut alors, escortée de Cuistote, pour servir

202

aux deux voyageuses une infusion bien chaude et de quoi se restaurer.

Ranaï accepta le breuvage en murmurant des remerciements, mais elle était trop faible pour soulever la tasse jusqu'à ses lèvres. Iya dut l'aider pour ce faire, mais à peine la vieille femme eut-elle réussi à aspirer une infime gorgée qu'il lui fallut la soutenir pendant qu'un nouvel accès de toux déchirant secouait son pauvre petit brin rabougri de corps.

« Va me chercher un pot à feu, dit Nari à Cuistote. Moi, je vais préparer la chambre du duc pour elle. »

Tout en faisant avaler à Ranaï une autre gorgée, Iya reprit : « Elle n'est pas la seule à avoir dû s'enfuir. Tu te souviens de Virishan ?

— Cette obscure magicienne qui recueillait chez elle des orphelins magiciens-nés ?

— Oui. Et tu te souviens du jeune embrumeur mental qu'elle avait avec elle ?

— Eyoli ?

— Oui. Ma route a croisé la sienne voilà quelques mois, et il m'a appris qu'elle était partie se réfugier dans les montagnes au nord d'Ilear avec sa nichée.

— Ça, c'est l'ouvrage de ce monstre ! souffla Ranaï d'un ton véhément. De cette vipère en blanc !

— Lord Nyrin.

— Lord ? » La vieille rassembla toute sa vigueur pour cracher dans le feu. Les flammes émirent une lueur d'un bleu livide. « Aux dernières nouvelles, un fils de tanneur, que c'était, et un mage de second ordre, et en mettant les choses au mieux. Sauf qu'il sait s'y prendre, le garnement, pour distiller le poison dans l'oreille royale. Il a retourné le pays tout entier contre nous, nous autres, sa propre espèce !

— La situation est déjà si mauvaise ? demanda Arkoniel.

— Rien qu'à l'état larvaire encore, dans les villes éloignées du centre, mais la folie fait tache d'huile, répondit Iya.

— Les visions..., commença Ranaï.

— Pas ici, chuchota Iya. Arkoniel, aide donc Nari à la mettre au lit. »

L'état de faiblesse extrême dans lequel se trouvait Ranaï lui interdisant de gravir les escaliers, force fut au jeune magicien de la porter en haut. Elle était aussi légère et fragile dans ses bras qu'un fagot de sarments bien secs. Cuistote et Nari avaient fait de leur mieux pour donner un aspect douillet à la chambre inoccupée depuis si longtemps qu'elle empestait le moisi. Deux pots à feu étaient plantés à côté du lit, et quelqu'un avait mis sur les braises des feuilles de vive-haleine afin d'apaiser la toux de Ranaï. Leur âcre senteur emplissait la pièce.

Pendant que les femmes déshabillaient la vieille et, ne lui laissant que sa chemise de misère, la fourraient au lit, Arkoniel eut un bref aperçu des cicatrices anciennes et des nouvelles brûlures qui lui tapissaient les épaules et les bras. Toutes mauvaises qu'étaient ces dernières, il les trouva moins alarmantes que la stupéfiante décrue des pouvoirs de la magicienne.

Une fois installée celle-ci, Iya fit sortir les deux autres femmes et attira un fauteuil auprès de son chevet. « Vous vous sentez mieux, maintenant ? » La vieille souffla quelque chose que ne put saisir Arkoniel. Iya fronça les sourcils puis hocha la tête. « Parfait. Va me chercher le sac, s'il te plaît, Arkoniel.

— Vous l'avez à côté de vous. »

Elle avait en effet son sac de voyage étalé bien en vue au pied même de son fauteuil. « Pas celui-ci. Celui que je t'ai laissé. »

Il ne put s'empêcher de ciller en comprenant duquel elle voulait parler.

« Va le chercher, Arkoniel. Ranaï m'a dit quelque chose de tout à fait étonnant, l'autre jour. » Elle baissa les yeux vers la vieille en train de s'assoupir puis jappa : « Et plus vite que ça ! » comme s'il n'était encore qu'un jeune balourd d'apprenti.

Il grimpa quatre à quatre au second étage et tira le sac poussiéreux de dessous la table de son cabinet de travail. À l'intérieur, enveloppé de charmes et de mystère se trouvait le bol de terre cuite qu'elle lui avait confié, sous la réserve expresse qu'il ne le montrerait jamais à personne d'autre qu'à son successeur personnel. Depuis qu'il la connaissait, Iya en avait toujours eu la charge, en vertu d'une espèce de fidéicommis sacralisé par les plus noirs serments et qui se transmettait de magicien en magicien depuis l'époque de la Grande Guerre.

La guerre ! songea-t-il, subodorant tout à coup pour la première fois comme à la suite d'un déclic qu'il devait y avoir un lien entre les deux choses.

Iya vit s'agrandir les yeux de Ranaï quand le jeune homme reparut porteur du vieux sac de cuir râpé.

« Obnubile la pièce, Iya », murmura-t-elle.

Iya trama un charme destiné à prémunir la chambre contre les oreilles et les yeux indiscrets, puis elle prit le sac des mains d'Arkoniel, dénoua les cordons qui le tenaient fermé, en extirpa le bol emberlificoté de soieries et, peu à peu, se mit à le dégager de celles-ci. Les divers sortilèges et charmes incantatoires qui assuraient sa protection scintillaient tour à tour en crépitant dans le halo de la lampe.

Lorsqu'elle eut retiré la dernière enveloppe, Iya s'efforça de retrouver son souffle. Si fréquemment qu'elle eût déjà manipulé ce machin d'aspect si fruste et banal, toujours l'en suffoquaient autant les émanations maléfiques. Aux yeux de quiconque n'était magicien-né, il paraissait n'être rien d'autre qu'une vulgaire sébile de mendiant, grossièrement tournée, cuite à feu chiche et sans l'ombre d'un vernis. En revanche, il suffisait à maître Agazhar, jadis, d'y toucher pour être envahi de nausées. Arkoniel se voyait pour sa part affligé par sa seule présence de maux de tête lancinants et de douleurs fiévreuses dans tout le corps. Quant à Iya, il lui faisait l'effet d'exhaler des miasmes semblables à ceux que dégage l'éclatement d'un cadavre en pleine décomposition.

Elle jeta un coup d'œil inquiet vers Ranaï. Quel effet allait-il produire sur un organisme aussi débilité ?

Or, contre toute attente, la vieille femme eut l'air d'y puiser une vigueur nouvelle. Levant la main, elle traça dans l'air les motifs d'un charme tutélaire, puis esquissa un geste hésitant comme pour s'emparer du bol.

« Oui, c'est bien lui, impossible de s'y méprendre, coassa-t-elle en retirant sa main.

— Comment se fait-il que vous le reconnaissiez ? s'étonna Arkoniel.

— J'ai été Gardien moi-même, l'un des six originels... Il suffit, Iya. Ôte-le de ma vue. » Elle se rallongea sur le dos, poussa un profond soupir et ne dit plus mot tant que le maudit objet n'eut pas réintégré successivement chacune de ses enveloppes.

« Tu n'as que trop bien saisi le message de l'Oracle, en dépit de ton ignorance du savoir perdu lors de la mort subite de ton maître, dit-elle à Iya.

— Je ne comprends pas, fit Arkoniel. Je n'avais jamais entendu parler d'autres Gardiens. Qui sont donc les six ? »

Ranaï ferma les yeux. « Je suis la seule survivante du groupe. Je n'en avais jamais rien révélé à ton propre maître, mais lorsque j'ai constaté qu'elle ne portait plus le sac, j'ai redouté le pire. N'allez pas, je vous prie, reprocher sa faiblesse à la vieillarde que je suis. Peut-être bien que si j'avais parlé, lorsque vous êtes passés par Ylani, voilà quelques années... »

Iya prit dans la sienne la main gauche crochue de Ranaï. « Ne vous tourmentez pas pour rien. Je connais les serments que vous avez jurés. Mais nous sommes ici, maintenant, et vous l'avez vu. Qu'avez-vous à nous dire ? »

Alors, Ranaï leva les yeux. « Il ne peut y avoir qu'un seul Gardien pour chaque secret, Iya. Vous avez transmis le fardeau à ce garçon. Ce que j'ai à dire, nul autre que lui n'est admis à l'entendre.

— Vous faites erreur, intervint Arkoniel. Iya me l'a simplement confié pour qu'il soit en sécurité. Le véritable Gardien, c'est elle, pas moi.

— Non. Elle l'a transmis.

— Je le rends, dans ce cas !

— Tu ne le peux. L'Illuminateur a guidé sa main, qu'elle en ait eu conscience ou pas. C'est désormais toi, le Gardien, Arkoniel, et ce que j'ai à dire ne saurait être dit qu'à toi. »

À ces mots, Iya se ressouvint des termes sibyllins de l'Oracle d'Afra : *Voici une graine qui doit être arrosée de sang. Mais tu vois trop loin.* Et la vision qu'elle avait eue ce jour-là lui traversa l'esprit, la vision nette mais lointaine, comme à l'horizon, d'un magnifique palais blanc qui foisonnait de magiciens et où, campé à la fenêtre d'une tour, Arkoniel avait les yeux fixés sur elle.

« Elle a raison, mon garçon. C'est toi qui restes. » Et, dans l'incapacité de regarder ni l'un ni l'autre, elle s'empressa de sortir.

Exclue par sa propre magie de tout ce qui allait s'ensuivre à l'intérieur, elle s'affaissa contre le mur du corridor et se couvrit la face sans plus réprimer la montée de larmes amères. Et c'est alors seulement que revint l'obséder l'énigmatique prédiction du jumeau démoniaque.

Tu n'entreras pas.

Après avoir suivi d'un regard incrédule le départ d'Iya, Arkoniel se tourna vers la créature en ruine couchée dans le lit. La répulsion que lui avait inspirée son aspect physique lors de leur première rencontre l'assaillit à nouveau.

« Assieds-toi, s'il te plaît, chuchota Ranaï. Ce que je vais te révéler maintenant, c'est ce qui fut perdu par la mort d'Agazhar. L'ignorance a dicté les agissements d'Iya. Sans qu'elle y soit pour rien, mais il faut établir le fait. Jure-moi, Arkoniel, comme l'ont juré jusqu'ici tous les autres Gardiens, par tes mains, ton cœur et tes yeux, par la Lumière d'Illior et par le sang d'Aura qui coule dans tes veines, jure-moi que tu vas assumer pleinement les tâches du gardiennage, et qu'en qualité de Gardien tu renfermeras dans le fond de ton cœur absolument tout ce que je vais te dire jusqu'au jour où tu transmettras le fardeau à ton successeur. Protège ces secrets de ta propre vie et ne laisse pas vivre un instant de plus quiconque les découvrirait. Quiconque, tu m'entends bien ? Qu'il s'agisse d'un ami ou d'un adversaire, d'un magicien ou d'un commun-né, d'un homme, d'une femme ou d'un enfant. Donne-moi tes mains et jure. Je saurai si tu mens.

— Mystère et mort. Est-ce là tout ce qu'exigera jamais de moi l'Illuminateur ?

— Il sera exigé de toi bien des choses, Arkoniel, mais aucune de plus sacrée que celles-là. Iya comprendra ton silence. »

Malgré le chagrin qu'il avait lu sur le visage de cette dernière, il savait que Ranaï disait vrai. « Très bien. » Il lui saisit les mains et courba la tête. « Par mes mains, mon cœur et mes yeux, par la Lumière d'Illior et par le sang d'Aura qui coule dans mes veines, je jure de remplir tous les devoirs qui pourront s'imposer à moi en ma qualité de Gardien et de ne révéler les secrets que vous me confierez à personne d'autre qu'à mon successeur. »

De leurs mains serrées fulgura une décharge d'énergie pure qui l'envahit en le transperçant comme s'il était frappé par la foudre. Il semblait impossible que le corps dévasté de Ranaï recèle encore autant de puissance, et pourtant c'était bien le cas, et son passage d'elle à lui les laissa tous deux pantelants.

La magicienne le considéra d'un air solennel. « Te voici véritablement le Gardien, maintenant, plus que ne l'ont jamais été ton maître ni même son maître à elle. Tu es le dernier des six à porter ce qui doit demeurer caché. Tous les autres ont failli à la tâche ou bien déposé leur fardeau.

— Et vous ? »

Elle porta la main vers sa joue massacrée et fit la grimace.

« Voilà le prix qu'il m'a fallu payer pour ma défaillance. Mais laisse-moi parler, car ma force s'en va. Le plus éminent magicien de la Seconde Orëska fut maître Reynès de Wyvernus. C'est lui qui rallia les magiciens de Skala pour combattre sous la bannière de la reine Ghërilain, et il se trouvait à la tête de ceux qui finirent par vaincre le Vatharna. Tu comprends ce terme ? »

Arkoniel opina du chef. « Dans la langue de Plenimar, il signifie "l'élu".

— L'élu. » Les yeux de la vieille femme étaient

à présent fermés, et Arkoniel devait de plus en plus se pencher pour l'entendre. « Le Vatharna était un remarquable général, élu par les nécromanciens pour endosser la forme de Seriamaïus. »

Elle lui tenait toujours la main droite, mais il utilisa la gauche pour faire un signe de conjuration. Les prêtres eux-mêmes rechignaient à prononcer tout haut le nom du dieu des nécromanciens. « Comment diantre était-il possible de réaliser une chose pareille ?

— Grâce à un heaume qu'ils avaient forgé. Celui qui le portait, le Vatharna, devenait l'instrument terrestre du dieu. Le phénomène ne se produisait pas instantanément, les Quatre en soient loués, mais de manière graduelle, ce qui n'empêchait pas l'aspect initial d'être déjà bien assez terrible.

« Le heaume achevé, leur général s'en coiffa. Reynès ne réussit à lui tomber dessus que d'extrême justesse. Des centaines de magiciens et de guerriers trouvèrent la mort au cours de la bataille qui s'ensuivit, mais on parvint à s'emparer du heaume. Reynès et les plus puissants des magiciens qui avaient survécu se débrouillèrent vaille que vaille pour le démantibuler, mais ils n'avaient pas eu le temps de pousser plus avant l'opération que les Plenimariens lançaient une nouvelle attaque. Seul Reynès en réchappa, n'emportant dans sa fuite que six pièces du funeste heaume. Il ne révéla jamais de combien celui-ci se composait en tout. Il entoura d'un prestige celles qu'il détenait, les enveloppa de la même manière que l'est le tien, puis les plaça sous une tente enténébrée. Cela fait, il choisit six d'entre nous – qui n'avions pris aucune part aux cérémonies précédentes – et nous y fit pénétrer un par un. Il nous fallait nous emparer du premier paquet qui nous tomberait sous la main dans le noir, puis nous esquiver chacun seul sans que nul nous voie. Les différentes pièces devaient coûte que coûte être disséminées et cachées. Reynès lui-même tenait à ignorer où elles se trouvaient. »

Une toux faiblarde l'interrompit, et Arkoniel lui approcha des lèvres une coupe d'eau. « De manière qu'il devienne impossible de les réunir ?

— Oui. Reynès poussait la prudence au point de se défier de lui-même et de préférer ne savoir qu'une partie de la vérité. Aucun d'entre nous n'avait été témoin du rituel observé pour la mise en pièces, aucun de nous ne connaissait la forme exacte de celle qu'il emportait, aucun celle que détenaient les autres ni où ils comptaient aller.

— Ainsi donc, Agazhar fut l'un des Gardiens originels ?

— Non. Ses pouvoirs étaient trop limités pour lui valoir d'être un candidat potentiel. Le premier de la lignée qui te concerne fut Hyradin. Lui et Agazhar ne se lièrent d'amitié que plus tard, mais Agazhar ignorait tout du fardeau que portait Hyradin. C'est purement par hasard qu'ils se trouvaient ensemble quand les Plenimariens mirent la main sur ce dernier. En se voyant blessé à mort, Hyradin confia le paquet à Agazhar puis retint l'ennemi assez longtemps pour lui permettre de s'échapper. Lorsque nos routes se croisèrent à nouveau, des années après, la seule vue de ce qu'il portait me fit comprendre qu'Hyradin devait être mort.

— Et toutes les autres pièces ont été perdues ?

— La mienne l'a été, plus deux autres, à ma connaissance du moins. C'est celle d'Hyradin que tu portes, toi. Mais, à son retour, une magicienne des nôtres annonça qu'elle avait accompli sa mission. Quant au sixième, on n'en a plus jamais eu de nouvelles. Pour autant que je sache, je suis la seule défaillante à avoir survécu. J'ai mis des quantités d'années à guérir et n'ai appris le sort d'Hyradin qu'au bout d'un temps encore plus long. Agazhar aurait eu le droit comme le devoir de me tuer, et je le lui ai dit, mais il s'y est refusé, parce qu'à ses yeux je conservais malgré tout mon état de Gardien. Pour autant que je sache, l'unique fragment du heaume encore à Skala est le tien. J'ai eu beau lui conseiller de le déposer quelque part, dans une cachette inviolable, Agazhar s'est obstiné à croire qu'il en assurerait mieux la protection en ne s'en séparant jamais. » Elle darda sur Arkoniel sa prunelle intacte, « Il se trompait. Il *faut* le cacher quelque part où il ne risque ni de se perdre ni d'être volé. Parles-en à Iya – mais rien que de cela. J'ai eu des visions de feu et de mort depuis notre précédente rencontre, et aussi de la fille secrète. »

La mine abasourdie d'Arkoniel la fit sourire.

« Je ne sais pas qui elle est ni où elle se trouve, je sais seulement qu'elle est déjà née. Et je ne suis pas la seule, ainsi que le sait Iya. Les Busards qui voulaient ma mort avaient eu vent d'elle par d'autres. Si tu la connais, toi, et qu'ils te capturent, tue-toi avant qu'ils ne t'arrachent la vérité.

213

— Mais quel rapport y a-t il entre elle et ce maudit objet ? demanda-t-il, au comble de la perplexité.

— Je ne le sais pas. Je ne pense pas qu'Iya le sache non plus, mais c'est ce que lui a montré l'Oracle d'Afra. L'objet démoniaque dont tu as la charge a quelque chose à voir avec le sort de la future reine. Tu ne dois faillir à aucun prix. »

Elle accepta une nouvelle gorgée d'eau. Sa voix ne cessait de s'amenuiser, et toute couleur avait délaissé son visage. « Il y a encore quelque chose d'autre, quelque chose que je suis la seule à savoir. Du temps où il était Gardien, Hyradin eut en rêve une vision qui ne cessa de le harceler. Avant de mourir, il en fit la confidence à Agazhar qui, ne comprenant pas ce qu'elle signifiait, m'en fit part avant que je n'en aie suffisamment saisi pour le faire taire. Peut-être était-ce là la volonté d'Illior, car elle se serait perdue sans remède, autrement. Reprends-moi la main. Les mots que je vais prononcer ne sortiront jamais de ta mémoire. Ils devront être exactement transmis à tous tes successeurs, car ta lignée est la dernière. Je vais maintenant te les transmettre comme Agazhar aurait dû le faire, et j'y joindrai un présent de ma propre part. »

Elle lui étreignit la main, et Arkoniel se retrouva subitement plongé dans le noir. Du fond des ténèbres lui parvint alors, aussi forte et claire que celle d'une jeune femme, la voix de Ranaï. « Écoute donc le Songe d'Hyradin : "Et c'est ainsi que survint le Beau, le Dévoreur de Mort, pour décharner les os du monde.

214

D'abord il vint revêtu de la chair d'un Homme, couronné d'un heaume épouvantable de noirceur, et Celui-là, personne ne pouvait lui tenir tête, excepté les Quatre." »

Sa voix se modifia, prit le timbre grave de celle d'un homme. Les ténèbres se séparèrent, et Arkoniel se retrouva dans la clairière d'une forêt, face à un individu blond habillé de haillons. L'inconnu tenait entre ses mains le bol maudit et le lui offrait. « D'abord sera le Gardien, tel un réceptacle de lumière dans les ténèbres, dit-il au magicien. Suivront la Hampe et l'Avant-Garde, qui failliront sans faillir toutefois si le Guide, Celui-que-l'on-ne-voit-pas, se met en chemin. Et finalement sera de nouveau le Gardien, dont le lot est amer, aussi amer que fiel quand se produira la rencontre sous le Pilier du Ciel. »

La voix se tut en même temps que se dissipait la vision, et que la chambre familière se recomposait sous le regard ébloui d'Arkoniel. Les mots s'étaient gravés dans son esprit, conformément à la promesse de Ranaï. Il lui suffisait d'y penser pour avoir l'impression que la magicienne les lui chuchotait à l'oreille. Mais que pouvaient-ils bien vouloir dire ?

La vieille avait l'œil fermé, le visage paisible. Il mit un moment à comprendre qu'elle était morte. Si la signification du songe était connue d'elle, ce savoir-là ne la quitterait plus désormais jusqu'à la porte de Bilairy.

Il murmura pour elle la prière des trépassés, puis se leva pour aller retrouver Iya. Or, à peine fut-il debout que ses vêtements tombèrent en cendres. Même ses chaussures avaient été réduites en poussière par la déflagration des pouvoirs de la vieille femme, et cependant son corps était absolument intact.

Se drapant dans une couverture, il alla ouvrir à Iya et la fit rentrer. Elle comprit la situation d'un simple coup d'œil. Elle cueillit le visage de son disciple entre ses mains, plongea son regard dans le sien puis hocha la tête. « Elle t'a passé sa force vitale.

— Elle s'est volontairement tuée ?

— Oui. Elle n'avait pas de successeur. En concentrant son âme à l'intention de la tienne pendant qu'elle agonisait, elle faisait tous ses efforts pour te communiquer quelque chose de sa puissance personnelle.

— Un présent, murmura-t-il en reprenant sa place au chevet de la morte. Je me figurais qu'elle entendait par là le... » Il se ressaisit à temps. Après avoir parlé sans ambages à Iya toute son existence, il avait l'impression de se conduire comme un traître, à présent qu'il lui faisait des cachotteries.

Elle s'assit sur le pied du lit et contempla la défunte d'un air affligé. « C'est tout naturel. Nul ne saurait comprendre mieux que moi de quoi il retourne. Fais ce que tu dois.

— Je ne compte pas vous tuer, si c'est ce que vous voulez dire ! »

Elle émit un gloussement. « Non, l'Illuminateur m'a encore laissé du travail sur la planche. Ce qui vient de se passer le prouve. Il en est d'autres, beaucoup d'autres, qui ont eu un vague aperçu de ce que deviendra Tobin. Illior est en train de choisir ceux qui

216

la seconderont. Cela fait une éternité que je m'imaginais être la seule, mais tout semble indiquer que je ne suis rien de plus que le messager. Ces autres-là, il faut les rassembler et les protéger avant que les Busards ne les attrapent tous.

— Mais comment ? »

Iya plongea les doigts dans l'aumônière de sa ceinture et lui lança un petit caillou ; il avait fini par perdre le compte de ces innombrables menus gages qu'elle distribuait à leurs collègues magiciens. « Tu as été plutôt en sécurité, ici, ces dernières années. Dorénavant, c'est ici que j'enverrai les autres. Comment te sens-tu ?

— Tout à fait comme avant. » Il fit rouler entre ses doigts le petit caillou. « Enfin..., peut-être un brin plus effrayé. »

Elle se leva, vint le presser contre son cœur. « Moi aussi. »

14

Tobin eut beau retourner plusieurs fois dans la salle du Trône, les visitations des fantômes ne se renouvelèrent pas. Il n'était encore qu'un gosse et, comme tous les gosses, il lui était facile d'omettre ses frousses, une fois passé le moment fâcheux. Les fantômes ou les dieux, voire Iya, l'avertiraient quand il serait temps de franchir le pas. Pour l'heure, il était simplement Tobin, le cousin chéri d'un jeune prince et le neveu d'un roi qu'il n'avait encore jamais rencontré. En quelque lieu qu'ils se rendissent, les Compagnons recevaient un chaleureux accueil, et Korin était le chouchou de tout un chacun.

Le général Marnaryl et maître Porion avaient beau les faire travailler dur, la saison d'hiver avait ses plaisirs spécifiques. C'était pendant les mois sombres que les théâtres d'Ero montaient leurs spectacles les plus somptueux ; de véritables merveilles qui, sans bouder pour autant les feux d'artifice et les grands déploiements de machinerie, mettaient en scène des animaux. *L'Arbre d'or* surpassait tous les autres établissements avec une pièce un rien longue mais exclusivement jouée par de vrais centaures issus des montagnes Ashek et en l'espèce les premiers que Tobin et Ki eussent jamais vus.

Les marchés embaumaient la châtaigne grillée et le cidre chaud, ils rutilaient des beaux lainages à couleurs vives en provenance des contrées septentrionales sises au-delà de Mycena. Des vendeurs ambulants débitaient dans les rues des bonbons faits de miel et de neige fraîche et luisants comme ambre au soleil.

Le chancelier Hylus était un aimable tuteur et veillait à ce que Tobin ait toujours les poches fort bien garnies, infiniment mieux qu'Orun n'avait jugé bon de le faire. Ne s'étant pas encore habitué à tripoter de l'or ni à le dépenser à tout bout de champ, le petit prince aurait laissé les moutons s'amasser sur le magot dans ses appartements si Korin ne l'avait quasiment forcé à courir les boutiques de ses tailleurs favoris, de ses forgeurs de lames et autres marchands. Entraîné de la sorte, il en vint à débarrasser sa chambre à coucher des tentures de velours noir défraîchies et à les faire remplacer par des tentures à ses propres couleurs, bleu, blanc et argent.

Il rendit également visite aux artisans de la rue des Orfèvres et se remit à la sculpture afin d'en réaliser des pièces de joaillerie. Un jour, il surmonta sa timidité pour aller montrer une broche dont il était particulièrement satisfait à un bijoutier aurënfaïe pour les travaux duquel il éprouvait la plus vive admiration. Il s'agissait d'un filigrane coulé dans le bronze et qui figurait un entrelacs de branches dénudées dans lequel il avait même inclus des feuilles minuscules et serti un semis d'infimes cristaux neigeux. Il s'était inspiré pour ce faire du firmament nocturne qui dominait la clairière de Lhel lorsque, l'hiver, les étoiles scintillaient à travers la membrure du chêne.

Maître Tyral était un homme mince aux yeux gris clair dont le sen'gaï bleu vif laissait s'échapper des cheveux d'argent. Fasciné par leur exotisme, Tobin était déjà capable d'identifier une demi-douzaine des clans qui composaient ce peuple à la seule vue de leurs coiffures respectives et de la façon qu'avait chacun d'eux de s'en nouer autour du crâne les longues bandes de laine ou de soie. Tyral et ses ouvriers portaient tous le leur en une espèce de turban trapu qui descendait bas sur le front et dont les pans flottaient librement sur l'épaule gauche.

Après l'avoir accueilli avec sa chaleur coutumière,

219

le joaillier invita Tobin à déposer son œuvre sur un carré de velours noir. Ce qu'il fit, une fois la broche de bronze retirée du tissu qui l'enveloppait.

« C'est vous qui l'avez faite ? murmura Tyral de sa voix douce à l'accent chantant. Et cela aussi, n'est-ce pas ? reprit-il en désignant le cheval-amulette en or qu'il lui voyait au cou. Vous permettez que je le regarde ? »

Tobin le lui tendit puis ne put s'empêcher de se tortiller comme un ver tandis que l'homme examinait les deux objets sous toutes les coutures. À la seule vue des bagues et des colliers superbes exposés tout autour dans le luxe de la boutique, il commença à se repentir de son incroyable culot. Il en était venu à savourer les éloges que son travail inspirait à ses camarades, mais ils n'étaient pas des artistes, eux. Quel cas pourrait bien faire l'éminent orfèvre de si pitoyables balbutiements ?

« Parlez-moi de cette broche. Comment vous y êtes-vous pris pour obtenir pareille finesse du trait ? » lui demanda finalement Tyral en le regardant d'un air qu'il fut incapable de déchiffrer d'emblée.

Il expliqua non sans bafouiller quelque peu sa manière de procéder. Il avait d'abord ouvragé dans la cire chaque brindille puis les avait enchevêtrées à chaud et pressées dans du sable humide avant de couler dessus le métal fondu. Il en était là de son exposé quand le 'faïe l'interrompit d'un gloussement puis leva la main.

« Cela crève les yeux, vous êtes bel et bien l'auteur de ces œuvres. Veuillez me pardonner mes doutes, mais il ne m'arrive guère de voir tant d'habileté à un Tirfaïe de votre âge.

— Vous les trouvez réussies ? »

Le 'faïe reprit le cheval-amulette. « Lui est ravissant. Vous avez eu la sagesse de vous en tenir à la simplicité des lignes et de suggérer les détails au lieu d'en encombrer le format réduit de la figurine. On perçoit la vitalité de la bête dans l'extension de son encolure et dans la manière dont vous avez distribué la position de ses jambes comme en pleine course. Des artistes médiocres les auraient plantées toutes droites, comme celles d'une vache. Oui, c'est là un morceau ravissant. Mais celui-ci... ! » Il saisit la broche et la berça dans le creux de sa paume. « Il y a là plus que de l'habileté. Vous étiez triste quand vous avez fait ce bijou. Le mal du pays, peut-être ? »

Littéralement soufflé, Tobin se contenta d'acquiescer d'un signe de tête.

Tyral lui saisit la main droite et en scruta les doigts et la paume avec autant d'attention que pour la broche. « Vous vous entraînez pour être un guerrier, mais vous étiez né pour être un artiste, un créateur de choses. Est-ce que l'on vous entraîne également en vue de cette vocation, là-haut, sur la colline ?

— Non. Ce n'est rien de plus qu'une activité personnelle. Ma mère aussi créait des choses.

— Elle vous a doté d'un don prodigieux, prince Tobin. D'un don que l'on ne vous a peut-être pas appris à évaluer à son juste prix. L'Illuminateur a placé de la dextérité dans ces jeunes mains rudes que vous possédez. » Il soupira avant de reprendre : « Votre famille est réputée pour sa vaillance au combat, mais je vais vous parler en toute vérité. Avec des mains pareilles, vous serez toujours plus heureux de créer que vous ne le serez jamais de détruire. Je ne suis pas en train de vous flagorner ni de chercher à me faire bien voir de vous, mais croyez-moi quand je vous dis que si vous étiez non pas un prince mais un gars du commun, je vous inviterais de bon cœur à venir travailler avec moi. Proposition que je n'ai jamais faite à aucun Tirfaïe, sachez-le aussi. »

Le regard de Tobin parcourut les établis qui l'entouraient, avec leurs pierres rouges, leurs creusets, leurs râteliers de maillets, de marteaux minuscules, d'étampes et de limes.

Tyral sourit d'un air triste en lisant la convoitise dans ses yeux. « Nous ne choisissons pas notre naissance, n'est-ce pas ? Il ne serait pas bienséant qu'un prince de Skala devienne un vulgaire négociant. Mais vous saurez trouver des biais, je pense. Venez me voir autant qu'il vous plaira, et je ferai pour vous aider tout ce qui est en mon pouvoir. »

Les paroles du joaillier trottèrent un bon bout de temps dans la cervelle de Tobin. Il allait en effet de soi qu'il ne pouvait vendre ses ouvrages comme un vulgaire négociant, mais rien ne s'opposait à ce qu'il continue de les offrir, ainsi qu'il l'avait toujours fait jusque-là. Il se mit donc à fabriquer pour ses amis des amulettes et des épingles de manteau ornées de têtes d'animaux et de pierreries. Nikidès lui passa commande pour l'anniversaire de son grand-père d'une bague d'émeraude dont Hylus fut si content qu'il ne cessa plus de la porter. La nouvelle se répandit parmi la noblesse, et de nouvelles commandes affluèrent bientôt, chacun fournissant l'or et les gemmes nécessaires à leur exécution. Ce n'était apparemment point déroger, observa Ki, que de travailler pour sa propre espèce.

Lorsque Porion leur accordait, de-ci de-là, une journée de liberté, Korin emmenait ses cadets faire la tournée de ses nouveaux lieux favoris : des tavernes où de jolies filles en corsage fort décolleté n'étaient pas plus longues à s'asseoir sur les genoux des plus âgés qu'à s'extasier sur les plus jeunes en les poulottant. Actrices et acteurs les accueillaient dans les coulisses des théâtres les plus cossus, et les marchands des quartiers les plus huppés avaient toujours l'air de leur avoir tout spécialement réservé des articles exceptionnels.

Il arrivait également de temps à autre et de préférence lorsqu'il avait trop bu, ce dont Ki ne tarda pas à s'aviser – que Korin aille jusqu'à entraîner les benjamins dans ses bordées nocturnes. Il fallait pour ce faire échapper à la surveillance de maître Porion, mais le jeu n'en était que plus amusant. Cela donnait, les nuits de gel au clair de lune, des parties de course-poursuite dans les ruelles sinueuses puis s'achevait dans les quartiers les plus minables du front de mer. Même au plus fort de l'hiver, ceux-ci puaient la merde et le chien crevé, les gargotes y étaient infectes et la vinasse à l'avenant. Mais Korin n'avait l'air nulle part plus heureux que là, à brailler comme un pochard en compagnie de ménestrels à la gorge éraillée, à coudoyer marins et portefaix, sans parler de gaillards encore moins reluisants, à se rincer l'œil de pugilats de rue ou de combats de molosses et d'ours.

Les plus âgés de la bande étaient déjà connus comme le loup blanc dans ces lieux immondes, et l'on y saluait le prince héritier sous l'appellation de « milord Anonyme » avec force clins d'œil et hochements de tête entendus. À plus d'une reprise, ils firent plantonner les autres à quelque coin de rue bien noir et glacé pendant qu'ils s'envoyaient leurs putes contre le mur d'une impasse voisine. Le seul d'entre eux qui refusait de participer à ces répugnantes orgies était Lynx. Planté dans le froid à attendre avec Tobin et les autres et à écouter les cris et les grognements qui leur parvenaient en écho, il avait souvent l'air malade à crever. Barieüs voletait près de lui dans l'espoir de lui offrir un peu de réconfort, mais Lynx ne s'en apercevait même pas.

« Je ne comprends pas ça ! » s'insurgea Ki d'un ton révulsé, un soir où ils rentraient chez eux de leur côté. « Alors que ces putes et ces marins de la populace poignarderaient leur propre mère pour passer une seule nuit sous un toit décent, ces pourritures de fines lames dévalent du Palatin comme de la crotte de bique se jeter dans des bouges où mes frères eux-mêmes refuseraient de mettre un seul orteil. Ils s'y vautrent comme des porcs, et Korin est le pire de tous ! Je t'en demande bien pardon, Tobin, mais c'est vrai, et tu le sais parfaitement. Il est notre chef, et il donne le ton. Ah, comme je voudrais que Caliel lui mette un peu de plomb dans la cervelle ! » Seulement, la chose était peu probable, et ils le savaient tous les deux.

On ne faisait pas que se rouler dans le ruisseau, toutefois. Chaque jour arrivaient des invitations pour des sauteries, des feux de joie, des parties de chasse. Des rouleaux de parchemin crémeux bariolé d'encres de couleur s'empilaient comme feuilles mortes au mess des Compagnons. Ils avaient toujours été très recherchés comme hôtes pendant l'absence du roi, et ils l'étaient d'autant plus maintenant que Korin serait bientôt en âge de se marier.

Le prince n'était pas du genre à décliner des invitations. Avec ses quinze ans et l'allure d'homme déjà fait que lui donnait la belle barbichette neuve de son menton, il suscitait l'admiration partout où il allait. La crinière noire bouclée qui cascadait jusqu'à ses épaules encadrait son beau visage carré où pétillait un regard sombre. Il savait faire fondre les femmes de n'importe quel âge rien que d'un sourire ou d'un baisemain ; les jeunes filles l'assaillaient comme des chattes un bol de crème, pendant que les mères se démanchaient fébrilement le col dans l'espoir d'entr'apercevoir un signe de faveur.

Celles qui se trouvaient en possession de donzelles plus jeunes commençaient aussi à jeter les yeux sur Tobin, ce qui le plongeait dans une détresse secrète et provoquait l'amusement mêlé de jalousie de son cercle d'amis. Il était riche, en fin de compte, et de la meilleure famille de Skala. Ses douze ans n'étaient pas un âge trop tendre pour qu'on l'envisage comme parti. Les œillades en coin des gamines et l'approbation manifeste des mères lui donnaient envie de rentrer sous terre. Même s'il avait été ce qu'elles se figuraient qu'il était, il doutait fort que ces regards de prédateurs auraient risqué de le séduire. Une fois accomplies les inévitables salutations à leurs hôtes de la soirée, il se dépêchait de chercher un coin où demeurer caché.

Ki, pour sa part, prenait autant de goût à cette existence qu'un canard à l'eau. Sa bonne apparence et ses manières aisées, rieuses attiraient des attentions qu'il était tout sauf fâché de rendre. Il s'attachait même à danser.

Les autres Compagnons taquinaient Tobin sur sa timidité, mais c'est Arengil qui finit par trouver un moyen pour le mettre davantage à l'aise.

Vers la mi-Dostin, la mère de Caliel, la duchesse Althia, donna un grand bal en l'honneur du seizième anniversaire de son fils dans sa villa, voisine du Palais Vieux. Ce fut une fête grandiose. La grande salle était illuminée par des centaines de bougies de cire, les tables ployaient sous les mets les plus délicats, et deux troupes de ménestrels enchantaient tour à tour l'assistance parée de joyaux.

La plus jeune des sœurs de Caliel, Mina, finit, à force de cajoleries, par entraîner Tobin dans la danse, et il se couvrit de honte, comme à l'ordinaire, en s'empêtrant les pieds dans ceux de sa partenaire. Aussitôt la chanson finie, il se confondit en excuses et fila se réfugier dans un coin. Ki vint l'y rejoindre afin de lui tenir compagnie, mais il suffit à Tobin de voir de quel œil il suivait les évolutions des danseurs en tapant du pied et en martelant ses genoux au rythme de la musique pour comprendre qu'il brûlait de repartir tournicoter.

« Vas-y, ça m'est égal », bougonna-t-il quand une volée de jolies filles passa non loin, leur faisant les yeux doux.

Ki lui adressa un regard chargé de remords. « Non, je suis très bien ici. »

Le chancelier Hylus bavardait avec Nikidès à quelques pas de là. Repérant Tobin dans son coin, ils vinrent l'y relancer.

« Je viens à l'instant d'avoir la conversation la plus passionnante avec mon petit-fils, lui dit le vieil homme. Il se trouve que l'on vous traite avec la dernière désinvolture. »

Tobin leva des yeux ahuris. Hylus était tout sourires, et Nikidès avait l'air très content de lui. « Dans quel sens l'entendez-vous, messire ?

— Rien n'a été fait pour vos armoiries, mon prince ! J'aurais dû le remarquer moi-même, mais c'est Nikidès qui me l'a signalé. » Il pointa le doigt vers l'entrée principale de la salle, où se trouvaient exposées toutes les bannières des invités nobles, et où la rouge de Korin bénéficiait de la plus haute hampe, la bleue de Tobin flottant juste un peu plus bas.

« Tu es pleinement fondé à arborer la bannière de ton père, bien entendu, fit Nikidès comme si Tobin savait pertinemment de quoi il était question. Mais, en ta qualité de prince du sang, tu devrais également y adjoindre celle de ta mère. Dans un cas tel que le tien, rien ne s'opposerait à ce que soient combinés les blasons.

— Avec votre permission, mon prince, je vais prier le collège des héraldistes de s'atteler toutes affaires cessantes à vos nouvelles armes », ajouta le chancelier.

Tobin haussa les épaules. « Eh bien, soit. »

Manifestement enchantés, les deux autres s'éloignèrent en discutant déjà de barres et d'écussons.

Ki secoua la tête, lui. « Ferait pas de mal à Nik de danser un peu plus, lui aussi. »

Comme la chanson s'achevait, Arengil se détacha de la foule, aussi beau qu'exotique d'aspect. Outre son sen'gaï vert et jaune, il portait une longue tunique blanche à la façon d'Aurënen, un torque d'or massif et des bracelets sertis de cabochons plats en saphirs et cristaux. Tobin avait déjà vu des bijoux similaires dans les boutiques de joailliers aurënfaïes, mais jamais aucun d'une telle finesse d'exécution.

« Tu as battu en retraite plus tôt que d'habitude, observa-t-il en souriant tandis que le petit prince lui saisissait le poignet pour mieux admirer l'un de ses bracelets.

— Quelle merveille ! s'exclama Tobin, qui n'aurait pas demandé mieux que d'avoir sur lui de quoi crayonner les rinceaux ciselés complexes de la monture. Il est ancien, n'est-ce pas ?

— Laisse tomber ça pour l'instant ! s'esclaffa le 'faïe en lui retirant sa main. Viens, plutôt. Toutes les filles de la salle se dessèchent à attendre que tu les invites à danser ! »

Tobin se croisa les bras. « Sûrement pas. J'ai tout

du taureau à trois pattes. Tu n'as pas vu comme Quirion se fichait de moi ? Par les couilles à Bilairy, j'aurais tellement préféré que Korin m'autorise à rester bien peinard chez moi ! »

Una s'approcha de son pas discret, jolie comme un cœur dans sa robe de satin bleu, ses cheveux noirs entre-tressés de fils de perles et de lapis. Elle ne coquetait jamais comme le faisaient ses compagnes, mais Tobin devina qu'elle était ravie, ce soir, d'attirer les regards. Tout en faisant papillonner sous son menton, avec une féminité consommée d'adulte, un éventail scintillant de pierres précieuses, elle fit une grande révérence à Tobin. « Encore à vous cacher, mon prince ?

— J'étais justement en train de lui faire observer qu'il se devait d'être l'ornement de ce genre de réunions, dit Arengil.

— Un ornement... Mais c'est exactement ce que j'ai le sentiment d'être, maugréa Tobin. C'est si barbant, tous ces papotages debout en rond !

— J'avais eu l'impression que vous preniez plaisir à la conversation de ce vieux duc-là, tout à l'heure », objecta Una.

Tobin haussa les épaules. « Lui est un artiste. Charmé par un pendentif que j'ai fait pour sa petite-fille, il m'a invité à venir voir son propre travail.

— Prends bien garde à lui, prévint Arengil en baissant la voix. Il a invité quelqu'un que nous connaissons tous les deux à venir voir son "travail" et, une fois dans le carrosse, a essayé de l'embrasser. »

Una grimaça. « Mais c'est un *vieillard* ! »

Arengil émit un reniflement puis repoussa derrière son épaule les longs pans à franges de son sen'gaï. « Il n'y a pas pire que les vieillards. » Il jeta un coup d'œil furtif alentour avant de souffler en confidence. « J'ai ouï dire deux ou trois trucs à propos de Lord Orun... Vous n'avez pas dû être fâchés de vous voir débarrassés de lui. »

Ki fit une moue d'écœurement. « Vieilles Tripes molles ? Je te l'aurais bien étripé, moi ! Mais, au nom des Quatre, Tobin, ne me dis pas qu'il t'a jamais...

— Non ! se récria Tobin, révulsé rien que d'y penser. Sa mauvaiseté suffisait largement sans ça.

— Bon, il est mort, oubliez-le. Allons, prince Tobin, une danse avec moi ! fit Una gaiement, en lui tendant la main. Ça m'est égal, que vous m'écrasiez les orteils. »

Il se recula. « Non merci. J'ai assez fait rire à mes dépens pour ce soir. » Il n'avait pas une seconde eu l'intention de la rembarrer d'un ton si maussade, et il fut navré de voir mourir le rire dans ses yeux.

« C'est vrai, lâcha Ki par inadvertance. Il est comme un bœuf sur la glace.

— Vraiment ? » Arengil prit un air pompeux pour détailler Tobin de pied en cap. « Tu devrais être un danseur-né, d'après ta façon de combattre et de monter à cheval. » Tobin eut beau secouer la tête, le 'faïe ne se laissa pas rebuter pour si peu. « Tu as l'équilibre et le sens du rythme et, en vérité, c'est tout ce qu'il faut pour danser. Viens par là, j'ai envie d'essayer quelque chose. »

Ignorant les protestations de Tobin, il les entraîna

tous trois jusqu'au bout du couloir dans une pièce inoccupée. Les murs en étaient décorés de trophées de guerre. Arengil décrocha deux épées et en jeta une à Tobin.

« Allons-y, mon prince, à vous de m'affronter. » Il se mit en garde comme pour une séance d'entraînement.

« Ici ? Avec tous ces meubles en travers du passage ? »

Le 'faïe haussa un sourcil de défi. « Nous avons la frousse, c'est bien ça ? »

D'un air rechigné, Tobin prit place en face de lui. « Tu prétends quoi ? Que je n'aurais qu'à assaillir ma cavalière l'épée au poing ? Parce qu'à la rigueur, ça, peut-être que j'y arriverais.

— Je prétends simplement que l'attitude est similaire. Si je fais ceci... » Il avança vivement d'un pas, Tobin recula de même, prêt à parer. « Voilà ce que tu fais, toi. Et si tu veux me forcer à battre en retraite ? »

Tobin écarta la lame de l'Aurënfaïe avec la sienne et s'empressa de lui pousser une pointe fictive. Celui-ci céda du terrain sous l'assaut. « Continue de me presser. Que me réserves-tu d'autre ? »

Tobin le régala prestement d'une série de bottes factices qui l'amenèrent à l'autre bout de la pièce.

« À présent, laisse-moi te conduire. » Lentement mais de manière systématique, Arengil le contraignit à rebrousser chemin. En atteignant le point par où ils avaient débuté, il abaissa sa lame et s'inclina. « Merci pour la danse, mon prince. »

Tobin roula des yeux abasourdis. « De quoi diable me parles-tu là ?

— C'est ébouriffant ! s'exclama Una. Tout l'art de la danse y est, Tobin. La cavalière réplique à chacun des pas que fait son partenaire. Exactement comme au cours d'un duel. »

Arengil lança son épée à Ki puis prit la posture d'un danseur, et, la main droite en l'air, la gauche au creux des reins, défia derechef Tobin du regard.

Conscient qu'il avait l'air tout à fait idiot, Tobin vint d'un pas hésitant occuper la place à contresens qui lui revenait, puis plaqua sa paume droite contre celle du 'faïe.

« Bon. À présent, si je fais ceci... » Arengil fit un petit pas en avant, tout en exerçant une pression sur la main de Tobin. « Que dois-tu faire, toi ? »

Tobin avança d'un pas, puis d'un autre, et ils se mirent à tourner sur place tous deux. Arengil tourna tout à coup les talons et changea de main. Tobin l'imita gauchement.

« Toi aussi ! » Una s'empara de la main de Ki. En élève beaucoup plus docile, il lui passa un bras autour de la taille et la fit virevolter en riant.

Brusquement distrait, Tobin marcha sur le pied d'Arengil. Celui-ci l'enlaça par la taille pour l'empêcher de perdre l'équilibre et lui chuchota : « N'aie crainte. Elle ne se laissera pas enlever par Ki. » Avec un clin d'œil, il lui fit faire quelques pas à reculons. « C'est moi qui désormais passe à l'offensive en te donnant l'impulsion. À moins que tu n'aies envie de tomber à la renverse ou de te battre contre moi, tu dois consentir à te laisser conduire. Essayons maintenant ceci... »

Il se planta face à Tobin et leva les deux mains. D'assez mauvais gré, Tobin fit de même et recula du pied gauche pendant que le 'faïe avançait le droit.

Et ainsi de suite, pas après pas, si bien que la danse prenait peu à peu les allures du maniement d'armes. Quitte à trouver cet exercice-là plutôt rasoir, Tobin commençait toutefois à discerner les diverses figures.

Ki progressait plus vite avec Una. Il la faisait tourbillonner à travers la pièce en sifflotant une gigue rustique.

« Ce que nous faisons là n'a pas grand-chose à voir avec la danse, de toute façon. C'est une pauvre parodie », gémit Tobin. Il branla le pouce en direction du couple qui passait derrière en virevoltant. « Nous faudrait encore y ajouter tous ces sauts, toutes ces gambades et autres pirouettes.

— Ce ne sont que des floritures, affirma le 'faïe. Pourvu que tu tiennes compte de l'ordre des pas et de la battue, il te suffit de t'abandonner aux caprices de l'offensive et de la défensive.

— À propos, intervint Una, tout en se libérant de l'étreinte de Ki pour s'éventer. Tu ne pourrais pas m'apprendre à me battre en faisant comme si nous dansions ? » S'ensuivit un bout de silence au cours duquel Tobin vit à nouveau vaciller son sourire. « Tu n'as pas oublié ta promesse, n'est-ce pas ? »

Prêt à sauter sur n'importe quel prétexte pour échapper à sa leçon de danse, Tobin fut trop content de ramasser les épées délaissées puis de lui en tendre une. Elle s'empressa de prendre position dans un tour-billon de jupes et salua. Dès que Tobin lui eut rendu la pareille, elle se posta légèrement en biais et, pas mal du tout, se mit en garde.

Arengil haussa un sourcil. « Tu veux apprendre le maniement de l'épée, *toi* ?

— J'ai du sang de guerrier dans les veines tout autant que vous ! » riposta-t-elle.

Cinq ou six fêtards passèrent au même instant devant le seuil. « Qu'est cela ? Un duel ? demanda l'un d'eux que la vue de la jouvencelle équipée d'une épée fendait jusqu'aux oreilles.

— Rien d'autre qu'un jeu, Lord Evin, dit-elle en faisant ballotter l'arme le plus gauchement du monde.

— Attention de ne pas la blesser, les gars », conseilla-t-il avant de disparaître sur les talons de ses compagnons. Una releva l'épée d'une main ferme, cette fois.

« Tu crois que c'est bien prudent ? chuchota le 'faïe. Il t'en cuira déjà bien assez si ton père apprend que tu te trouvais ici toute seule avec trois garçons. S'il se figurait...

— Evin ne dira rien.

— Quelqu'un d'autre pourrait le faire à sa place. C'est une gageure que de garder quoi que ce soit de secret n'importe où sur le Palatin. Les domestiques y déblatèrent comme une nuée de corneilles.

— Eh bien, dans ce cas, nous n'aurons qu'à nous rendre dans un endroit où ils ne puissent pas nous voir, rétorqua-t-elle. Venez me retrouver sur le balcon de Tobin après vos leçons, demain après-midi.

234

— Sur le balcon ? s'esbaudit Ki. Il n'y a qu'un millier de fenêtres qui donnent dessus, de tous les jardins alentour !

— Tu verras bien, fit-elle d'un air taquin, avant de s'esquiver, non sans un dernier regard de défi par-dessus l'épaule.

— Des filles armées d'épées ? » Arengil secoua la tête. « Elle va tous nous mettre dans le pétrin. À Aurënen, les femmes s'en tiennent à leur rôle de femmes.

— À Skala, la guerre entre dans leur rôle, répliqua Tobin du tac au tac, avant de rectifier bien vite : Y entrait autrefois. »

Ce qui ne l'empêchait pas de trouver par-devers lui la témérité toute neuve d'Una passablement déconcertante.

Le jour suivant, lui et les deux autres se retrouvèrent à l'heure indiquée sur le balcon de la chambre, mais sans qu'elle se manifeste d'aucune façon.

« Peut-être que le grand jour a dissipé toute sa hardiesse, finit par déclarer l'Aurënfaïe, la main en visière pour scruter les jardins enneigés.

— Ici ! » les héla une voix qui tombait du ciel.

Una leur adressa un grand sourire du haut de l'avant-toit qui les surplombait. Elle portait une tunique unie, des cuissardes, et avait coiffé sa chevelure sombre en une natte raide. L'air frisquet de l'hiver lui avait planté des roses aux joues, comme disait volontiers Nari, et ses yeux noirs étincelaient

235

d'une espièglerie que Tobin ne leur avait jamais vue jusque-là.

« Comment t'es-tu perchée là ? demanda Ki.

— En grimpant, cela va de soi. Il doit vous être possible d'utiliser le vieux treillage qui se trouve un peu plus loin. » Elle indiqua du doigt, sur la gauche, un recoin d'ombre, à quelques pieds au-delà des ferronneries.

« C'était toi, n'est-ce pas, le lendemain matin de notre arrivée à Ero ? » s'écria Tobin, se rappelant soudain la mystérieuse silhouette qui les avait nargués avant de s'évaporer.

Elle haussa les épaules. « Peut-être oui, peut-être non. Je ne suis pas la seule à monter ici. Bon, vous venez, ou vous avez trop peur pour essayer ?

— Sûrement ! » riposta Ki.

Une fois devant la rambarde, ils distinguèrent un châssis de bois vermoulu festonné d'églantines roussies hérissées d'épines.

« Va falloir sauter, dit Tobin en jaugeant la distance.

— En souhaitant que ce maudit truc tienne bon. » Ki jeta un œil en contrebas, les sourcils froncés. Le terrain était sacrément abrupt, en dessous du balcon. Tu ratais le treillage, et c'était une chute d'au moins vingt pieds.

Una posa le menton sur sa main gantée. « Je devrais peut-être aller vous chercher une échelle ? »

Tobin découvrait là un aspect de sa personnalité qu'il n'avait jamais soupçonné. Du haut de son perchoir, elle prenait un plaisir évident à se gausser d'eux. Enfilant aussitôt ses gants, il escalada la rambarde et sauta. Le treillage grinça, craqua, les épines d'églantier transpercèrent les gants, mais le châssis ne céda pas. Non sans jurer entre ses dents, le petit prince entreprit l'escalade afin de rejoindre la jouvencelle.

Elle lui saisit le poignet quand il atteignit l'avant-toit, puis l'aida à s'y rétablir. Ki et Arengil se hissèrent à leur tour auprès d'eux, et ce qu'ils découvrirent les frappa de stupeur.

Le palais formait un ensemble aussi colossal qu'hétéroclite, et les toits couverts de neige montaient doucement comme un paysage de campagne : des acres d'ardoises en pente s'étendaient sous leurs yeux, ponctués de pignons médiocres. Sous leur mitre saillaient un peu partout, tel un bois dévasté, des cheminées dont la souche était suppurante de suie. Des statues de dragons, souvent sans tête ou mutilées des ailes, parsemaient faîtages et corniches, et leur dorure écaillée, passée, semblait du cuivre de bazar à la lumière de l'après-midi. Derrière Una s'étirait comme en pointillé la trace d'empreintes de pas.

« J'ai déjà vu ça une fois, mais de bien plus haut », dit Tobin. En voyant la tête bizarre que faisaient les autres, il expliqua : « Grâce à une vision que m'a offerte un magicien, jadis. Nous survolions la ville comme des aigles.

— Oh, j'adore la magie ! s'exclama Una.

— Et maintenant, on fait quoi ? questionna Ki, impatient de se mettre à l'ouvrage.

— Vous me suivez, mais marchez bien là où je marche. C'est truffé de coins vermoulus. »

Avançant à pas comptés parmi les vallonnements

237

piqués de cheminées, elle les entraîna vers une espèce d'esplanade abritée par deux hauts faîtages et qui, placée sous la garde de trois dragons de toiture intacts, devait avoir dans les cinquante pieds carrés. On se trouvait là loin du bord et parfaitement préservé des regards indiscrets.

À droite étaient alignées sous un léger surplomb plusieurs caissettes en bois. Una ouvrit l'une d'elles et en retira quatre épées de bois. « Bienvenue sur mon terrain d'exercice, messires. » Avec un grand sourire, elle leur fit une profonde révérence. « Cela vous ira-t-il ?

— Tu dis que tu n'es pas la seule à monter ici ? questionna Tobin.

— Oui, mais la plupart des gens qui y viennent le font la nuit, l'été, pour... tu vois quoi. »

Ki décocha un coup de coude à Tobin. « Faudra nous souvenir de ça ! »

Una rougit mais fit semblant de n'avoir pas entendu. « Si vous continuez par là, dit-elle en désignant l'ouest entre une vallée de pignons, vous apercevrez vos propres terrains d'entraînement. Et si vous allez par là – elle montra le nord – vous finirez par tomber sur la villa de ma famille, tout au bout du palais... si vous ne vous êtes pas perdus, entre-temps, ou n'avez pas crevé le plafond de je ne sais qui ! »

Arengil se saisit de l'une des épées de bois et poussa quelques bottes fictives comme afin de se dérouiller. « Je ne comprends toujours pas ce que tu veux fiche de leçons d'escrime. Même si tu réussis à apprendre, le roi ne te permettra jamais de te battre.

238

— Les choses peuvent toujours changer, riposta-t-elle. Peut-être reviendra-t-on aux anciens usages.

— Elle est tout à fait capable d'apprendre si elle le veut », dit Tobin qui ne l'avait jamais trouvée si fort à son gré. Puis d'ajouter, après un bref silence, d'un ton goguenard : « C'est comme mes leçons de danse, je pourrais aussi bien continuer de les prendre ici, non ? »

Sans être particulièrement doux, même sur la côte, cet hiver-là vit tomber néanmoins plus de pluie que de neige. Ce qui multiplia pour Tobin et pour ses complices les occasions de s'adonner à leurs leçons clandestines sur le toit sans trop de risques de glisser, tout trempés qu'ils étaient souvent. Ils s'y retrouvaient chaque fois que le permettaient leurs cours officiels et le temps, mais Una avait eu beau leur faire jurer à tous le plus grand secret, elle fut la première à le trahir.

En arrivant au rendez-vous, un après-midi ensoleillé, Tobin et Ki découvrirent en effet une autre fille brune qui les attendait avec Arengil et Una. Ses traits ne leur étaient pas inconnus.

« Vous vous rappelez sans doute mon amie Kalis ? fit Una en décochant à Ki un regard malicieux. Elle veut apprendre, elle aussi. »

Ki piqua un léger fard tout en s'inclinant, et Tobin reconnut en elle l'une des cavalières qu'avait fait tournoyer son ami lors du bal donné pour l'anniversaire de Caliel.

« Vous n'y voyez pas d'inconvénient, n'est-ce pas ? » demanda Una.

Tobin haussa les épaules et se détourna pour ne pas laisser voir sa rougeur mensongère.

Deux nouvelles recrues les rejoignirent après cela, et lui-même amena Nikidès, qui avait plus besoin que quiconque de s'entraîner davantage. D'où découla bien entendu qu'il devint vite impossible d'exclure Lutha du groupe, ainsi que leurs écuyers respectifs. Ki surnomma du coup tout ce joli monde « Académie d'escrime du prince Tobin ».

Ce dernier n'était d'ailleurs pas mécontent de posséder sa petite conjuration personnelle occulte, et sa gratitude envers Una reposait également sur un autre motif. Les toits du Palais Vieux se prêtaient admirablement à la convocation de Frère. Il y grimpait seul en catimini au moins une fois par semaine pour prononcer la formule fatidique.

Il ne le fit d'abord qu'à contrecœur. La cicatrice qui ornait le front de Ki lui rappelait trop volontiers l'attentat qu'il prêtait à Frère, et la mort d'Orun continuait de hanter ses songes. Les toutes premières fois où il l'y manda, il apporta bien la poupée mais refusa de se laisser escorter par Ki, tant il se défiait encore du comportement du fantôme.

Or, non content de se tenir actuellement très à carreau, Frère ne manifestait pas le moindre intérêt pour lui ni pour son entourage. À se demander s'il n'allait pas retourner à l'évanescence, ainsi qu'il l'avait déjà fait avant la mort de leur père. Mais, au fur et à mesure que s'écoulaient les semaines, il n'en conservait pas moins son apparence étrangement tangible. Était-ce alors dans la nouvelle liaison pratiquée par Lhel qu'il avait puisé la force de tuer ?

Quand finalement Tobin se décida à monter avec Ki, ce fut pour découvrir que son ami ne pouvait plus voir Frère, à moins que celui-ci ne reçût l'ordre exprès de se montrer à lui.

« C'est aussi bien ainsi. Je ne meurs pas franchement d'envie de le voir », dit Ki.

Tobin n'y tenait pas davantage. La cicatrice de celui-ci avait beau s'estomper, sa rancune à l'endroit du coupable demeurait tenace.

Plus l'hiver avançait, plus il devenait évident pour Tobin que certaines des filles de son « Académie » se passionnaient moins pour les leçons que pour les galanteries, sans que les garçons trouvent rien à redire à cet état de choses. Kalis et Ki s'égaraient parfois dans le dédale des cheminées et finissaient par en resurgir avec des échanges de petits sourires mystérieux. Barieüs cessa de languir après l'inaccessible Lynx ; il perdit son cœur au profit de la rousse Lady Mora quand elle lui eut brisé un doigt au cours d'une joute et se montra dès lors beaucoup plus expansif.

Una ne se risqua pas à tenter d'embrasser Tobin de nouveau, mais il ne fut pas sans s'apercevoir qu'elle brûlait parfois de récidiver. Au cours de leurs exercices d'affrontement, il ne pouvait s'empêcher de remarquer l'éclosion de certaines rondeurs... Les filles mûrissaient plus tôt, d'après Ki, et les idées aussi leur venaient plus tôt. Tant mieux pour lui s'il en profite, songeait Tobin avec désolation.

Même s'il avait désiré plaire aux filles, il était dans l'incapacité de se figurer ce qu'Una pouvait bien lui trouver. Croisaient-ils le fer sur les toits, dansaient-ils au cours d'un bal, toujours il la percevait à l'affût d'un signe révélateur de sentiments réciproques. Il en éprouvait des remords cuisants, tout certain qu'il était de n'avoir strictement rien fait pour l'induire en erreur. Tout contribuait à son embarras, et il ne fit qu'aggraver les choses en réalisant pour elle un pendentif d'or en forme d'épée. Car elle ne se fit pas faute de s'y méprendre et de l'arborer ouvertement comme un gage d'amour.

Il pouvait du moins lui offrir, pendant les leçons, quelque chose de loyal et de non équivoque. Ils étaient bien assortis pour la taille et s'appariaient souvent pour s'exercer. Elle était prompte à apprendre et les ahurissait tous par ses progrès.

Tobin trouva un adversaire autrement coriace en la personne d'Arengil. Alors qu'il ne paraissait pas plus âgé qu'Urmanis, le 'faïe avait sur n'importe lequel d'entre eux l'avantage de beaucoup plus d'années d'entraînement. Loin d'en profiter cependant pour regarder quiconque de son haut, il leur enseigna le style d'escrime aurënfaïe, qui reposait plus volontiers sur l'adresse à frapper de biais que sur l'empoignade frontale. Tobin et sa bande n'ayant pas été longs à mettre efficacement en pratique ce type de procédés lors des exercices avec le reste des Compagnons, force fut à ceux-ci d'en faire le constat, surtout après que Ki eut fendu la lèvre à Mago d'un magnifique coup de coude. L'*écuyer de merde* en rayonna pendant deux jours, et il offrit à Arengil sa meilleure dague dès qu'ils se revirent.

15

Tandis que les derniers orages de Klesin se pourchassaient mutuellement en mer, les Compagnons attendaient fébrilement des nouvelles de la reprise des combats ; sûrement que le roi ne pourrait plus continuer de maintenir Korin planqué comme une fille, maintenant qu'il avait atteint l'âge adulte ? Or, si l'on eut bien vent de quelques escarmouches sur les frontières, en effet, ni Erius ni l'Overlord plenimarien ne semblaient bien pressés de se livrer bataille.

Comme à l'accoutumée, Nikidès fut le premier informé de la tournure que prenaient les choses. « D'après Grand-Père, il y aurait en ce moment des pourparlers en vue d'une suspension d'armes », annonça-t-il d'un air morose aux autres, un matin, pendant le petit déjeuner.

Tout le monde se mit à rouspéter. La paix, cela voulait dire que l'on n'aurait aucune chance de s'illustrer au combat. Korin eut beau demeurer muet, Tobin comprit que la nouvelle l'affligeait plus que quiconque, lui qui était l'unique raison pour laquelle on les avait tous écartés si longtemps des opérations.

Le vin n'en coula dès lors au mess qu'avec d'autant plus de libéralité, tandis que la mauvaise humeur et les coups de gueule des garçons s'exacerbaient sur le terrain d'exercice.

On en était là depuis quelques jours, sans plus rien savoir de ce qui se passait, quand Tobin fit un cauchemar qui l'avait laissé tranquille durant des mois.

Il se trouvait blotti dans un coin, regardant sa mère arpenter la petite pièce tout en haut de la tour de guet. Elle se précipitait d'une fenêtre à l'autre. Elle étreignait contre son sein, tel un nouveau-né, la poupée de chiffon, cependant que Frère, accroupi dans l'ombre, dardait sur lui ses prunelles noires d'un air entendu.

« Il nous a retrouvés ! glapit Ariani tout en l'empoignant par le bras pour l'entraîner de force vers la fenêtre occidentale, celle qui surplombait la rivière.

— Il arrive », confirmait Frère de son coin à lui.

Tobin se réveilla. Installé au pied du lit à baldaquin, Frère le dévisageait.

Il arrive. Comme il se répétait à part lui l'avertissement de son rêve, les lèvres fines du fantôme ne remuaient pas.

Ki s'agita à ses côtés, puis marmonna quelque chose d'un ton vaseux dans l'oreiller.

« Ce n'est rien. Rendors-toi. » Il avait la cervelle lancinée par tout le vin lampé au mess dans la soirée, mais ce n'étaient pas ces excès-là qui lui barbouillaient si fort l'estomac.

« Est-ce que le roi revient pour de bon ? » chuchotat-il à l'adresse de Frère.

Le fantôme acquiesça d'un hochement de tête avant de s'évaporer.

Trop chamboulé pour songer au sommeil, il se glissa hors du lit et s'enveloppa dans la robe de laine que Molay disposait toujours à son intention sur un siège voisin. Les rideaux masquaient encore les baies du balcon, mais les premières lueurs du jour en dessinaient vaguement les contours. Dehors, dans le jardin, des corbeaux se chamaillaient, quelque part.

« Avez-vous besoin de moi, mon prince ? bredouilla Baldus d'une voix comateuse, sur sa paillasse.

— Non. Dors. »

Il sortit sur le balcon. Le jabot tout ébouriffé contre le froid, trois corbeaux étaient perchés parmi les bourgeons d'un chêne juste au-dessous de la rambarde. De tous les toits de la ville montait vers les roses et les ors du ciel la fumée des feux du petit matin, droite et fine dans l'air paisible comme un fil bleu. Au-delà du goulet du port, la mer pétillait de crêtes écumantes. Tobin scruta l'horizon. Le roi devait être là-bas, quelque part. Peut-être était-il même en train de faire déjà voile pour rentrer.

Mais nous en aurions entendu parler ! Le roi n'allait tout de même pas revenir à Ero furtivement, de nuit, comme un vulgaire pirate. Cela faisait des années qu'il était parti. Des fanfares et des fêtes allaient forcément saluer son retour.

Tobin s'assit sur la balustrade de pierre, histoire d'attendre que s'estompe un peu le sentiment d'oppression laissé par le rêve. Mais celui-ci s'aggrava, au contraire, lui donnant de telles chamades que des taches noires se mirent à danser sous ses yeux.

Il essaya le petit truc que lui avait enseigné Arkoniel et se concentra sur le plumage luisant des corbeaux. Peu à peu, la panique se retira, le laissant face au problème plus immédiat de l'avertissement de Frère.

Tout transi, il réintégra la chambre et se pelotonna dans un profond fauteuil au coin de la cheminée. Quelqu'un passa vivement dans le corridor mais, à part cela, le silence persistait à régner dans l'aile des Compagnons. L'effervescence de la vie diurne épargnait encore le Palais Vieux.

Et s'il arrivait aujourd'hui ? se demanda Tobin, les genoux serrés dans ses bras. Cela fit surgir une inspiration bienvenue. Tharin connaissait le roi, lui ! Lui saurait quoi faire...

« Et qu'est-ce qu'il pourrait bien faire ? » cracha Frère, tapi dans le noir derrière le dossier du fauteuil.

Tobin n'eut pas le loisir d'imaginer une réplique qu'un fracas formidable assorti d'un chapelet de jurons rieurs lui parvint du côté de la garde-robe. Quelqu'un venait d'emprunter le passage dérobé qui reliait cette dernière aux appartements de Korin. À peine eut-il congédié Frère qu'encore en chemises de nuit firent irruption dans la chambre son cousin et Tanil. Baldus se dressa d'un bond avec un petit cri de stupeur, et Ki, du fond du lit, laissa échapper un gémissement étouffé.

« Père est sur le chemin du retour ! gueula le prince royal en arrachant Tobin de son fauteuil pour le faire virevolter à travers la pièce. Un messager vient juste d'arriver pour annoncer que son bateau avait touché Cirna voilà trois jours. »

Il nous a retrouvés !

« Le roi ? Aujourd'hui ? » Ki pointa son museau tout embroussaillé de mèches brunes entre les courtines.

« Pas aujourd'hui. » Relâchant Tobin, Korin écarta vivement les tentures et sauta se jucher aux côtés de Ki. « Vu les tempêtes qui sévissent encore au large, c'est par voie de terre qu'il effectue le restant du trajet. Nous devons aller le retrouver à Atyion, Tob. Paraîtrait comme ça que ton souhait de toujours est finalement sur le point de s'exaucer !

— Atyion ? » C'était à peine si son esprit retenait la bonne nouvelle.

Tanil s'affala de l'autre côté de Ki sur lequel il s'accouda sans plus de façons. « Un motif, enfin, pour sortir de cette fichue ville ! Et on fera tous partie du cortège qui ramènera le roi ! » Il paraissait aussi enchanté que Korin.

« Pourquoi Atyion ? s'étonna Tobin.

— Pour te faire honneur, je présume, répliqua Korin. Après tout, Père ne t'a pas revu depuis ta naissance. »

Non, mais je l'ai vu, moi, songea Tobin, se remémorant les flamboiements du soleil sur un heaume d'or.

Korin rebondit sur ses pieds et se mit à arpenter la pièce comme un général mijotant ses plans de campagne. « Le messager est venu me voir en premier, mais la nouvelle ne tardera guère à être connue de tous. D'ici une heure, la ville entière en sera sens dessus dessous, et la moitié de cette maudite cour va vouloir à toute force nous accompagner. » Il ébouriffa les cheveux de Ki puis arracha la couverture qui l'emmitouflait. « Or çà, debout, sieur écuyer, vite à vos devoirs ! Vous allez m'aider à réveiller les autres, Tobin et toi. Dites à chacun de n'emporter qu'un minimum d'effets ; pas de valets ni de bagages. Qu'on puisse filer avant que quiconque se doute de rien.

— Maintenant ? Tout... tout de suite ? bégaya Tobin, affolé par l'idée qu'il n'aurait pas le temps de causer avec Tharin avant le départ.

— Pourquoi non ? Voyons voir... Ta garde et la mienne devraient suffire à satisfaire Lord Hylus... » Korin se dirigea incontinent vers la garde-robe. « En démarrant tôt, nous pouvons nous trouver là-bas demain vers l'heure du dîner. » Il s'immobilisa, radieux, pour lancer à Tobin : « Je ne saurais attendre un instant de plus que Père te connaisse enfin ! »

Le tumulte prévu commençait déjà à se faire entendre quand Tobin et Ki se mirent en demeure d'aller réveiller les autres. Ils trouvèrent Lutha et Nikidès debout, mais il leur fallut cogner pas mal pour faire se lever Orneüs.

Le chapelet de jurons feutrés qui leur parvint de l'intérieur fendit Ki jusqu'aux oreilles. Au bout d'un moment, la porte s'entrebâilla d'un pouce, et Lynx y passa le nez. Tout vaseux d'avoir trop bu qu'il était encore, il se montra aussi affable que de coutume.

« Que se passe-t-il ? demanda-t-il en bâillant. Orneüs est touj..., euh..., jours au pieu.

— Au pieu ? » Ki se tordit le nez. Une bouffée d'aigres vomissures venait d'empuantir le corridor.

Lynx haussa tristement les épaules mais s'illumina en apprenant les nouvelles. « Z'en faites pas, me charge qu'il soit prêt dans une seconde ! »

Les plans de Korin enthousiasmèrent maître Porion. « En guerriers, les gars, pour vous présenter au roi, et fi des cohues de plats courtisans ! » s'exclama-t-il en administrant une claque dans le dos du prince.

Molay et Ki tinrent à tout superviser. On dépêcha Baldus prier Tharin de faire équiper hommes et montures. Quant à Tobin, il mit à profit le branle-bas général pour se faufiler dans la garde-robe.

S'il avait suffi d'y laisser la poupée pour être débarrassé de Frère durant quelques jours, il aurait sans peine adopté cette solution, mais l'habitude nouvellement prise par le fantôme d'apparaître où et quand cela lui chantait rendait sa maîtrise trop aléatoire. Tobin descendit donc la poupée de sa cachette et la fourra au fond de son paquetage. Et, pendant qu'il ficelait celui-ci le plus étroitement possible, l'idée le traversa qu'Atyion, somme toute, aurait dû être la demeure de Frère autant que la sienne.

En dépit de toute leur hâte, il était près de midi quand le cortège de Korin eut dûment formé ses rangs dans la cour de devant. Les Compagnons arboraient chacun les couleurs et les armoiries de sa propre maison, comme le voulait l'usage lorsqu'ils sortaient de la ville, le seigneur comme son écuyer n'en ayant pas moins le torse barré par le baudrier écarlate frappé aux armes – le dragon blanc – du prince royal. Le soleil au zénith faisait fièrement flamboyer les heaumes et les boucliers.

La garde personnelle de Korin resplendissait, en écarlate et blanc, celle de Tobin était vêtue de bleu. Comme toujours en pareille occasion, Tharin portait une robe de gentilhomme et un baudrier aux couleurs de Tobin.

Une foule de courtisans s'était rassemblée pour assister à leur départ, et elle les acclamait en brandissant mouchoirs et couvre-chefs.

« Regarde, Tobin, ta dame est là ! » lança Korin, en désignant Una qui se trouvait avec Arengil et plusieurs des filles de l'école d'escrime clandestine. À ces mots, le reste des Compagnons se mit à rire. Non sans rougir, Tobin suivit Ki pour aller leur dire au revoir.

Arengil plongea dans une révérence outrée. « Chapeau bas devant les glorieux guerriers de Skala ! » Il flatta les naseaux de Gosi tout en admirant les rosettes d'or qui ornaient son harnais tout neuf. « Eh bien..., tout ça pour un prince péquenot ! Tu sais que tu as l'air de sortir à l'instant d'une tapisserie ?

— Tout à fait, dit Una. Je suppose qu'il va nous falloir laisser tomber nos leçons de danse pour le moment ? Combien de temps seras-tu absent ?

— Je l'ignore, répondit-il.

— En route, holà ! rugit Korin en faisant volter son cheval et en brandissant son épée. Ne faisons pas attendre mon père. Tous à Atyion !

— À Atyion ! » s'écrièrent les autres en sautant en selle.

Comme Tobin se détournait pour partir, Una l'embrassa sur la joue puis se fondit vivement dans la foule.

Si l'ardeur fébrile des préparatifs avait permis à Tobin d'oublier quelque peu ses appréhensions, l'inévitable ennui d'une aussi longue chevauchée leur laissa tout loisir de revenir insidieusement l'assaillir.

Il allait rencontrer le roi. L'homme à cause duquel sa mère n'avait jamais été reine. Eût-elle porté la couronne qu'elle ne serait peut-être pas devenue folle ? Et peut-être que Frère ne serait pas mort, et qu'au lieu de grandir planqués dans les montagnes ils auraient été tous les deux élevés côte à côte à la cour ou à Atyion ?

N'eût été le roi, songea-t-il avec une amertume poignante, *mon vrai visage m'aurait été familier depuis ma naissance…*

16

La nouvelle du retour du roi, Nyrin l'avait apprise une semaine auparavant par un émissaire secret. Les affaires qui l'appelaient à Ilear devraient attendre, apparemment ; le billet laconique reçu de Sa Majesté lui ordonnait de venir discrètement La rejoindre à Cirna.

Rien n'aurait pu satisfaire davantage le magicien. À

la faveur de la nuit, il s'était éclipsé de la capitale avec un modeste contingent de gardes busards et acheminé vers le nord.

Plantée sur le point le plus étroit de l'isthme, la forteresse de Cirna appartenait au prince Tobin, du moins nominalement. À la suite de la mort opportune d'Orun, Erius avait jugé bon, dans son infinie sagesse (un tantinet manipulée, mine de rien), de nommer Nyrin lord protecteur des lieux. Bâtie sur une langue de terrain rocheux battue par les vents, bordée de part et d'autre par des falaises vertigineuses et où ne vivaient qu'une pincée de gardeurs de chèvres et de pêcheurs, la place avait, dans son genre à elle, autant d'importance qu'Atyion. Sa puissance, elle la devait non pas à ses ressources mais à sa position. Le maître de Cirna commandait l'unique voie de terre permettant d'accéder dans la péninsule skalienne.

Les remparts massifs de la forteresse se dressaient en plein milieu de l'isthme, à cheval sur la route même, et des murs de pierre hauts comme deux hommes et larges comme une maison reliaient son enceinte extérieure aux falaises des deux côtés. Grâce à quoi elle avait soutenu victorieusement toutes les attaques des forces plenimariennes, tous les raids zengatis, et résisté même aux sorcelleries des populations montagnardes. Quant aux péages perçus à ses portes, ils étaient loin d'être insignifiants, et la part prélevée par Nyrin avait d'ores et déjà passablement distendu ses coffres personnels.

Mais l'or n'était pour rien dans l'exultation qui lui

gonflait le cœur au fur et à mesure que la silhouette lugubre de Cirna émergeait du brouillard chargé de sel, là-bas devant : ce qu'elle incarnait à ses yeux, c'était la consolidation de son pouvoir sur le roi.

S'il avait été relativement enfantin de retourner le roi contre l'odieux Orun, il en était allé tout autrement pour ce qui concernait Rhius. Dans le cas du premier, les vices faisaient mieux que surabonder, ils crevaient les yeux. Le duc, en revanche, avait mené une existence au-dessus de tout reproche, et les liens noués avec Erius dans le cadre des Compagnons semblaient devoir tenir jusqu'à leur dernier jour. En le pressant d'épouser sa sœur unique, le roi pouvait bien avoir eu en tête d'assurer le ferme attachement au trône des puissants domaines de Cirna et d'Atyion, mais, calcul à part, son affection pour lui était indéniablement sincère. Et c'est sur cet obstacle-là qu'avait bien failli achopper dans les premiers temps l'influence grandissante du magicien. Mais le duc avait fini par avoir la malencontreuse idée de s'insurger sans ménagements contre le massacre de la parenté féminine, et la patience du roi avait fini par s'amenuiser. Si bien que lorsque Rhius avait succombé sur le champ de bataille, c'est un « Enfin ! » de soulagement que Nyrin s'était flatté de percevoir tout seul sous l'extravagant numéro de deuil donné par Sa Majesté.

Cependant, si cette mort avait déblayé sa propre route d'un gros embarras, c'est à un péril autrement formidable qu'il allait devoir faire face en ce jour.

Comme la route de l'isthme faisait longer à Nyrin et à ses cavaliers la crête des falaises orientales, de vagues trouées dans la bruine révélèrent en contrebas le petit port où étaient mouillés le navire amiral d'Erius et ses bâtiments d'escorte.

Entreprendre de traverser la mer Intérieure si tôt au printemps n'avait rien d'une sinécure, et l'aspect de tous les vaisseaux trahissait telle ou telle avarie. À bord de celui du roi, des essaims de marins s'affairaient à réparer les toiles.

Après avoir descendu la route en lacet bourbeuse qui menait au village, le magicien tomba sur un peloton de gardes royaux qui l'attendaient au bord de la grève. Ils l'embarquèrent aussitôt dans une chaloupe, et lorsqu'il finit par enjamber le bastingage du navire amiral, il s'y vit accueillir par le lord général Rheynaris.

« Bienvenue à bord, messire. Sa Majesté vous attend en bas. »

Tout en lui emboîtant le pas, Nyrin jeta un coup d'œil à l'entour du pont. Une grappe de cadets nobles attachait sur lui des regards manifestement curieux. Aussitôt qu'il se figura que le visiteur ne risquait plus de s'en apercevoir, l'un d'entre eux fit un signe de conjuration.

« Dites-moi, Rheynaris, qui donc est ce jeune gaillard, là-bas ?

— Celui aux cheveux jaunes ? Le fils aîné de Solari, Nevus. Il fait partie des nouveaux écuyers du roi. »

Nyrin se renfrogna ; il n'avait rien su de cela. Et

Rhius avait eu en Lord Solari l'un de ses principaux hommes liges...

« L'humeur d'Erius ? s'enquit-il quand il fut certain de n'être entendu par personne d'autre.

— Content d'être de retour chez lui, je dirais. » Comme ils approchaient de la cabine, l'autre marqua le pas. « S'est montré plutôt... lunatique depuis notre départ de Mycena. S'aggrave invariablement pour peu qu'il se trouve éloigné des combats. »

Nyrin hocha la tête en guise de remerciement pour la mise en garde, et le général cogna doucement à la porte.

« Entrez ! » lança une voix bourrue.

À demi allongé sur l'étroite couchette de la cabine, Erius était en train de griffonner quelque chose, une écritoire portative en travers des genoux. Tandis que la plume d'oie s'affairait à écorcher le parchemin, le magicien patienta dans un garde-à-vous déférent, l'oreille tendue, l'œil à son haleine qui fumait dans l'air froid. La pièce n'était pas chauffée, mais le roi n'en portait pas moins sa tunique déboutonnée comme le dernier des soldats. Nettement plus gris, remarqua Nyrin, les cheveux et la barbe encadraient des traits qu'avaient davantage accusés les soucis.

Sur une dernière gambade fleurie de sa plume, Erius rejeta l'écritoire et s'assit jambes pendantes au bord de la couchette. « Salut, Nyrin. Vous n'avez pas perdu de temps. Je ne m'attendais pas à vous voir avant demain. »

Le magicien s'inclina. « Bienvenue chez vous, Sire. »

Du bout du pied, le roi poussa un tabouret du côté de son visiteur. « Assis, puis des nouvelles de chez moi, justement, s'il vous plaît. »

Le magicien ne fit qu'effleurer les nouvelles d'ordre général, en minimisant notamment la poussée de peste qui venait de décimer les populations de plusieurs villes du nord. « Le grand prêtre du temple d'Achis se trouve en détention pour trahison, poursuivit-il, abordant des sujets plus sérieux. On l'a entendu parler au moins à trois reprises de la reine mythique que ces songe-creux continuent de voir dans leurs rêveries délirantes. »

Erius fronça les sourcils. « Vous m'aviez dit qu'il n'était plus question de tout ça.

— Des rêveries, Votre Majesté, rien de plus que des rêveries nées de la peur et dans des cervelles qui prennent leurs désirs pour des réalités. Mais, ainsi que vous le savez trop bien, mon seigneur et maître, il peut se révéler dangereux de laisser des sottises pareilles s'enraciner dans les esprits ignares.

— C'est bien pour y parer que je vous ai, non ? » Le roi préleva une liasse de parchemins dans le fond de son écritoire. « Le chancelier Hylus m'annonce que la peste a fait de nombreuses victimes et que, cet hiver, la disette a sévi à l'intérieur des terres jusqu'à Gormad et Elio. Rien d'étonnant si les gens se croient dès lors frappés de malédiction et rêvent de reines. Je commence à me demander quels vestiges de royaume je vais bien être finalement à même de transmettre. » Un tic lui taquina le coin de l'œil gauche. « J'ai eu beau détruire la tablette et abattre les stèles, les paroles de l'Oracle n'en conservent pas moins leur éclat premier. »

Les doigts de Nyrin esquissèrent d'un geste presque imperceptible un charme d'apaisement. « Tout le monde se perd en perplexités quant à la validité de la trêve. Qu'en pense Votre Majesté ? »

Erius se massa la barbe en soupirant. « Qu'il s'agit – au mieux – d'une trêve de fermiers. Aussitôt qu'une récolte aura regarni les greniers des Plenimariens, nous nous trouverons forcés, m'est avis, de repartir pour Mycena. D'ici là, tant vaudrait pratiquer la même politique qu'eux. Ces damnées sécheresses sont tout autant nos ennemies que les armées de l'Overlord. Mais, en tout état de cause, je ne suis pas fâché de prendre un peu de repos. Je ne vais certes pas bouder ces retrouvailles avec la musique et des repas décents, ni regretter de ne dormir que d'une seule oreille. » Il adressa au magicien un sourire navré. « Jamais je n'aurais cru que j'en viendrais à me lasser de guerroyer, mon cher, et pourtant la vérité me force à convenir que je suis fort aise de cette trêve. Contrairement à mon fils, je présume... Comment se porte-t-il, au fait ?

— Bien, Sire, très bien. Mais dans l'état de fébrilité que vous lui prêtiez. »

Erius gloussa sombrement. « De fébrilité ? Hm. C'est le dire en termes galants. Plus galants que ceux dont se sert maître Porion. Qui me le décrit se soûlant et courant les putes et faisant la noce. Oh, je ne me conduisais pas mieux, à son âge, tant s'en faut, bien sûr, mais j'avais déjà subi l'épreuve du sang, moi.

Comment lui reprocher d'ailleurs sa démangeaison de se battre ? Vous devriez voir les lettres qu'il m'envoie pour me conjurer de le laisser venir à Mycena. Ah, Flamme divine ! s'il savait combien il m'en a coûté de devoir le laisser si longtemps dans son cocon de soie... !

— Votre Majesté avait-Elle le choix, quand Elle ne possède pas d'autre héritier qu'un neveu souffreteux ? » Ça, c'était une vieille rengaine entre eux.

« Ah oui, Tobin... Mais pas si souffreteux que ça, paraît-il, en définitive. Mis à part qu'Orun m'assommait de doléances à son propos, Korin et Porion ne m'en font tous deux que de vibrants éloges. Quelle est donc votre opinion sur lui, maintenant que vous l'avez vu de vos propres yeux ?

— À bien des égards – la plupart... –, un drôle de petit gars. Plutôt maussade, pour autant que nos rares rencontres m'aient permis d'en juger personnellement, mais du genre artiste. Même qu'il s'est déjà fait un nom à la cour par son seul talent à exécuter sculptures et bijoux. »

Erius opina du chef d'un air attendri. « Il tient ça de sa mère. Mais là ne s'arrête pas son mérite, à ce que l'on m'a rapporté. Korin le prétend presque aussi fine lame que lui-même.

— Il semble un escrimeur habile, en effet, tout comme son petit bouseux d'écuyer. »

À peine ces mots eurent-ils franchi ses lèvres que le magicien eut conscience qu'il venait de commettre un faux pas ; le brusque éclair de fureur qui venait d'embraser les yeux du roi présageait l'une de ses crises.

« Bouseux ? »

Nyrin manqua tomber à la renverse de son tabouret lorsque, se dressant d'un bond, Erius expédia valser son écritoire portative, dont le couvercle s'ouvrit à la volée, éparpillant de toutes parts cire à cacheter, parchemins et instruments divers, tandis que l'explosion conjointe du flacon d'encre et du sablier faisait s'élargir sur le plancher vétuste une flaque noire d'aspect granuleux. « C'est ainsi que vous avez le front de qualifier un Compagnon de la Maison du Roi ? rugit-il.

— Que Votre Majesté daigne me pardonner ! » Les accès de ce genre étaient tellement subits et imprévisibles que Nyrin lui-même était impuissant à les prévenir. Et ce d'autant moins en l'espèce qu'à sa connaissance, en tout cas, Erius se fichait éperdument de ce gamin-là.

« Répondez-moi donc, maudit que vous êtes ! hurla le roi, sous l'emprise d'une rage de plus en plus folle. C'est de cette façon que vous osez parler d'un Compagnon, vous, résidu de souillon ? vous, foutre de pedzouille et de mollasson, vous... ? »

Il écumait, postillonnait. Nyrin se laissa choir à deux genoux tout en refoulant son désir de s'éponger la figure. « Non, Sire. »

Erius le dominait de toute sa hauteur sans cesser de l'invectiver à pleins poumons. Mais les injures du début ne tardèrent pas à dégénérer en divagations des plus incohérentes et puis en un grondement rauque et confus. Tout en maintenant ses regards soigneusement baissés, Nyrin ne cessait d'épier du coin de l'œil, au cas où le roi se serait emparé d'une arme. L'incident s'était déjà produit...

L'accès s'interrompit tout d'un coup, comme à l'ordinaire, et le magicien releva peu à peu la tête. Erius peinait à recouvrer son souffle et, les poings crispés contre ses flancs, tanguait légèrement. Ses prunelles étaient aussi dépourvues d'expression que celles d'une poupée.

Rheynaris passa le nez à la porte.

« C'est fini », lui souffla Nyrin en le congédiant d'un geste avant de se relever pour prendre le roi doucement par le bras. « Je vous en prie, Sire, asseyez-vous. Vous n'en pouvez plus. »

Aussi docile qu'un gosse harassé, Erius se laissa ramener jusqu'à la couchette et, s'adossant contre la cloison, ferma les paupières. Le magicien se dépêcha de ramasser l'écritoire et d'en rassembler tout le contenu, puis déplaça une carpette afin de camoufler la flaque d'encre.

Le temps d'achever ce ménage rudimentaire, et le roi avait rouvert les yeux, mais il conservait, comme toujours au sortir de ces fichues crises, l'air d'un homme égaré dans un brouillard douteux. Nyrin reprit place sur son tabouret.

« Qu'est-ce que... – de quoi étais-je en train de parler ? croassa finalement Erius.

— De l'écuyer de votre neveu, Sire. Nous déplorions la goujaterie de certaines personnes à la cour qui lui font grief de ses origines. En le traitant, je crois, de "chevalier de merde" et de "bouseux" Le prince

Korin a toujours assuré sa défense de la manière la plus passionnée.

— Quoi ? Passionné, vous dites ? » lui papillota le roi, tout en luttant pour se recomposer un semblant d'attitude. Pauvre bougre, qui persistait à se figurer que ses crises étaient assez fugaces pour que personne ne s'en soit jamais avisé... ! « Oui, passionné, comme sa chère mère, ma douce Ariani. La malheureuse se serait donné la mort, à ce qu'on m'assure... »

Comment s'étonner désormais du soulagement que le général Rheynaris avait laissé transparaître en annonçant qu'Erius quittait le champ de bataille ? Cela faisait une bonne année que ses missives secrètes étaient farcies d'incidents semblables. L'annonce de la mort d'Orun avait par exemple flanqué le roi dans une rogne si insensée qu'il avait fallu recourir aux potions d'une drysienne pour le calmer. Une réaction d'autant plus étrange que son estime pour le défunt s'était, grâce à Nyrin, singulièrement refroidie au cours des dernières années ; et alors qu'à force de minutieuses manœuvres de sape, le magicien venait finalement de réussir à le persuader de dessaisir Vieilles Tripes molles de sa tutelle en lui faisant gober que son influence sur le gamin relevait de la pure et simple félonie. À quoi rimait dès lors que la disparition du vieux l'affectait à ce point ?

Erius se frotta les yeux. Ce qui suffit à leur restituer leur acuité coutumière. « J'ai mandé aux garçons de venir nous rejoindre à Atyion. » Il émit un petit gloussement. « Mon fils m'avait écrit voilà quelque temps toute une bafouille afin de m'admonester pour que je laisse finalement le gamin visiter ses domaines.

— C'est Orun qui s'y opposait, naturellement, l'avisa Nyrin. Il avait remplacé l'intendant par une créature à lui et déjà commencé à se remplir les poches.

— Ce goinfre imbécile m'aura du moins épargné l'ennui de le faire exécuter. » Il se carra sur la couchette et gratifia le magicien d'une tape à l'épaule. « M'a tout l'air que vous l'aviez percé à jour. Il a fini par viser trop haut. J'aurais dû vous écouter plus tôt, je le sais, mais il s'était montré de mes bons amis durant les années noires où ma mère régnait encore.

— Votre Majesté a toujours fait preuve d'une fidélité légendaire. Il n'en reste pas moins que sa mort vous lègue des tas de problèmes. Entre autres qu'Atyion ne saurait rester sans administrateur.

— Cela va de soi. J'en ai confié la charge à Solari.

— À Lord Solari, mon roi ? » Le ressouvenir du jeune homme aperçu sur le pont fit chavirer le cœur de Nyrin.

« Duc Solari, dorénavant. Je l'ai nommé protecteur d'Atyion. »

Les poings crispés dans les plis de ses robes, le magicien fit de son mieux pour dissimuler son désappointement. Il avait escompté que le roi le consulterait avant de choisir le successeur d'Orun. Et voilà que la plus juteuse prune de tout le royaume était tombée hors de sa portée.

« Oui, il a bien plus de titres que n'en avait Orun. Il était l'un des officiers de Rhius, vous ne l'ignorez pas ; assez loyal, mais également ambitieux. » Les lèvres d'Erius s'amincirent en un sourire dépourvu d'ironie. « La garnison d'Atyion a confiance en lui. Et Tobin de même. Aussi l'ai-je déjà dépêché occuper ses fonctions.

— Quitte à reconnaître la sagacité d'un tel choix, je ne puis m'empêcher de m'interroger sur ce qu'en dira Tharin. Qui sait s'il ne nourrissait pas lui-même quelque espérance à cet égard ? »

Erius secoua la tête. « Tharin est un preux, mais il n'a jamais eu la moindre espèce d'ambition. N'eût été Rhius, il serait encore un deuxième cadet sans terre, et Atyion le verrait simplement se consacrer à l'élevage des chevaux. Nous n'avons pas à nous inquiéter de son opinion, m'est avis.

— Il veille on ne peut plus jalousement sur le petit prince, néanmoins. Il ne s'en laissera pas séparer.

— Pauvre type... Il n'a jamais eu d'yeux que pour Rhius. Je gage qu'il finira ses jours à tournicoter autour du gosse en se berçant de souvenirs moisis.

— Et Solari ? Sa loyauté vis-à-vis du prince est-elle aussi totale ? »

Le dur sourire reparut. « Elle l'est vis-à-vis de moi. Il protégera le prince aussi longtemps que cela lui garantira ma faveur. Mais que ma faveur en vienne à changer de cours pour une raison ou une autre, et je me flatte que nous le trouverons tout prêt à servir son roi. À présent, dites-moi, c'est quoi, toutes ces histoires à propos de Korin et de je ne sais quelle boniche qu'il aurait engrossée ? Vous êtes au courant ?

— Eh bien..., oui, Sire, le fait est là, mais j'avais

jugé bon de vous épargner ce tracas jusqu'à votre retour. » Pour une fois, Nyrin se retrouvait totalement pris au dépourvu. Il n'avait appris la chose que quelques semaines auparavant, grâce à l'un des espions les plus guette-au-trou dont il disposait dans la domesticité même du Palais Vieux. Korin n'en savait rien lui-même, la gueuse ayant eu beaucoup trop d'esprit pour claironner partout la paternité du produit. « C'est une rien-du-tout, effectivement. Une certaine Kalar, si je ne me trompe. »

Erius ne le lâchait toujours pas des yeux. Sans doute s'interrogeait-il sur les motifs qui avaient dicté le silence de son magicien en chef.

« Me serait-il permis de parler en toute franchise, Sire ? » Lancé à toute allure, l'esprit de Nyrin mijotait déjà de retourner la situation à son avantage.

« Vous savez pertinemment quel cas je fais de vos avis.

— Comme je ne suis ni père ni guerrier, je vous prie de me pardonner si je déparle par ignorance, mais le prince Korin m'alarme de plus en plus. Vous avez été absent si longtemps que vous reconnaîtrez à peine le jouvenceau qu'il est devenu. Ces filles avec lesquelles il couche et les beuveries... »

Il s'interrompit, à l'affût de quelque signe menaçant, mais Erius se contenta d'opiner du chef pour l'inviter à continuer.

« Parce qu'il est un homme, à présent, un homme vigoureux et bien entraîné. J'ai entendu maître Porion dire, et plutôt deux fois qu'une, que les jeunes guerriers sont comme des limiers de chasse racés ; si vous

264

les tenez à l'écart du gibier, ou bien ils engraissent et se ramollissent, ou bien ils deviennent vicieux. Permettez-lui de fournir la carrière de guerrier pour laquelle vous l'avez formé, et tout le reste tombera de soi-même à l'eau. Il ne vit que dans l'espoir de vous complaire.

« Mais outre cela, Sire, il faut que le peuple voie en lui un successeur digne de ce nom. Ses débordements sont déjà la fable de toute la ville, et par quels hauts faits contrebalancer les ragots ? » Il laissa s'appesantir un silence entendu. « Et puis voilà qu'il procrée des bâtards. Vous voyez sûrement où cela risquerait de mener ? Faute d'héritier légitime, même un de la main gauche pourrait bien trouver des partisans... À plus forte raison s'il s'agit pour le coup d'une fille. »

Les jointures d'Erius blanchirent, mais le magicien savait comment fredonner sa chanson. « La seule idée que votre antique lignée pourrait être souillée d'un sang si vulgaire...

— Vous avez tout à fait raison, c'est une évidence. Abattez cette chienne avant qu'elle ne mette bas.

— J'y veillerai personnellement. » Il l'aurait fait de toute manière ; il ne comptait pas souffrir l'ombre d'une rivale de sang royal – fût-elle comme en l'occurrence une simple avortonne ancillaire – à sa propre Nalia.

« Ah, Korin, Korin, quels tourments tu me donnes... ! » Le roi secoua la tête. « Il est tout ce que je possède, Nyrin. Je n'ai vécu que dans la terreur de le perdre depuis la disparition de sa mère et de ses frères et sœurs. Et je n'ai pas été capable d'avoir un seul enfant d'aucune autre femme entre-temps. Ils sont tous venus au monde ou bien mort-nés ou bien si monstrueux qu'il ne pouvait être question de les laisser survivre. Ce bâtard, maintenant... »

Le magicien n'avait que faire de toucher l'esprit du roi pour savoir ce qui s'agitait dans son cœur et pour deviner les mots qu'il ne parvenait décidément pas à proférer. *Et si mon fils n'engendre lui aussi que des monstres ?* Cela ne laisserait pas que d'être la preuve définitive de la malédiction d'Illior sur sa propre lignée...

« Il atteindra sous peu l'âge de se marier, Sire. Équipez-le d'une épouse riche et de bonne famille, et il vous donnera de beaux petits-enfants bien sains.

— Vous avez raison, comme d'habitude. » Le roi exhala un long soupir. « Que ferais-je sans vous, hein ? Vous ne sauriez imaginer combien je rends grâces aux Quatre de l'extraordinaire longévité qu'ils concèdent à vos pareils. Car vous êtes toujours un jeune homme, Nyrin, et la certitude que vous vous tiendrez encore auprès du trône de Skala durant des générations m'est d'un puissant réconfort. »

Le magicien s'inclina bien bas. « Tel est en effet le seul but de mon existence, Sire. »

Le paysage qui s'étendait au nord d'Ero entremêlait depuis la côte jusqu'aux montagnes à peine discernables à l'ouest des moutonnements de forêts et de champs cultivés. Les arbres, s'avisa Ki, commençaient tout juste à bourgeonner, mais des crocus et des crêtes-de-coq émaillaient les labours et les fossés fangeux. Dans les villages que l'on traversait, les temples et les oratoires du bord de la route étaient décorés de guirlandes de ces deux fleurs à l'occasion de la Fête de Dalna.

Atyion ne se trouvant qu'au terme d'une longue chevauchée, les Compagnons et leur escorte tuaient le temps en se régalant mutuellement d'histoires et de chansons. Tobin allait de découverte en découverte dans les contrées que l'on parcourait, mais Ki connaissait déjà la route pour l'avoir empruntée jadis avec son père, puis avec Iya quand la magicienne l'avait emmené vers le sud pour gagner le fort.

Au matin du second jour émergea devant eux un gigantesque chapelet d'îles qui formait comme une troupe déchiquetée d'énormes baleines éparses sur l'horizon. Lorsqu'on modéra l'allure afin de laisser reposer les chevaux, Porion, Tharin et le capitaine de Korin, un sombre seigneur aux traits hâlés du nom de Melnoth, trompèrent l'ennui du voyage en contant mille anecdotes sur leurs combats contre les pirates et les Plenimariens dans ces eaux-là, et ils évoquèrent l'île sacrée de Kouros où le premier des hiérophantes et son peuple avaient débarqué avant d'y installer leur cour.

« Là-bas, les gars, les pierres elles-mêmes suent la magie de façon sensible, affirma Porion. Mais une magie totalement étrangère aux Quatre.

— Tout ça parce que les Anciens gribouillaient leurs sortilèges un peu partout sur les rochers et en barbouillaient les cavernes en surplomb des vagues, ajouta Melnoth. Le hiérophante avait eu beau faire franchir la mer au culte des Quatre, jamais il ne réussit à déloger les antiques pouvoirs qui étaient et demeurent tapis là. Et voilà pourquoi, dit-on, son fils déménagea la cour à Benshâl.

— Des rêves bizarres m'y hantaient invariablement, lâcha Tharin d'un air pensif.

— Mais des marques semblables, il y en a bien tout le long de la côte sur les rochers, non ? demanda Korin. Les Anciens habitaient sur tout le pourtour de la mer Intérieure.

— Les Anciens ? finit par questionner Tobin.

— Les tribus des monts, comme on les appelle de nos jours, expliqua Porion. Une peuplade de petits noirauds qui pratiquent toujours les voies primitives de la nécromancie.

— Des voleurs de première, en plus ! ajouta l'un des gardes. Les honnêtes gens les traquaient jadis comme de la vermine.

— Oui, nous faisions ça, marmonna le vieux Laris, mais avec l'air de le déplorer.

— Du moment que ce qu'il en reste se cantonne dans les montagnes, ils ne risquent pas grand-chose », déclara Korin, d'un ton aussi faraud que si c'était lui qui les avait forcés à s'y réfugier.

D'autres y allèrent aussi de leurs racontars. Le peuple des monts sacrifiait des jouvenceaux et des mioches à sa déesse maléfique. En pleins champs, comme des bêtes, que ça copulait sous telle et telle lunes, et ça ne bouffait que de la viande crue. Leurs sorcières pouvaient se métamorphoser à volonté en fauves et en démons, vous frapper de démence et convoquer les morts.

Comprenant trop bien que c'étaient des congénères de Lhel qu'il était question, Tobin dut serrer les dents pour ne pas céder à la tentation de discuter quand certains des soldats les plus âgés se mirent, avec force sarcasmes et jurons, à jacasser d'envoûtements. Ki souffrait manifestement tout autant que lui d'entendre débiter ces sornettes infâmes ; à deux reprises, la sorcière lui avait sauvé la vie, et il l'aimait. Elle n'était à ses yeux qu'une guérisseuse experte au maniement des simples, et ils avaient tous deux trouvé en elle une amie pleine de sagesse.

Tobin ne pouvait néanmoins nier par-devers lui qu'elle avait recouru pour ses sortilèges à l'emploi du sang, ainsi que de petits bouts d'os de Frère. À présent qu'il y réfléchissait, cela pouvait effectivement passer pour de la nécromancie. Une image un peu floue lui fusa dans l'esprit. Celle d'une aiguille étincelant à la lueur du feu, tandis que les larmes sanglantes de Frère tombaient dans le vide. La cicatrice laissée par la liaison se mit à le démanger, et force lui fut de se gratter pour en apaiser le prurit.

« N'empêche qu'il y a des quantités d'excellentes familles skaliennes dont les membres se découvriraient de ce sang dans les veines, s'ils s'avisaient seulement de consulter là-dessus leurs aïeules, avançait cependant Tharin. Et pour ce qui est de cette fameuse magie, je me figure que j'en aurais moi-même volontiers fait tout l'usage possible s'il avait pris fantaisie à une meute d'étrangers de me déposséder de mes terres. Et vous auriez agi de même, tous tant que vous êtes. »

Si son intervention n'obtint que quelques hochements rétifs, elle lui valut en revanche la gratitude de Tobin. Lhel n'avait jamais dit que du bien de Tharin. Que penserait-il d'elle, lui ? s'interrogea le petit prince.

Peu à peu, la route se détourna des côtes vers l'intérieur, et la densité des bois où l'on s'enfonçait finit par étouffer la rumeur de la mer. Vers le milieu de l'après-midi, Tharin immobilisa le cortège en montrant du doigt deux piliers de granit qui flanquaient la route. Tout érodés et tapissés de mousse qu'ils étaient, Tobin parvint à y discerner les contours en creux, presque effacés, d'un chêne à la vaste membrure.

« Tu comprends ce que signifient ces bornes ? » lui demanda le capitaine.

Tobin exhiba le sceau de son père : le rouvre qui s'y déployait présentait le même aspect. « Elles marquent la frontière, n'est-ce pas ?

— Prends la tête et pénètre en tes terres, cousinet, lui dit Korin avec un grand sourire. Quant à vous autres, allez, un ban général pour Tobin, prince d'Ero, fils de Rhius et légitime Rejeton d'Atyion ! »

La troupe tout entière se mit à marteler ses boucliers tout en faisant retentir des acclamations lorsque Tobin relança Gosi d'une poussée. Il se fit l'effet d'un idiot, dans tout ce boucan. Surtout qu'au-delà des piliers se poursuivait de part et d'autre la même forêt drue qu'avant.

Quelques milles plus loin, cependant, les bois cédèrent la place à une vaste plaine découverte où la route multipliait les méandres en direction de la mer, au loin. En atteignant le sommet d'une côte, Korin tira sur les rênes et tendit l'index. « Et voilà, tu as sous les yeux le plus opulent des domaines en dehors d'Ero ! »

Tobin en resta bouche bée. « Tout ça, c'est... à moi ?

— Oui-da ! Ou le sera, de toute manière, à ta majorité. »

Dans le lointain s'apercevait une grande ville ancrée dans la boucle d'une rivière sinueuse qui se tortillait comme une couleuvre jusqu'à la mer. Parmi les cultures où s'entrelaçaient des murets de pierre s'ordonnaient de beaux corps de fermes. Dans certains enclos broutaient de-ci de-là des troupeaux de moutons et de grandes hardes de chevaux. D'autres délimitaient des labours et des vignes en plein bourgeonnement.

Mais Tobin n'avait d'yeux que pour la ville et pour le château qui surplombait de toute sa masse la plaine étalée le long de la rivière. De hautes courtines de pierre constellées de bastions circulaires et d'encorbellements d'où saillaient des hourdis de pierre et de bois les ceignaient tous deux du côté des terres. De forme carrée, le château lui-même était surmonté par deux grandes tours en grès brun rougeâtre. Presque aussi vaste que le Palais Neuf mais fortifié de façon bien plus impressionnante, il frappait de nanisme la ville en contrebas.

« C'est donc ça, Atyion ? » souffla Tobin, époustouflé. Il avait eu beau s'en entendre vanter le grandiose et l'opulence prodigieux, l'absence totale de point de comparaison le lui avait fait tout bonnement imaginer comme une espèce d'agrandissement du fort de Bierfût.

« Je t'avais bien dit que c'était colossal », fit Ki.

Tharin mit sa main en visière pour scruter les longues bannières qui flottaient au sommet des tours et sur le faîtage pointu des encorbellements. « Ce ne sont pas là tes couleurs.

— Je ne vois pas non plus celles de Père, ajouta Korin. Paraîtrait que nous arrivons à temps pour l'accueillir, somme toute. À toi de marcher devant, Tobin, et d'apprendre ton arrivée à ces flemmards obtus ! »

Pendant que les porte-étendards s'élançaient au triple galop dans les ornières et la gadoue pour annoncer les princes, les Compagnons suivirent à grand trot. Ovationnés par les fermiers et les meneurs de bestiaux qu'ils croisaient au passage, ils finirent par trouver les portes encombrées par des tas de gens accourus pour les saluer. En haut de la poterne figurait bien, fichée au bout d'une longue hampe, l'oriflamme de Tobin, mais il y en avait une seconde, au-dessous, celle, soleil d'or sur champ vert... – Tharin et lui la reconnurent instantanément –, celle de Solari. À un détail près, toutefois. Car l'emblème qui ornait l'extrémité de la hampe était non pas le bandeau de bronze imparti aux lords, mais le croissant d'argent des ducs.

« M'a tout l'air que Père a déjà choisi le nouveau lord protecteur d'Atyion..., commenta Korin.

— Non sans une promotion à la clef, fit observer Tharin.

— Il était bien le vassal de ton père, n'est-ce pas, Tob ? » reprit le prince héritier.

Tobin acquiesça d'un simple hochement de tête.

« Eh bien, voilà qui vaut mieux que le prédécesseur ! s'exclama Tharin. Ton père en serait ravi. »

Tobin n'en était pas si sûr. Solari, c'est au fort qu'il l'avait vu pour la dernière fois, lorsqu'on y avait rapporté les cendres de Père. À l'instar de Lord Nyanis, ç'avait été l'un des hommes liges les plus dignes de confiance du duc Rhius. Seulement, le jour où il était venu prendre congé, Frère était apparu pour mettre en garde l'orphelin, tout bas, contre sa félonie...

Il vient de prédire au capitaine qui le seconde : « *D'ici un an, c'est moi qui serai seigneur et maître d'Atyion »...*

« C'est lui qui est seigneur et maître d'Atyion, maintenant ? demanda-t-il.

— Non, ce titre-là, c'est toi qui en as hérité de plein droit, lui assura Tharin. Mais Atyion n'en doit pas moins avoir un protecteur jusqu'à ce que tu aies l'âge d'en assumer toi-même la charge. »

Alertée par l'irruption des porte-étendards, une foule encore plus dense s'était massée sur la place du marché, par-delà les portes. Tout en se bousculant à qui mieux mieux pour essayer d'entr'apercevoir le fils de leur ancien duc, ils étaient là par centaines à rire et à brandir vers lui des mouchoirs et des morceaux de tissu bleu. Korin et les autres marquèrent un peu le pas pour mieux lui laisser prendre les devants. Le vacarme se rythma peu à peu, et la population se mit à scander son nom :

« To-bin ! To-bin ! To-bin ! »

Après avoir promené alentour un regard stupéfait, il finit par lever la main et par esquisser un geste hésitant. Les acclamations redoublèrent. Alors qu'ils n'avaient jamais posé les yeux sur lui, tous ces gens semblaient pourtant le connaître de vue et l'aimer déjà.

Son cœur se gonfla d'une fierté qu'il n'avait jamais éprouvée jusqu'alors. Tirant l'épée, il salua la foule. Celle-ci s'écarta pour lui laisser emprunter, dans le sillage de Tharin, la rue tortueuse et pavée qui conduisait au château.

Des gosses et des chiens gambadaient follement près de leurs montures, des femmes se penchaient aux fenêtres de chaque étage, agitant des écharpes en signe de bienvenue pour le cortège qui défilait en dessous. Un coup d'œil par-dessus l'épaule permit à Tobin de constater que Ki se montrait tout aussi radieux que si les lieux étaient sa propriété personnelle.

Leurs regards se croisèrent, et celui-ci lui brailla : « Hein, qu'est-ce que je t'avais dit ?

— Enfin chez soi ! » lança Tharin qui d'aventure avait surpris l'échange.

Tobin avait toujours considéré le fort comme son

274

véritable *chez lui*, mais Tharin était né ici, et Père également. Eux deux, c'étaient ces rues-ci qu'ils avaient parcourues à cheval ensemble, c'était le long de ces remparts et sur les berges de cette rivière-ci qu'ils avaient joué, tout comme dans le château dont se dressait là-haut la silhouette imposante.

Tobin retira de son col la bague et le sceau puis les enferma dans son poing, tout en imaginant Père amenant sa jeune épouse recevoir ici le même genre d'accueil. Mais au sentiment tout neuf de rentrer chez soi se mêlait déjà comme une mélancolie ; cette demeure aussi, il aurait dû y vivre...

La ville était propre et prospère. Les places de marché qu'ils traversèrent étaient bordées de boutiques et d'échoppes, et les immeubles de pierre et de bois se révélaient de belle facture et en excellent état. Il semblait en outre y avoir un peu partout des enclos peuplés de chevaux superbes.

On avait presque atteint l'enceinte du château quand Tobin s'avisa tout à coup qu'il n'avait pas vu de mendiants dans les rues, non plus que d'indices de peste.

Une large douve séparait la ville des murs du château. Le pont-levis se trouvait abaissé par-dessus, ils le franchirent et, après avoir enfilé la poterne au galop, pénétrèrent dans un baile immense.

À l'abri des courtines extérieures apparut là tout un petit village de baraquements, d'écuries, de chaumières, de forges et d'ateliers divers bien alignés en rangs.

« Lumière divine ! s'exclama Lutha. On pourrait fourrer dans un tel espace quasiment tout le Palatin ! »

Il s'y voyait encore de nouveaux enclos à chevaux, ainsi que des flopées de moutons, de chèvres et de pourceaux surveillées par des gosses qui gesticulèrent avec enthousiasme sur le passage de Tobin.

Des haies de soldats bordaient son chemin ; certains arboraient ses couleurs, d'autres celles de Solari. Ils braillaient son nom et celui de Korin, interpellaient Tharin et martelaient leurs boucliers avec leurs arcs et la garde de leurs épées tandis que le cortège défilait entre eux. Malgré tous ses efforts pour les dénombrer, Tobin y perdit sa peine. Ils étaient des centaines. Il eut néanmoins le plaisir de reconnaître certaines figures, de-ci de-là ; autant d'hommes qui avaient servi sous les ordres de Père.

« Pas trop tôt que t'as amené le prince à la maison ! » cria un vieux de la vieille à Tharin, tout en retenant au bout de sa chaîne un énorme vautre qui bondissait en aboyant avec fureur. Tobin eut comme l'impression que c'était à lui qu'en voulait précisément le monstre.

« T'avais promis que je le ferais tôt ou tard ! » riposta le capitaine en beuglant. Ce qui déclencha un tintamarre encore plus assourdissant.

Solari et une dame blonde guettaient leur venue, campés en haut du large perron d'accès au château.

Le héraut emboucha sa trompette et y souffla un appel strident puis cria d'une voix aussi forte que solennelle : « Salut à vous, Korin, fils d'Erius et prince royal de Skala, et à vous, prince Tobin, fils de Rhius et d'Ariani, Rejeton d'Atyion ! Le duc Solari, seigneur d'Evermere et de Belport et lord protecteur d'Atyion, et sa gente épouse la duchesse Savia vous souhaitent la très bienvenue. »

Tobin sauta à bas de sa selle et laissa ce fameux protecteur-là descendre jusqu'à lui. Les boucles et la barbe noire de Solari se montraient désormais plus largement saupoudrées de gris, mais ses traits rougeauds conservaient un air juvénile, nota-t-il, pendant que l'autre mettait un genou en terre et lui présentait son épée, garde en avant.

« Mon seigneur, c'est un immense honneur pour moi que de vous accueillir dans la demeure de votre père, la vôtre à présent Sa Majesté le roi Erius m'a nommé lord protecteur d'Atyion jusqu'à votre majorité. Je vous conjure humblement de m'accorder votre bénédiction. »

Tobin saisit la poignée de l'arme en fixant durement le faux-jeton droit dans les yeux. Mais, en dépit de l'avertissement de Frère, il ne discerna là que bienveillance et que respect. Après tout, Frère pouvait s'être trompé..., s'il n'avait tout simplement menti, comme dans le cas de Ki, pour semer la zizanie ?

Face au sourire tendu vers lui, l'hypothèse que Frère avait tort lui parut préférable. « Je vous accorde ma bénédiction, duc Solari. Ce m'est un plaisir que de vous revoir. »

Solari se releva. « Que Votre Altesse me permette de Lui présenter ma femme. »

Lady Savia fit un plongeon vertigineux puis l'embrassa sur les deux joues. « Bienvenue chez vous, mon prince. Il y a si longtemps que je brûlais de vous connaître !

— Je présume que je manquerais à ma dignité si je t'attrapais pour te jucher sur mes épaules comme autrefois ? reprit le mari, ses yeux noirs pétillant de malice.

— Je crains que oui ! s'esclaffa Tobin. Permettez-moi de vous présenter à mon royal cousin. Et vous vous rappelez mon écuyer, sieur Kirothius. »

Le duc serra la main de Ki. « Vous avez tellement grandi, tous les deux, que j'ai peine à vous reconnaître. Hé, mais voici Tharin aussi ! Comment va, vieil ami ? Ça fait trop longtemps.

— En effet, trop longtemps.

— J'ai eu l'impression de me conduire comme un intrus, à me balader dans ces salles sans vous et Rhius. Mais à présent que son fils se trouve enfin ici, les choses et le monde commencent à recouvrer un semblant d'aplomb.

— Vous êtes là depuis longtemps ? demanda Tharin. Nous n'avons rien su de votre nomination.

— C'est avant que nous n'appareillions de Mycena que le roi m'a investi de cette charge, et puis il m'a expédié en avant-coureur apprêter la maison pour la visite du prince Tobin et en prévision de sa propre arrivée.

— Et Lord Nyanis, il va bien ? » s'enquit Tobin. De tous les généraux de Père, c'était celui qu'il aimait le mieux. Il ne l'avait pas revu non plus depuis la fatale journée de Bierfût.

« Pour autant que je sache, mon prince. J'en suis sans nouvelles, autrement. » Il leur fit gravir le perron. « J'ai passé cette dernière année tout entière aux côtés de Sa Majesté dans le camp royal. Nyanis doit pour sa part demeurer retranché avec le général Rynar au-dessus de Nanta jusqu'à ce que nous sachions à quoi nous en tenir sur la validité de la trêve. »

Comme on allait franchir l'arceau du porche, le panneau sculpté qui surmontait les portes attira l'œil de Tobin ; il représentait un poing gantelé brandissant l'épée de Sakor ceinte de guirlandes. Il toucha son cœur et sa garde en passant dessous, et Korin fit de même. Mais Tharin, que la vue de l'emblème avait déjà renfrogné, fut loin de se dérider quand un individu basané et trapu que sa longue tunique et sa chaîne d'argent révélaient être un intendant se fendit d'une profonde révérence à leur entrée.

« Où est donc Hakoné ? demanda-t-il à Solari.

— Hélas pour ce pauvre vieux, sa santé de plus en plus précaire a fini par l'empêcher de remplir ses fonctions, répondit celui-ci. Orun l'avait remplacé par un bigleux de son cru, mais je m'en suis débarrassé dare-dare, et j'ai pris la liberté de confier le poste à Eponis, en qui j'ai toute confiance et qui appartient à ma propre maisonnée.

— Comme celle de faire flotter vos propres couleurs sur la forteresse, observa crûment Tharin. À son arrivée, le prince Tobin a cru un moment qu'il s'était trompé de demeure.

— La faute en est à moi, Votre Altesse, gargouilla Eponis en se fendant d'une nouvelle révérence à Tobin. Je vais y faire remédier sur-le-champ.

— Merci », fit Tobin.

Les Solari leur firent traverser une pièce de réception où l'encens brûlait à vous entêter devant un oratoire domestique aussi vaste qu'une boutique. Un chat noir était assis devant, qui, la queue lovée autour de ses pattes, darda sur eux des prunelles semblables à deux pièces d'or. Une vieille lice à museau gris reposait amicalement à ses côtés, mais l'approche de Tobin la fit aussitôt se dresser sur ses membres raides et s'esquiver, l'échine basse, tandis que le chat se contenta de lui décocher un clin d'œil placide avant de se remettre à la toilette de son museau.

Par-delà s'ouvrit une galerie à colonnes qui aboutissait dans la grande salle. En découvrant les splendeurs de celle-ci, Tobin eut le souffle coupé.

En dépit des flots de lumière éclatante que le plein midi déversait par les baies percées tout en haut des murs, les croisées d'ogives se perdaient dans l'ombre. Les alignements de piliers qui portaient la voûte laissaient entrevoir des chambres latérales. Le sol était marqueté de briques de couleurs serties en motifs zigzagants, et d'immenses tapisseries revêtaient les parois. De quelque côté qu'il portât ses regards, l'or et l'argent semblaient se complaire à l'éblouir : vaisselle plate exhibée sur de grands dressoirs, boucliers et autres trophées de guerre accrochés aux piliers, statues..., cependant que des vases et des coupes aux formes gracieuses s'alignaient sur les étagères d'une bonne douzaine de longs buffets. Une escouade de domestiques en livrée bleue campait au milieu de la pièce. Sous une table dressée à proximité se prélassait une chatte blanche, tétée par une portée de chatons jaunes et blancs. Tout au bout de la salle batifolaient en se roulant par jeu deux autres chats, l'un noir et blanc, l'autre zébré de jaune. Installé parmi l'argenterie d'une crédence voisine, un énorme matou noir flammé de blanc sur la poitrine se léchait une patte arrière. Jamais Tobin n'avait vu pareille profusion de chats dans un intérieur. Atyion devait être infesté de souris, pour avoir besoin d'en héberger autant...

En entendant Tharin pouffer dans sa barbe auprès de lui, Tobin se rendit compte qu'il se montrait pantois comme le dernier des manants. Il n'était d'ailleurs pas le seul.

« Flamme divine ! » s'étrangla Lutha, sans parvenir à proférer un mot de plus. Même Alben et ses petits copains en demeuraient babas.

« J'ai assigné des serviteurs à chacun des Compagnons, puisque aucun d'entre vous n'est familier des aîtres, annonça Eponis. Il est facile de s'égarer, si l'on ne connaît pas tous les tours et détours.

— Tu parles ! s'exclama Lutha, ce qui suscita l'hilarité générale.

— Sieur Tharin peut me servir de guide, à moi, déclara Tobin, qui tenait à l'avoir en permanence à portée de main.

— Vos désirs sont des ordres, mon prince.

— Des nouvelles de mon père ? demanda Korin.

— Il devrait nous arriver demain, Votre Altesse, répondit Solari. Tout est prêt pour le recevoir. » Il se tourna vers Tobin et sourit. « Les domestiques vont vous mener à vos appartements, si vous souhaitez

281

prendre un peu de repos. Mais peut-être vous plairait-il de faire d'abord un petit tour de votre château ? »

Votre château. Tobin ne put s'empêcher de rayonner. « Oh, ça oui ! »

Ils passèrent l'après-midi en explorations, sous la conduite du protecteur et de Tharin. Les principaux quartiers d'habitation occupaient la première des tours et l'aile qui, bordée par les jardins, la reliait à la seconde. Laquelle servait de forteresse, de grenier, d'armurerie et de trésor. Tobin fut abasourdi d'apprendre qu'elle était susceptible de loger une armée de plusieurs milliers d'hommes en période de siège.

Parallèle à la précédente, une autre aile fermait le rectangle intérieur et abritait la domesticité, les cuisines, les lieux dévolus au brassage de la bière, au blanchissage et aux activités diverses de la maisonnée. Une vaste salle recelait des nuées de tisserands dont les métiers cliquetaient sans trêve ; dans la pièce contiguë, des dizaines de femmes et de jeunes filles assises côte à côte chantaient en filant sur leurs rouets la laine et le lin destinés à ceux-ci.

Dans l'espace délimité par l'ensemble des bâtiments s'étendaient d'immenses jardins peuplés de bosquets d'où émergeait l'élégante architecture d'un petit temple consacré à Illior et Sakor. Les étages supérieurs de la tour seigneuriale ouvraient directement dessus par des galeries en arcades.

Tobin et sa cohorte avaient les pieds fourbus et les yeux vannés quand Solari les abandonna dans leurs appartements respectifs pour aller veiller aux préparatifs du festin du soir.

Situées à l'étage supérieur de l'aile royale, les chambres des Compagnons donnaient sur une galerie haute d'où l'on dominait les jardins. Tobin et Korin avaient chacun la sienne, les autres se trouvant répartis entre deux vastes dortoirs d'hôtes.

Une fois seul avec Tharin et Ki, Tobin, le cœur battant plus fort, jeta un coup d'œil circulaire sur celle qui lui était échue. Elle avait manifestement appartenu à quelque adolescent de sa parenté. Les tentures du lit étaient décorées de coursiers galopants, et les murs tapissés d'armes et de boucliers. Sur un coffre se trouvaient soigneusement disposés des jouets : un vaisseau miniature, un cheval sur roues, une épée de bois.

« Ils sont absolument identiques à ceux que Père m'avait offerts ! » Du coup, son cœur manqua s'arrêter. « C'étaient les siens, ceux-ci, n'est-ce pas ? Nous sommes dans la chambre de Père, hein ?

— Oui. Nous y avons couché tous les deux jusqu'à... » Tharin s'interrompit pour se racler vigoureusement la gorge. « Elle aurait été la tienne. Aurait dû l'être. »

C'est juste sur ces entrefaites qu'une femme s'encadra sur le seuil. Sa tenue était celle d'une dame de la cour, et ses cheveux d'or pâli lui faisaient comme une couronne de nattes. Une chaîne d'or à laquelle était suspendu un copieux trousseau de clefs lui ceignait la taille. Elle était escortée d'un matou jaune tout couturé de balafres belliqueuses qui vint d'un pas nonchalant flairer les bottes de Tobin.

Malgré ses traits ridés qui trahissaient son âge, elle se tenait aussi droite qu'un guerrier, et la joie illuminait ses prunelles pâles quand, mettant avec une grâce exquise un genou en terre devant Tobin, elle lui baisa la main. « Bienvenue chez vous, mon prince. » Le chat se dressa sur ses pattes arrière et taquina leurs mains de sa tête à demi pelée.

« Je vous remercie, Dame », répondit Tobin, non sans se demander qui elle pouvait bien être. Son visage lui disait vaguement quelque chose, encore qu'il fût certain de la voir pour la première fois de sa vie. Mais Tharin étant là-dessus venu se planter auprès d'elle, il s'aperçut qu'ils avaient les mêmes yeux clairs, la même couleur de cheveux, le même nez droit et fort.

« Permettez-moi de vous présenter ma tante Lytia, dit le capitaine en réprimant du mieux qu'il pouvait l'envie de rire évidente que lui donnait la mine ahurie du petit. Il doit encore me rôder également dans le coin une petite pincée de cousins, m'est avis. »

Lytia opina du chef. « Grannia, qui règne sur les garde-manger, et Oril, qui est désormais Grand Écuyer. J'ai été pour ma part dame d'honneur de votre grandmère, mon prince, ainsi que de votre mère, à l'époque où elle habitait ici. Après quoi votre père m'a confié la garde des clefs. J'ose espérer que vous voudrez bien accepter mes services ?

— Bien entendu ! répliqua Tobin sans cesser de les dévisager tous deux tour à tour.

— Soyez-en remercié, mon prince. » Elle abaissa les yeux vers le chat qui, tout en se lovant autour des chevilles de Tobin, ronronnait bruyamment. « Quant à ce grossier personnage, c'est master Queue-tigrée, ratier-chef d'Atyion. Il reconnaît le maître de la maison, à ce que je vois. Il ne prodigue pas volontiers ses faveurs, sauf à moi-même et à Hakoné, mais il ne fait aucun doute qu'il s'est entiché de votre personne. »

Tobin s'agenouilla pour caresser précautionneusement le dos rayé du chat, qu'il s'attendait à voir se rebiffer contre lui comme le faisaient tous les chiens. Au lieu de quoi Queue-tigrée lui fourra sous le menton son museau moustachu et exigea d'être pris dans ses bras en titillant le tissu de sa manche avec ses longues griffes acérées. Aussi vigoureux que pesant, il avait des doigts supplémentaires aux quatre pattes.

« Regardez-moi ça ! s'écria Tobin, au comble du ravissement, Sept doigts ! J'en plains le rat qui passe à sa portée... » Les chats qu'il avait pu voir jusqu'alors dans les granges et les écuries étaient de vrais sauvages et vous crachaient des tas de trucs. « Et puis voyez, ce doit être un valeureux guerrier, il n'a reçu de blessures que par-devant. J'accepte également vos services, master Queue-tigrée.

— Il est une autre pièce que le prince devrait absolument voir, Tharin, murmura Lytia. J'ai prié Lord Solari de nous laisser le soin de la lui montrer.

— De quelle pièce s'agit-il ? demanda Tobin.

— De la chambre de vos parents, mon prince. Elle a été maintenue dans l'état même où elle se trouvait lorsqu'ils l'ont quittée. Je me suis dit que vous aimeriez la voir. »

Le cœur de Tobin lui martela douloureusement les

côtes. « Oui, je vous en saurais gré. Viens toi aussi, Ki », reprit-il en voyant que son ami demeurait en arrière.

Étreignant toujours le lourd matou contre sa poitrine, il longea le corridor sur les talons de Tharin et de Lytia jusque devant une large porte toute ciselée d'arbres fruitiers et d'oiseaux à longues queues flottantes. Dame Lytia prit une des clefs du trousseau puis fit jouer la serrure.

Le vantail pivota sur une pièce magnifiquement aménagée que baignaient les derniers feux de l'après-midi. Les courtines du lit, bleu sombre, étaient brodées de couples de cygnes blancs en vol, thème que reprenaient en écho les tapisseries recouvrant les murs. Une grande baie permettait d'accéder au balcon d'où l'on surplombait les jardins. Quelqu'un avait tout récemment fait brûler dans la chambre de la cire d'abeille mêlée d'encens. Tobin n'en perçut pas moins les relents sous-jacents de renfermé qu'exhalent les lieux inhabités depuis bien longtemps, mais ceux-ci ne rappelaient nullement les remugles de lèpre et de moisissure qu'il avait pu connaître au fort. Ici, rien n'évoquait non plus la désolation des pièces à demi démeublées de la maison d'Ero. On avait pris le plus grand soin des lieux où il se trouvait, autant de soin que si leurs occupants devaient revenir bientôt.

Des quantités de boîtes et de coffrets fantaisie formaient un charmant désordre sur une coiffeuse, et tout ce qu'il faut pour écrire attendait sur le secrétaire installé devant l'une des hautes fenêtres à meneaux. Des hanaps bariolés d'émaux s'alignaient sur une console à l'autre extrémité de la pièce et là-bas, près de la cheminée, des figurines d'ivoire sculpté patientaient sur leur échiquier rutilant.

Après qu'il l'eut déposé à terre, Queue-tigrée s'attacha à ses pas tandis qu'il faisait le tour de la chambre, touchant ici les tentures du lit, prélevant là une pièce du jeu, caressant ailleurs du bout du doigt les incrustations du couvercle d'un coffret à bijoux. L'envie le taraudait de découvrir ici quelque écho de Père, mais il était par trop conscient d'être au centre de tous les regards.

« Merci de m'avoir montré », dit-il enfin.

Lytia lui adressa un sourire compréhensif tout en lui glissant la clef dans la paume et reployant ses doigts dessus. « Tout ceci est à vous, maintenant. Venez ici autant qu'il vous plaira. On y tiendra les choses toujours prêtes à vous accueillir. »

Sur ce, rien qu'à la façon dont elle pressa doucement sa main, il devina qu'elle savait de quoi il était en quête, et qu'il ne l'avait pas trouvé.

18

On servit le festin, le soir, dans la grande salle, où trois longues tables avaient été disposées en demi-cercle. Tobin et Korin se trouvaient naturellement à celle de la famille Solari. Issu d'un premier lit, le fils aîné du duc était pour le moment retenu ailleurs par le service du roi. Etaient en revanche présents les enfants de Savia – deux garçonnets et une adorable petite fille appelée Rose qui passa l'essentiel du repas sur les genoux du prince royal. Aux Compagnons s'étaient adjoints comme convives des amis et des lieutenants du lord protecteur, ainsi qu'un certain nombre de riches marchands d'Atyion. Même abstraction faite du boucan de vaisselle et de plats, tout ce beau monde faisait un vacarme qu'étaient fort loin d'atténuer les processions sempiternelles de bardes et de ménestrels.

Tobin avait beau occuper la place d'honneur au centre de la table surmontée d'un dais, ça vous crevait les yeux que le rôle d'hôte était tenu par Solari. C'étaient ses hommes qui servaient à table, c'était lui qui commandait les plats, les vins, lui qui faisait se succéder les jongleurs et les baladins. Il chouchouta toute la soirée Korin et Tobin, choisissant à leur intention les meilleurs morceaux de chaque service et leur vantant les vertus de chaque vin, tous crus issus de cette fine fleur du genre qu'étaient les vignobles fameux d'Atyion.

Les plats succédaient aux plats, chacun d'entre eux suffisant en soi pour constituer un banquet. Debout près de l'entrée de service, dame Lytia les inspectait tous minutieusement avant de permettre qu'on les emporte à la table haute. Le premier se composait à lui seul de bœuf à la moutarde et de perdrix, de pluviers, de bécasses et de bécassines rôtis. Suivit celui de poisson, qui comportait des anguilles en gelée, du grondin au sirop, de la friture de vairons, du brochet fumé en croûte, et des moules à l'étuvée farcies de fromage et de chapelure. Pour le dessert se distinguaient trois sortes de gâteaux et de savoureuses tourtes aussi croquantes qu'onctueuses et merveilleusement décorées.

Et cependant vous tenaient compagnie des dizaines de chats du château, qui sautaient sans façons sur les tables en quête de miettes et empêtraient les pieds des serviteurs. Tobin tenta bien de repérer çà ou là son nouvel ami, mais Queue-tigrée demeura constamment invisible.

« Les coqs d'ici couvrent d'opprobre ceux des cuisines royales, duchesse ! s'exclama Korin en se pourléchant allégrement les doigts.

— Tout le mérite en revient à Lady Lytia, répliquat-elle. Elle supervise les menus, régente les cuisiniers et veille même à l'achat des diverses denrées. Je ne sais comment nous ferions si nous ne l'avions pas.

— D'ailleurs, tenez, la voici qui nous apporte en personne le clou de cette soirée ! » s'écria Solari.

Au même instant, Lytia introduisait en effet deux serviteurs portant une pâtisserie géante sur un brancard. À son commandement, ils la déposèrent devant Tobin. La croûte dorée en était finement décorée du rouvre d'Atyion flanqué de deux cygnes réalisés en pâte et dont un glaçage multicolore mettait en valeur les détails exquis.

« Dans l'espoir de vous divertir, le premier soir de votre séjour parmi nous, mon prince », dit-elle en lui tendant un long coutelas enrubanné de bleu.

« Ce serait trop dommage d'abîmer un pareil chef-d'œuvre ! se récria-t-il. Agréez tous mes compliments, Dame !

— Coupez-le ! coupez-le ! » s'impatienta la petite Rose en gigotant sur les genoux de Korin et en claquant des mains.

On ne peut plus perplexe quant à ce que pouvait bien contenir la pâtisserie, Tobin plongea la lame au centre de la croûte, et le monument s'effondra en mille morceaux, libérant toute une volée de minuscules oiseaux vert et bleu qui prirent leur essor tout autour de la table. Les chats bondirent parmi les couverts pour leur donner la chasse, à la grande joie de tous les invités.

« Votre admirable tante est une véritable artiste ! » lança Solari par-dessus les têtes à Tharin, qui accueillit l'éloge en opinant simplement du chef.

Sur un signe de Lytia parut un second brancard chargé d'une pâtisserie identique mais qui se révéla cette fois fourrée d'un flan de prunes à l'eau-de-vie.

« Tous produits de vos domaines et de vos celliers, mon prince », annonça-t-elle fièrement avant de lui servir la première portion.

Un gros chaton noir et blanc s'étant juché sur ses genoux pour flairer son assiette, Tobin en caressa la fourrure soyeuse. « Que de chats ! Jamais je n'en avais tant vu...

— Il y en a toujours eu à Atyion. » Lytia régala l'indiscret d'un peu de flan tendu sur le bout de son doigt. « Leur passion pour la lune les fait bénéficier de la faveur d'Illior.

— Ma vieille nourrice m'a dit que c'est en raison de cela qu'ils dormaient tout le jour et pouvaient voir leurs proies dans les ténèbres, intervint Korin en plaçant le chaton dans le giron de Rose. Je suis navré que Père ne puisse en souffrir seulement la vue... »

Le chaton venait tout juste de retourner d'un saut sur les genoux de Tobin quand Queue-tigrée émergea de dessous la table en grondant. Un bond le jucha sur le bras du fauteuil, un revers de patte éjecta le chaton dont il vint occuper tout de go la place.

« Vous devez être singulièrement chéri par l'Illuminateur pour que cette brute-là vous fasse des avances, observa Solari sans dissimuler l'aversion que lui inspirait le matou. Je ne puis m'en approcher si peu que ce soit. » Il tendit la main pour lui grattouiller le crâne, mais Queue-tigrée coucha ses oreilles en arrière en crachant si fort qu'il le fit précipitamment renoncer. « Vous voyez ? » Il secoua la tête, pendant que le chat se mettait à lécher le menton de Tobin en ronronnant outrageusement. « Mmmouais, singulièrement chéri, à la vérité ! »

Tout en caressant l'échine du chat, Tobin se rappela une fois de plus l'avertissement de Frère.

À la pâtisserie succédèrent fromage et fruits secs, mais il était si rassasié que c'est tout juste s'il réussit encore à grignoter quelques dragées. Une nouvelle troupe de ménestrels avait fait son entrée avec les friandises, et certains des convives commençaient à lancer les dés parmi les coupes. Au demeurant, personne ne faisait mine de vouloir aller se coucher.

Complètement sonné quant à lui par les trop nom-breux mélanges de vins qui lui faisaient tourner la tête, Tobin invoqua la fatigue pour prendre congé dès qu'il put le faire sans impolitesse.

« Bonne nuit, cousinet de mon cœur ! » lui cria Korin en se dressant tant bien que mal pour lui donner une accolade titubante. Comme par hasard, il était beaucoup plus ivre que Tobin.

En voyant que tout le monde se levait aussi pour lui souhaiter une bonne nuit, celui-ci présuma que la fête allait se prolonger fort tard, mais cela se ferait sans lui, voilà tout. Tharin et Ki sortirent avec lui. Quant à Queue-tigrée, il joua les éclaireurs en trottinant devant, sa queue zébrée dressée comme une hampe d'éten-dard.

Le gamin trouva la compagnie du capitaine encore plus à son gré que d'ordinaire, car un guide n'était pas de trop dans ce labyrinthe inouï de corridors et d'escaliers. En atteignant un carrefour inconnu, Tharin s'immobilisa. « Si tu n'es pas trop crevé, Tobin, il y a encore quelqu'un d'autre que j'aimerais te faire connaître.

— Un autre parent ?

— En quelque sorte. Hakoné a commencé à servir ta famille du temps de ton arrière-grand-père. Il n'a pas un instant cessé de désirer te rencontrer depuis le jour où il a appris ta naissance. Ça compterait énor-mément pour lui, de te voir.

— Très bien. »

Se détournant de leur direction initiale, ils délais-sèrent la tour principale, descendirent un escalier puis traversèrent les jardins vers l'un des accès aux cuisines. L'arôme du pain en train de cuire entêtait le couloir au bout duquel ils franchirent une porte ouverte qui révéla une armée de boulangers qui s'activaient à travailler la pâte sur des planches à pâtisserie. Tobin aperçut au bout de la pièce une grande bringue à cheveux gris qui, tout en touillant le contenu d'un énorme chaudron, se trouvait en pleine discussion avec l'une de ses compagnes.

« Ma cousine Grannia et la cuisinière en chef, lui dit Tharin. Inutile de nous arrêter ; elles débattent comme un couple de généraux du menu de la bataille qui doit se livrer demain en faveur du roi. »

Après avoir dépassé d'autres cuisines, ils grimpèrent une volée de marches étroites. Les domestiques qu'ils n'arrêtaient pas de croiser saluaient le capitaine d'un ton chaleureux et Tobin avec une déférence énamourée.

« On dirait presque qu'ils te connaissent déjà, n'est-ce pas ? » fit Ki.

Vers le milieu d'un corridor des plus ordinaires où la jonchée crissait sous leurs pas, Tharin s'arrêta pour pousser une porte sans même y frapper. Au-delà somnolait au fond d'un fauteuil flanqué d'un brasero le vieillard le plus chenu qu'eût jamais vu Tobin. Quelques bouchons de cheveux flancs frisottaient autour de son crâne luisant, et une maigre barbe jaunâtre s'effilochait jusqu'au creux de sa poitrine. Une chatte jaune tout aussi vétuste reposait dans son giron. Queue-tigrée la rejoignit d'un bond puis, sur un échange amical de frotte-museaux, se pelotonna contre elle pour se laisser toiletter les oreilles.

Le vieil homme se réveilla et, louchant vers ses genoux avec des yeux chassieux, tripota la tête de Queue-tigrée d'une main crochue aux jointures violacées. « Ah, c'est donc toi, hein ? » Sa voix grinçait comme des gonds rouillés. « Venu rendre visite à ta vieille mère, mais sans même lui apporter de cadeau, bougre d'étourdi ? Que te dit de ça, Ariani ? »

Suffoqué, Tobin mit un bon moment à comprendre que ces mots s'adressaient à la chatte. Tout en maintenant désormais son matou de fils avec une patte équipée de sept doigts, ladite Ariani lui débarbouillait la figure. Et lui se laissait faire, aussi docile que comblé.

« Il n'est pas venu seul, Hakoné », dit Tharin en forçant le ton.

Après avoir traversé la pièce et enfermé la main du vieillard dans la sienne, il fit signe à Tobin et à Ki de se rapprocher.

« Enfin de retour, Theodus ! » s'exclama le vieux. Apercevant alors les deux gamins, il s'illumina d'un sourire attendri et tout édenté. « Ah, et voilà mes petits chéris ! Dis-moi donc, Rhius, tu me rapportes combien de grouses, aujourd'hui ? Oh, ce sont des lapins ? Et toi, Tharin, tu as eu de la chance ? »

Tharin se pencha davantage. « C'est moi, Tharin, vous vous rappelez, Hakoné ? »

Le vieux lui décocha un regard torve puis secoua la tête. « Bien sûr, mon gars. Pardonne-moi. Tu m'as pris en train de rêvasser. Mais alors, lui, ça doit être... » Il s'étrangla, tâtonna pour attraper la canne placée près de son fauteuil. « Mon prince ! s'écria-t-il en s'efforçant de se redresser, ce qui fit décamper les chats.

— De grâce, ne vous levez pas », dit Tobin.

Des larmes inondèrent les joues creuses d'Hakoné qui se laissa retomber dans son fauteuil. « Veuillez excuser la faiblesse d'un vieux débris de mon espèce, mais je suis tellement, tellement heureux, mon prince ! Je commençais à craindre de ne plus vivre assez longtemps pour vous voir enfin ! » Il tendit des mains tremblantes et y cueillit le visage de Tobin. « Hélas, que ne puis-je vous voir plus distinctement ! Bienvenue chez vous, mon garçon. Bienvenue chez vous ! »

Une boule se forma dans la gorge de Tobin, à la pensée que le vieillard l'avait pris pour Père. Il s'empara des deux mains d'Hakoné. « Grand merci, mon bon ami. Et merci encore d'avoir si longtemps servi ma famille. Je... j'espère que vous avez toutes vos aises, ici ?

— C'est trop aimable à vous de vous en inquiéter, mon prince. Il doit y avoir un tabouret par là. Tharin, un siège pour le prince ! Et rapproche-moi la lampe. »

Une fois Tobin installé près de lui, Hakoné l'examina plus minutieusement. « Oui, ça va mieux. Rien qu'à vous regarder ! Les yeux de votre chère mère et les traits du duc. Tu ne trouves pas, Tharin ? Fait l'effet d'avoir à nouveau devant nous notre cher Rhius.

— Tout à fait », confirma Tharin, non sans un clin d'œil au petit. Ils savaient pertinemment tous deux qu'il n'avait guère l'heur de ressembler à ses parents, mais Tobin se sentait déjà beaucoup de sympathie pour le vieil homme, et il était enchanté de le rendre heureux.

« Et ce garçon-là doit être l'écuyer dont tu m'avais parlé ? reprit Hakoné. Kirothius, c'est bien ça ? Approche, petit, que je te voie un peu. »

Ki se mit à genoux près du fauteuil, et Hakoné lui tâta les épaules, les bras, les mains. « Un brave et solide gaillard, hé ! fit-il d'un ton charmé de connaisseur. Des mains dures comme du fer. Vous avez des mains de guerriers, tous les deux. Tharin a beau ne me faire que des éloges de vous, je gage que vous devez faire des tas de bêtises, exactement comme le faisaient Rhius et ce chenapan-là ! »

Tobin et Ki échangèrent un petit sourire en coin. « Tharin était un chenapan ?

— Eux deux ! pouffa Hakoné. N'arrêtaient pas de se bagarrer avec les mioches du village et de nous piller les vergers. Te rappelles, Tharin, la fois où Rhius a descendu la meilleure brebis laitière de ta mère ? Lumière divine ! un jour sur deux qu'il me fallait vous courir après avec la cravache, l'impression que j'en ai gardée... »

Tharin marmonna quelque chose, et Tobin se délecta de constater qu'il rougissait.

Sur un nouveau gloussement rouillé, l'ancien intendant tapota la main de Tobin. « Même qu'ils m'ont farci de sucre les greniers à sel, une fois, juste avant un banquet donné en l'honneur de la reine en personne, figurez-vous ça ! Évidemment qu'un coup pareil, l'instigateur, c'était le petit Rhius, mais sur qui retomba le blâme, et qui écopa du fouet, si ce n'est notre bon Tharin ? » Ce souvenir lui arracha un nouvel accès d'hilarité, mais qui eut tôt fait de se changer en quintes de toux.

« Du calme, Hakoné », le pressa Tharin en se dépêchant d'aller prendre sur le buffet une coupe de vin qu'il lui porta aux lèvres.

Le vieillard aspira bruyamment une gorgée dont une bonne partie lui dégoulina le long de la barbe. Après avoir laissé s'apaiser quelque peu sa respiration sifflante, il exhala un gros soupir. « Mais c'est fini, maintenant, tout ça, bel et bien fini, n'est-ce pas ? Tu es un homme mûr, et Rhius est mort. Tant et tant de morts... » Sa voix s'éteignit dans un souffle, et ses paupières se fermèrent. Tobin croyait qu'il s'était endormi quand, au bout d'un moment, il se redressa et lança d'un ton sec : « Le duc n'a plus de vin, Tharin ! Descends vite aux caves m'en... » Il s'arrêta pile et les dévisagea tour à tour. « Non, je battais à nouveau la campagne, hein ? C'est à toi qu'incombe la tâche, à présent, Kirothius. Allez, sers ton prince, mon gars. »

Ki se mit vivement debout pour obtempérer, mais Tobin le retint d'un geste. « Permettez-moi de décliner votre offre, mon bon ami. Nous sortons tout juste de table, et nous avons déjà bu plus que de raison. »

Hakoné se rencogna dans son fauteuil, et la vieille chatte en profita pour récupérer sa place dans son giron. Queue-tigrée s'enroula, lui, aux pieds de Tobin.

« J'ai été fâché de trouver votre chaîne suspendue au cou d'un étranger, fit Tharin en ressaisissant la main d'Hakoné. Je me figurais que Lytia serait la personne toute désignée pour vous succéder. »

Un reniflement lui répondit. « L'ouvrage de Lord

Orun, ça. Le roi nous avait déjà expédié une demi-douzaine de nouveaux domestiques après la mort de la princesse..., puisse Astellus lui aplanir les voies. » Il se baisa le bout des doigts avec déférence avant de les appuyer sur son cœur. « Et puis, dès celle de Rhius, Orun a dépêché un homme à lui. Oh, le changement s'imposait désormais, bien sûr – je suis aussi aveugle que la chèvre de Bilairy, et mes jambes ne me portent plus –, mais celui-là..., le sale type que c'était, avec son strabisme et sa gueule de déterré ! Ça n'a fait de peine à personne, quand Solari te l'a débarqué... Tu n'en as pas moins raison, le poste aurait dû revenir à ta chère tante, alors. Parce que ça faisait déjà plusieurs années que toutes les fonctions d'intendant, c'était elle, ici, qui les remplissait, il ne lui manquait que le titre.

— Je vais dire à Solari de la nommer, intervint Tobin.

— J'ai bien peur que tu ne sois pas encore en mesure de le faire, objecta Tharin. Sur de pareils sujets, c'est au lord protecteur qu'il appartient de décider, tant que tu n'es pas majeur.

— Dans ce cas, je ne suis pas le seigneur et maître d'Atyion, si ? Pas réellement. »

La main d'Hakoné trouva la sienne et la serra. « Vous l'êtes, mon garçon, et personne d'autre. J'ai entendu les gens acclamer votre entrée, tout à l'heure. C'est le cœur de votre peuple que vous avez vu s'exprimer là-dehors. Il soupirait après vous tout autant que moi-même. Solari est un chic type, et il entretient bien vivant le souvenir de votre père dans les troupes.

Laissez-le patiemment veiller à votre sécurité, pendant que vous-même servez le prince royal. »

Au même instant s'entendit au-dehors un tumulte étouffé. Ki ouvrit la porte, et il découvrit un groupe de cuisinières et de filles de cuisine qui se pressaient dans le couloir.

« S'il vous plaît, Sieur, nous désirions simplement voir le prince », dit en leur nom à toutes une femme âgée. Dans son dos, les autres acquiescèrent d'un hochement de tête plein d'espoir tout en se démanchant le col pour essayer d'entr'apercevoir Tobin.

« Du large, vous ! leur lança Hakoné de sa voix la plus râpeuse. Il se fait trop tard pour déranger Son Altesse !

— Ne les renvoyez pas, s'il vous plaît, protesta Tobin. Elles ne me dérangent nullement. »

Ki libéra le seuil, et elles entrèrent en multipliant les courbettes, une main sur le cœur. Plusieurs de leurs doyennes avaient les yeux humides. Celle qui avait parlé s'agenouilla pour serrer les mains de Tobin.

« Prince Tobin..., enfin ! Bienvenue chez vous. »

Bouleversé une fois de plus, il se pencha et l'embrassa sur la joue. « Merci, ma bonne. Je suis trop content de me trouver là. »

Elle se toucha la joue puis prit ses compagnes à témoin. « Hein, vous voyez ? Je vous l'avais bien dit que bon sang ne pouvait mentir ! Rien de tout le reste n'a d'importance.

— Veux-tu bien tenir ta langue, Mora ! jappa le vieil intendant.

— Ne vous tracassez pas, le reprit Tobin. Je suis au

courant des bruits qui courent sur ma personne comme sur ma mère. Il en est même certains d'exacts, entre autres quant au démon... Mais je vous donne ma parole à tous que je tâcherai d'être digne de la mémoire de mon père et un bon maître d'Atyion.

— Il n'a strictement rien qui doive vous alarmer, folles que vous êtes ! les rembarra le vieux, plus bourru que jamais. C'est un nouveau Rhius qui nous est né là. Transmettez-moi ça à l'office. Et maintenant, filez, retour à vos tâches ! »

Elles se retirèrent incontinent, à l'exception de celle que Tharin lui avait désignée comme sa cousine.

« Qu'y a-t-il ? questionna Tobin.

— Eh bien, mon prince, je... » Sans achever sa phrase, elle se dandina, ses mains gercées entortillées dans le devant de son tablier. « M'est-il permis de m'en ouvrir, Hakoné ? »

Le vieillard consulta Tharin du regard. « Quel mal peut-il y avoir à le demander ?

— Vas-y, Grannia.

— Eh bien, mon prince, bredouilla-t-elle, c'est simplement que..., bref, à Atyion, nous sommes un bon nombre à avoir servi dans les rangs de l'armée, jadis. Vous savez, là-bas, Catilan, votre cuisinière, au fort de Bierfût ? Elle était mon sergent. Nous faisions partie des archers de votre grand-père.

— Elle m'en a parlé, en effet.

— Eh bien, le fait dont il s'agit, prince Tobin, est que votre père nous avait donné la permission de continuer à nous entraîner, pourvu que ce soit de façon discrète, et d'enseigner le métier des armes à celles

300

des jeunes filles qui désireraient s'initier. Votre bon plaisir est-il que nous persistions à le faire ? »

Et voilà, il se retrouvait confronté au même mélange d'espoir et de frustration qu'il avait tant de fois vu Una manifester... « Je n'aurais garde de rien modifier à ce qui fut la volonté de Père, répondit-il.

— Soyez béni, mon prince ! S'il vous arrivait jamais d'avoir besoin de nous, il vous suffirait de nous le mander.

— Je m'en souviendrai », promit-il.

Grannia lui fit une dernière révérence des plus pataudes avant de s'enfuir, le visage enfoui dans son tablier.

« Bravo, Tobin, fit Tharin pendant qu'il le ramenait à ses appartements. D'ici l'aube, ta réputation se sera répandue dans toute la maison. Ton père peut se glorifier à tous égards de chacun de tes faits et gestes de la soirée. »

Sefus et Koni montaient la garde près de sa porte au bout du corridor.

« Tu restes avec nous ? demanda Tobin au capitaine en arrivant à destination. C'était ta chambre, après tout.

— Je te remercie, Tobin, mais c'est à présent la tienne et celle de Ki. Ma place est avec mes hommes. Bonne nuit. »

Une baignoire fumante attendait les garçons, et Tobin fut bien aise de s'y plonger pendant qu'un page aidait son écuyer à allumer les veilleuses.

Immergé dans l'eau bouillante jusqu'au menton,

Tobin s'abîma dans la contemplation des vaguelettes qui clapotaient sur les parois de bois lisses. Una lui revint à l'esprit, ainsi que toutes les femmes dont on avait bafoué l'honneur de guerriers. Il revit en pensée, du coup, l'espoir et la tristesse qui se disputaient la physionomie de Grannia.

Le frisson qui le parcourut suffit à faire courir de nouvelles rides à la surface du cuvier. Si Lhel et Iya ne s'abusaient pas, s'il était *réellement* appelé à changer de sexe un jour ou l'autre, les généraux consentiraient-ils à suivre une femme ? Aujourd'hui, c'était le fils du duc Rhius qu'avaient acclamé ces soldats. N'allait-il pas tout perdre en révélant ce que la sorcière et les magiciens affirmaient être son véritable visage ?

Il examina son corps : la vigueur de ses bras et jambes, la fermeté de leurs muscles, son torse plat, son ventre dur et le vermisseau pâle et glabre qu'il avait entre les cuisses. Au cours de ses virées dans les bas-fonds du port avec Korin, il avait vu suffisamment de femmes nues pour savoir que tout cela n'avait rien à voir avec leur morphologie. S'il changeait... Non sans grelotter, il reploya ses mains sur ses organes génitaux, et leur émoi sensible sous ses doigts lui parut rassurant.

Peut-être qu'ils se trompent ! Peut-être que...

Peut-être n'aurait-il jamais à changer. Il était prince, il était le fils d'Ariani et de Rhius. Ces titres-là suffisaient amplement pour les soldats qu'il avait rencontrés ici. Peut-être bien qu'Illior s'en contenterait, lui aussi ?

Il se glissa sous l'eau et s'y frotta énergiquement les cheveux. Il ne voulait à aucun prix penser à des trucs pareils, cette nuit, cette nuit moins encore qu'aucune autre. On avait eu beau l'appeler prince toute sa vie, jamais il n'avait eu le sentiment de l'être jusqu'à aujourd'hui. À Ero, toujours l'avait frappé le fossé qui le séparait des gens dont l'existence entière s'était déroulée à la cour. Moche, gauche et obscur comme il l'était, il n'aurait pas, n'eût été son titre, mérité que le regard du dernier des courtisans se pose à deux fois sur lui. À ses propres yeux, il n'était, comme Ki, qu'un chevalier de merde, et bien heureux de l'être, en plus.

Seulement, voilà qu'il avait joui de l'adulation populaire. Voilà que les guerriers de Père avaient martelé leurs boucliers en son honneur et scandé son nom. Un jour, quoi qu'il puisse advenir, il se retrouverait à leur tête. Son imagination le régalait déjà de batailles et du fracas des armes. Il se voyait conduisant la charge, flanqué de Tharin et de Ki.

« Prince de Skala, Rejeton d'Atyion », se murmura-t-il tout haut.

Les éclats de rire de Ki le ramenèrent brusquement sur terre. « Votre auguste Altesse compte-t-Elle occuper la baignoire jusqu'à ce que son humble écuyer n'ait que de l'eau froide, ou bien me sera-t-il permis de L'y relayer ? »

Tobin lui adressa un grand sourire. « Je suis prince, Ki. Prince pour de vrai ! »

Tout en achevant de lui décrotter l'une de ses bottes

avec un chiffon, Ki émit un reniflement. « Qui donc a prétendu que tu ne l'étais pas ?

— M'est avis que *je* n'y croyais pas. Jusqu'à aujourd'hui.

— Eh bien, tu n'as jamais été rien d'autre pour moi, Tob. Comme d'ailleurs pour n'importe qui, sauf peut-être Orun, et vise un peu où ça l'a mené, non ? Cela spécifié, maintenant... » Il lui fit une révérence bouffonne. « Plongerai-je sous l'eau votre royale tête ou vous gratterai-je le dos ? Nous autres, piètre engeance, aimons bien ne pas attendre l'aube pour aller pioncer. »

En s'esclaffant, Tobin eut tôt fait de manier l'éponge et de céder la place tant que le bain était encore chaud.

C'est tout juste si Ki lui bredouilla trois mots de plus que : « Bonne nuit », avant de sombrer dans un profond sommeil. Tout éreinté qu'il était, Tobin, lui, ne parvint pas à s'endormir. Les yeux fixés sur les chevaux d'Atyion qui se poursuivaient dans les pâturages verdoyants de la tapisserie, il tenta de se représenter quelqu'une de ses ancêtres, son arrière-grand-mère peut-être, en train d'en tisser les motifs sur un somptueux métier. Père aussi les avait contemplés du fond de ce même lit, Tharin assoupi près de lui...

Avant d'emménager dans la chambre aux cygnes avec sa jeune épouse, au bout, songea-t-il. Ses parents y avaient couché côte à côte, y avaient fait l'amour.

« Et ses propres parents avant lui, et ceux de son propre père, et... », chuchota-t-il tout haut. L'envie le tenailla subitement de connaître la figure de ses aïeux, de retrouver ses traits quelconques à lui dans tel ou tel des leurs, de s'assurer, tout compte fait, qu'il était véritablement du même sang qu'eux. Il devait bien y avoir des portraits quelque part dans la maison. Il questionnerait là-dessus Tharin et Lytia dès le lendemain. Eux sauraient.

Le sommeil persistant à le fuir, ses pensées se reportèrent à la chambre aux cygnes, juste au bout du corridor. Et brusquement lui vint une autre envie, celle d'ouvrir les boîtes qu'il avait vues là, les armoires, et de chercher... – chercher quoi ?

Délaissant sa couche, il s'aventura jusqu'au porte-vêtements et fouilla dans sa bourse pour y prélever la clef que Lytia lui avait remise puis se mit à la considérer au creux de sa paume. Ce qu'elle semblait lourde... !

Après tout...

Se faufilant près du page assoupi, il entrebâilla la porte et pointa son museau dehors. De par-delà le coin lui parvenait la rumeur du timbre grave et réconfortant de Tharin, mais il n'y avait personne en vue. Il s'empara d'une veilleuse et se risqua sur la pointe des pieds dans le corridor.

Mais je n'ai pas besoin d'adopter l'allure furtive d'un rôdeur dans ma propre maison ! se morigéna-t-il. Ce qui ne l'empêcha pas de trotter comme une ombre jusqu'à la porte de ses parents et de retenir son souffle jusqu'à ce qu'il l'ait reverrouillée derrière lui.

À force de promener la lueur de sa veilleuse, il finit par en découvrir une autre qu'il alluma, avant de se mettre à faire le tour de la chambre à pas comptés, touchant au passage des objets que ses parents avaient touchés eux-mêmes : un montant du lit, un coffre, une coupe, les poignées d'une penderie. Maintenant qu'il s'y trouvait enfin seul, l'atmosphère de la pièce n'avait plus rien à voir avec celle de n'importe quelle autre. Il était dans *leur* chambre. Il essaya de se figurer l'air qu'elle aurait eu s'ils avaient eu le bonheur d'y vivre tous ensemble. Si tout ne s'était pas détraqué de manière si abominable.

L'une des boîtes de la coiffeuse se révéla contenir une brosse à cheveux de dame. À sa garniture s'enchevêtraient encore de longs fils sombres. Il en libéra quelques-uns qu'il s'enroula autour du doigt, tout en jouant à se faire accroire pendant un moment que ses parents se trouvaient là-bas, dans la grande salle, à rire, hanap au poing, avec leurs invités. Ils allaient arriver très bientôt, et ils le trouveraient là, qui les attendait pour leur souhaiter une bonne nuit...

Mais son subterfuge échoua ; il ne parvenait pas à imaginer l'effet que cela ferait. Glissant la main dans le col de sa chemise, il y dégrafa la chaîne et enfila la bague de Mère à son doigt pour mieux interroger les deux profils finement ciselés dans la précieuse pierre violette – cette pierre pour le choix et la taille de laquelle Père n'avait pas renâclé à faire le long voyage d'Aurënen, tant il aimait passionnément sa future épouse.

Mais quelle que fut la manière dont il s'y prît pour modifier son point de vue, le couple altier, serein qu'il scrutait de toute son âme était inconnu de lui. Pour avoir partagé cette chambre et partagé ce lit, partagé la même existence, ces étrangers-là n'avaient jamais rien partagé avec lui.

Sa curiosité ne s'en exacerbait pas moins, nourrie par son inconsolable solitude de toujours. Sans retirer la bague de son doigt, il ouvrit une nouvelle boîte où brillaient des parures abandonnées par Mère : un collier de perles d'ambre ciselé, une chaîne d'or aux maillons en forme de dragons, des boucles d'oreilles en émail serti de pierres lisses bleues comme un ciel d'été. La délicatesse de leur travail émerveilla Tobin ; pourquoi les avoir abandonnés ? Après les avoir remis à leur place, il souleva le couvercle d'un gros coffret d'ivoire. À l'intérieur se trouvaient toute une série de broches pour manteau en argent massif et un canif à manche de corne. Les objets d'un homme. Ceux de son père.

Il fit ensuite le tour des armoires. La première ne contenait, suspendues à des patères, que quelques tuniques démodées. Il en décrocha une et se l'appliqua sous le nez, dans l'espoir d'y percevoir l'odeur de Père. En la déployant à bras tendus, il se ressouvint de l'armure que Père lui avait remise avec la promesse de l'emmener se battre aussitôt qu'il serait assez vieux pour qu'elle lui aille. Cela faisait une éternité qu'il n'avait pas essayé de l'endosser.

Il enfila la tunique par-dessus sa chemise de nuit. Mais il avait eu beau grandir passablement depuis un an, l'ourlet lui en tombait largement au-dessous des genoux, et les manches dépassaient d'un bon pan le bout de ses doigts.

« Je suis encore trop petit », maugréa-t-il en la

replaçant sur sa patère avant de passer à l'armoire suivante. Il en ouvrit tout grand les portes et réprima un cri d'épouvante lorsque lui sauta au visage le parfum de Mère. Il n'émanait pas de son spectre, pourtant ; il provenait tout simplement de bouquets de fleurs aux tons passés qui, suspendus à des crochets, servaient à préserver les robes pliées là de toute odeur de renfermé.

Tobin s'agenouilla pour admirer les coloris féeriques de celles-ci. Mère avait toujours eu une prédilection marquée pour les tonalités somptueuses..., et combien l'étaient ces pourpres sombres, ces outremers, ces ors, ces jaunes safran, ces verts-là ! Vous auriez dit les teintes automnales d'une forêt de brocarts, de linons, de soieries, de velours. Il toucha les tissus d'une main d'abord hésitante, puis avec une espèce de voracité, lorsqu'il découvrit sous ses doigts des rehauts de broderie, des garnitures de fourrure, des perles bigarrées.

Une ardeur coupable s'empara de lui, et il se releva pour extraire des piles une robe émeraude à soutaches de renard neigeux. Il se pétrifia pour tendre l'oreille, à l'affût de pas dans le corridor, et puis il emporta sa proie vers le long miroir qui jouxtait le lit.

Il la brandit devant lui et s'aperçut alors que Mère avait dû être de la même taille que lui, car l'ourlet lui frôlait juste les orteils. Il la secoua vigoureusement pour la défroisser puis la remonta derechef jusque sous son menton ; désormais largement déployée, la jupe s'évasait autour de sa taille en longs plis gracieux.

Quelle impression cela ferait-il, si... ?

Follement confus d'un désir aussi inattendu, il s'empressa de rejeter la robe dans l'armoire. Mais, ce faisant, il provoqua la chute d'une grande cape de brocart crème jusqu'alors suspendue à une patère. Elle avait un haut col d'hermine et les épaules surpiquées de rayures bleues et argent.

Il s'était simplement proposé de la raccrocher, mais il advint qu'il se retrouva de nouveau face au miroir en train de s'y draper. Le lourd tissu l'enveloppa comme en une étreinte, et la doublure de satin sombre avait sur sa peau la fraîcheur de l'eau. Après avoir ajusté l'agrafe d'or du col, il laissa retomber ses bras le long de ses flancs.

La fourrure blanche lui caressa moelleusement la gorge quand il releva lentement les yeux vers son reflet. Il lui en coûta beaucoup d'y croiser son propre regard.

J'ai les mêmes cheveux qu'elle, songea-t-il en les secouant pour qu'ils cascadent sur ses épaules. *Et j'ai bel et bien ses yeux, comme tout le monde ne cesse de le répéter. Je ne suis pas aussi beau qu'elle l'était, mais j'ai ses yeux.*

La cape chuchota autour de ses chevilles lorsqu'il se rendit devant la coiffeuse et s'y empara d'une boucle d'oreille. Conscient qu'il devenait de plus en plus grotesque mais incapable de s'en tenir là, il l'emporta vers le miroir et l'approcha de son oreille. Était-ce à cause de la boucle, était-ce à cause de l'inclinaison de sa tête ? toujours est-il qu'il eut l'impression d'entr'apercevoir la fille que Lhel lui avait montrée. La pierre bleue était assortie à ses yeux, tout comme la broderie de la cape, et elle les faisait paraître encore plus bleus.

À la lumière indulgente de la petite lampe, *elle* paraissait presque jolie.

D'un doigt tremblant, il effleura le visage de sa vis-à-vis. Oui, c'était bien là l'inconnue qui lui avait rendu son regard, de la surface de la source. Il n'avait guère eu le temps de le faire alors, mais, maintenant, il la contemplait avec une surprise et une curiosité croissantes. Est-ce qu'un garçon la guignerait comme ses propres copains guignaient les filles qu'ils convoitaient ? L'idée que Ki le regarderait éventuellement de cette manière fit courir dans tout son être la sensation d'un frisson brûlant qui finit par se concentrer au creux de ses hanches comme les douleurs naguère causées par la marée lunaire, à ce détail près que celle-ci ne faisait pas mal. Au contraire même, puisqu'elle suscita sous sa chemise un début d'érection. Quitte à s'empourprer d'une pareille manifestation, il ne parvint pas à détourner son regard. Subitement envahi de nouveau par le sentiment par trop familier de sa solitude et de son défaut d'assurance, il eut recours à l'unique témoin dont il pût disposer.

Frère ne s'y réfléchissant pas, Tobin dut le prier de se placer à côté du miroir, de manière à pouvoir comparer leurs visages respectifs.

« Sœur », murmura le fantôme, comme s'il comprenait à demi-mot la peine inexprimable qui gonflait de plus en plus le cœur de Tobin.

Mais déjà s'était dissipée la fragile illusion. Campé

près du spectre jumeau ne se voyait plus que le reflet d'un garçon affublé d'un manteau de femme.

« Sœur, répéta Frère.

— C'est cela que tu vois quand tu me regardes ? » lui souffla Tobin.

Frère n'eut pas le loisir de répondre que des éclats de voix se firent entendre dans le corridor. En dépit de la porte dûment verrouillée, Tobin se pétrifia comme un lièvre apeuré, l'oreille attentive aux saluts qu'échangeaient Laris et Koni. Il ne s'agissait là que d'une relève de garde, il le savait bien, mais il n'en avait pas moins l'impression d'être comme un voleur à deux doigts de se faire prendre en flagrant délit. Que se passerait-il si quiconque s'avisait qu'il avait quitté sa chambre en pleine nuit pour venir fureter ici ?

Que se passerait-il si Ki l'y trouvait travesti de la sorte ?

« Va-t'en, Frère ! » siffla-t-il avant de se défaire en toute hâte de la cape et de la boucle d'oreille. Une fois mouchées les deux lampes, il s'aventura à tâtons vers la porte et resta aux aguets jusqu'à ce que les voix soient allées s'éteindre à l'autre extrémité du corridor.

Il rebroussa chemin vers sa propre chambre sans croiser âme qui vive et, lorsqu'il réintégra le lit, Ki ne remua ni pied ni patte. Après avoir tiré les couvertures par-dessus sa tête, il ferma les yeux et s'efforça de ne pas plus penser à la façon dont virevoltaient les lourdes soieries autour de ses jambes nues qu'aux minutes extravagantes durant lesquelles un visage différent du sien lui avait retourné le regard de ses propres yeux.

Je suis un garçon, se dit-il silencieusement, tout en resserrant la fermeture de ses paupières, *et un prince. Je suis un prince.*

19

Le lendemain, Korin fit lever tout son monde dès le point du jour, afin que chacun soit prêt pour la réception du roi. Le soleil émergeait au-dessus de l'horizon, et de longues bandes de brume s'effilochaient au ras de la rivière et des champs détrempés.

Après avoir revêtu leur maille et leurs corselets puis s'être enveloppés dans leurs manteaux les plus élégants, les Compagnons descendirent au rez-de-chaussée où les accueillit un formidable remue-ménage.

Des armées de serviteurs s'affairaient en tous sens et de toutes parts. La grande salle était déjà tendue aux couleurs du roi, et la vaisselle d'or y rutilait de mille feux. À l'extérieur, des tourbillons de fumée s'échappaient des cheminées des cuisines et de quantité de fosses creusées dans le potager, où l'on s'apprêtait à rôtir sur des lits de braises, à la manière mycenoise, des cerfs et des sangliers entiers. Des baladins de toute sorte grouillaient dans les pièces vacantes et les cours.

Sur tout cela régnait en maître, une fois de plus, le duc Solari. Tout en déjeunant avec Tobin et les autres, il évoqua les grandes lignes des divertissements et du menu de la soirée prochaine, non sans se faire assister constamment par l'intendant Eponis et par dame Lytia. Mais il interrompait son exposé à tout bout de champ pour s'enquérir auprès de Tobin : « Ces dispositions ont-elles l'heur de votre approbation, mon prince ? »

Comme ce genre de matières-là, Tobin n'y entendait goutte, il signifiait son accord total et sans réserve par autant de hochements muets à toutes les mesures décidées par le protecteur.

Ce préambule terminé, Lytia fit apporter par deux domestiques des boîtes recouvertes d'un linge. « Expressément réservé à nos hôtes les plus distingués. Une spécialité de la maison dont l'invention remonte à l'époque de vos arrière-grands-parents, prince Tobin. » Rabattant le couvercle de l'une d'entre elles, elle en retira un vase de verre empli d'exquises roses en verre filé. Tobin en demeura pantois ; un pareil chef-d'œuvre valait une douzaine de beaux chevaux. Mais ses yeux s'agrandirent encore davantage lorsqu'il vit Lytia casser nonchalamment un pétale rubis qu'elle se fourra dans le bec avant de lui en offrir un.

Non sans hésiter, Tobin l'effleura du bout de la langue puis se mit à rire : « Du sucre ! »

Solari gloussa tout en s'emparant d'une fleur. « Quand je vous disais que Lady Lytia était une véritable artiste !

— Ma grand-mère avait été envoyée par votre bisaïeule faire son apprentissage à Ero chez un célèbre confiseur, expliqua Lytia. Elle transmit son savoir-faire à ma mère, et ma mère à moi. Je suis bien heureuse que mes fleurs vous plaisent, mais que pensez-vous de

313

ceci ? » De la seconde boîte, elle retira un dragon de sucre translucide. Son corps soufflé était du même rubis que les pétales des roses, mais ses ailes arachnéennes, ses pattes et les épines de sa crête tombante étaient dorées. « Lequel de mes deux ouvrages préféreriez-vous pour ce soir ?

— Ils sont aussi stupéfiants l'un que l'autre ! Mais peut-être que le dragon serait plus séant pour honorer le roi ?

— Tant mieux, tu n'auras dès lors plus que faire de celui-ci ! » s'écria Korin, et son poignard fusa et heurta le vase en sucre. Lequel tinta comme du cristal et vola en éclats sur les plus gros desquels se rua la bande.

« Quel dommage de les briser... », dit Tobin, les yeux fixés sur la curée.

Tout en regardant les Compagnons se décocher à qui mieux mieux des coups de coude pour rafler les dernières bouchées, Lytia sourit. « Mais je ne les fais que pour qu'on les brise. »

Dès que le duc eut rendu sa liberté à Tobin, Korin voulut à toute force aller monter le guet devant les portes de la ville. Porion insista pour les accompagner, Tharin aussi se joignit à eux, mais le prince refusa toute espèce de garde.

Tobin n'eut pas de peine à reconnaître l'expression tout à la fois fiévreuse et mélancolique qui se lisait dans les yeux de son cousin. Elle lui rappelait trop bien l'époque où la cour des casernements le voyait lui-même rôder comme une âme en peine, impatient

314

de voir enfin Père et son cheval émerger des bois, au bas de la prairie. Que ne pouvait-il en ce jour partager la fébrilité de Korin, au lieu de se sentir tellement vaseux... ! Il avait passé toute la matinée à redouter quelque irruption de Frère mais, en dépit de sa vigilance constante, ne l'avait repéré nulle part.

À peine avaient-ils pris position devant la poterne que des bonnes gens se massèrent autour des Compagnons pour admirer leurs armes et leurs montures. Tout le monde avait l'air de connaître Tharin.

Les soldats qui arpentaient la place s'inventèrent de bons prétextes pour sortir se joindre aux badauds, et Tobin découvrit que causer avec eux n'avait vraiment rien de sorcier pour qui avait toujours plus ou moins vécu dans les jambes de combattants. Il les questionna sur leurs cicatrices et vanta les vertus de leurs arcs ou de leurs épées. Il n'eut pas besoin de les solliciter beaucoup pour qu'ils le régalent d'anecdotes sur ses père et grand-père, ainsi que sur certaines de ses tantes qui s'étaient battues sous la bannière de la reine par le passé. Nombre d'entre eux commençaient leurs récits par ces mots : « Vous aurez déjà entendu raconter qu'Untel (ou Unetelle)... », mais non, la plupart du temps, l'histoire d'Untel ou d'Unetelle était inconnue de lui, et il en venait à se demander pourquoi diable Père lui avait aussi peu parlé des aventures de ses ascendants personnels.

Midi survint, passa. Des marchands ambulants vinrent leur apporter de la viande et du vin qu'ils avalèrent sans démonter, telles des sentinelles à cheval.

Néanmoins, Tobin finit par en avoir assez d'attendre et par se lasser qu'on le dévisage ; aussi rallia-t-il ses petits camarades pour balader les gosses aller-retour en croupe sur la route, pendant que Korin et les plus âgés des Compagnons demeuraient à leur poste et contaient fleurette aux donzelles locales. Parées de leurs plus beaux atours pour la circonstance, elles faisaient à Tobin, avec leurs gazouillis, leurs gloussements, leur façon de se lisser les plumes et leurs agaceries aux jouvenceaux l'effet d'une volière de perruches multicolores.

Le soleil se trouvait à mi-chemin de son déclin quand finalement survint une estafette annonçant l'arrivée de Sa Majesté.

Korin et les autres se seraient précipités en pagaille au-devant du roi si Porion ne les avait aussitôt rappelés à l'ordre d'un aboiement furieux.

« De la tenue ! Formez les rangs, morbleu ! commanda-t-il, tout en baissant le ton par déférence pour les princes. Je me flattais de vous avoir mieux éduqués que ça. Vous ne désirez tout de même pas que le roi se croie attaqué par des malandrins, si ? »

La réprimande les fit se mettre en colonne comme il convenait, chaque gentilhomme flanqué de son écuyer, Korin et Tobin en tête. Vêtu de somptueux habits de fête, le couple Solari se présenta juste à temps pour se joindre à eux.

« Les dirait-on pas roi et reine eux-mêmes, hein ? » chuchota Ki.

316

Tobin opina du chef. Tous deux rutilaient de pierreries, et la sellerie fastueuse de leurs montures
éclipsait celle de Gosi.

On prit au galop la direction du nord, derrière les
bannières princières et ducale qui flamboyaient contre
le ciel presque vespéral. Au bout d'un mille à peu près
se distingua comme un mirage de couleurs éclatantes
qui se rapprochaient, suivies par une longue file de
soldats. Une vingtaine d'hommes armés et le porte-
étendard du roi ouvraient la marche. Derrière eux che-
vauchait Erius avec la fine fleur de ses nobles sujets.
Ses traits demeuraient encore indistincts, mais Tobin
le reconnut à son heaume doré. Malgré leur attirail
de guerre, ils portaient au poing plus de faucons et
d'émouchets que de boucliers. Le vent vif du soir
venant faisait claquer des dizaines d'étendards aristo-
cratiques.

L'interminable colonne de fantassins qui fermaient
le ban faisait dans la plaine l'effet d'un serpent rouge
et noir aux écailles de fer moirées.

Porion eut beau leur faire adopter un petit galop
moins lâche, cela n'empêcha pas les garçons de s'in-
terpeller mutuellement d'une voix vibrante, chaque
fois qu'ils repéraient les bannières de leurs pères ou
de tel ou tel parent.

Les deux troupes ayant eu tôt fait de brûler l'inter-
valle qui les séparait, Korin tira sur les rênes et sauta
de selle.

« À terre, Tob, murmura-t-il. Sur nos deux pieds
qu'on va saluer Père. »

Tous les autres avaient déjà démonté. Ravalant sa

317

peur, Tobin s'arma de courage pour haïr l'étranger qui était de son sang. Il tendit à Ki les rênes de Gosi puis suivit son cousin.

Il n'avait entrevu son oncle qu'une seule fois, mais il n'y avait pas de méprise possible, à présent. Même sans la dorure du heaume et les rinceaux dorés du plastron, Tobin aurait identifié Erius rien qu'à l'épée qui lui battait la jambe gauche : la fabuleuse Épée de Ghërilain. Elle, il avait appris à la reconnaître grâce aux petits rois et reines peints que Père lui avait donnés, puis il l'avait vue, sculptée de manière plus ou moins habile, au poing des effigies de pierre, dans le vestibule de la nécropole royale. S'il avait douté le moins du monde que l'épée tendue à lui par le fantôme de la reine Tamir en cette nuit déjà lointaine soit bien elle, il pouvait être tranquille désormais : c'était incontestablement celle qu'il avait en cet instant même sous les yeux.

Il n'avait en revanche jamais vu le visage du roi et, lorsqu'il releva finalement les yeux, il ne put réprimer un petit cri de stupeur ; Erius ressemblait étonnamment à Korin. Il avait la même belle figure carrée, la même gaieté dans les yeux. Ses cheveux étaient abondamment filetés de blanc, mais il se tenait sur son grand cheval noir avec un panache aussi martial que celui que pouvait déployer Père en personne lorsqu'il remontait sur le sien le chemin du fort.

Korin mit un genou en terre pour saluer son père. Tobin et les Compagnons imitèrent son exemple.

« Korin, mon garçon ! » s'écria Erius en sautant de

selle pour s'avancer vers eux. Sa voix grave avait des inflexions pleines de tendresse.

Au lieu d'en avoir peur ou de le haïr, Tobin éprouva pour lui un grand coup de cœur.

Envoyant au diable tout simulacre de dignité, Korin se jeta dans les bras de son père, et du sein des rangs s'élevèrent de folles acclamations tandis que tous deux s'étreignaient en s'administrant de grandes claques dans le dos, cependant qu'en l'honneur du roi les Compagnons battaient leurs boucliers avec la garde de leurs épées.

Au bout d'un moment, Korin s'avisa que Tobin était encore agenouillé, et il le planta sur ses pieds. « Voici Tobin, Père. Cousin, viens dire bonjour à ton oncle.

— Par la Flamme, dis donc, ce que tu as poussé ! s'esclaffa Erius.

— Sire. » Tobin entreprenait de s'incliner bien bas quand le roi l'accola vigoureusement. Durant une seconde vertigineuse, il se crut à nouveau dans les bras de Père, au creux du cocon que lui tissaient autour les senteurs si réconfortantes de sueur, de cuir et d'acier huilé.

Erius recula d'un pas puis se mit à le contempler d'un air si attendri que Tobin sentit ses genoux flageoler sous lui.

« La dernière fois que je t'ai vu, tu venais à peine de naître et tu roupillais dans les bras de ton père. » Il lui cueillit le menton d'une main ferme et calleuse, et sa physionomie prit un air nostalgique. « Tout le monde me le disait, que tu as les yeux de ma sœur. J'ai presque l'impression que c'est elle qui me regarde, murmura-t-il, sans se douter de la sueur froide superstitieuse que sa réflexion suscitait. Tobin Erius Akandor, vous n'avez pas un baiser pour votre oncle ?

— Pardonnez-moi, Sire », arriva-t-il tout juste à bredouiller. Sa haine et sa peur s'étaient évaporées dès le premier de ces sourires chaleureux. Et, du coup, il ne savait plus quel sentiment éprouver. Il se démancha le col, et ses lèvres frôlèrent la rude joue d'Erius mais, ce faisant, il se retrouva face à Lord Nyrin, planté juste derrière le roi. D'où était-il venu ? Pourquoi était-il ici ? Tout en masquant sa surprise du mieux qu'il pouvait, Tobin se recula précipitamment.

« Quel âge as-tu, maintenant ? demanda Erius, sans pour autant lui lâcher les épaules.

— Pas loin de douze ans et demi, Sire. »

Le roi pouffa. « Holala..., tant que ça ? Et déjà dangereux, comme duelliste, ce n'est qu'un cri ! Mais il ne faut pas te montrer si cérémonieux. Dorénavant, c'est "Oncle" que tu m'appelles, et pas autrement. Allez, dis-le, ne me fais pas davantage languir. Ça fait une éternité que j'attends cet instant.

— Vos désirs sont des ordres..., Oncle. » En relevant les yeux, Tobin aperçut son propre sourire, timide et traîtreux, reflété dans les prunelles sombres du roi.

À son grand soulagement, celui-ci finit par se détourner. « Duc Solari, j'ai ramené aussi, sain et sauf, votre propre fils. Nevus, va donc saluer tes parents. »

Il est ton ennemi ! se tança Tobin, les yeux attachés sur le roi qui riait avec Solari et le noble jouvenceau. Mais son cœur était inattentif.

Lorsqu'on repartit pour se rendre au château, Korin et Tobin encadrèrent le roi. Les trois Solari les précédaient, en compagnie des porte-étendards.

« Que te dit de ton nouveau gardien ? demanda Erius.

— Il me plaît infiniment plus que Lord Orun », avoua franchement Tobin. Désormais convaincu qu'il arrivait à Frère de mentir, il était tout prêt à moins marchander sa confiance à Solari, qui le traitait aussi gentiment qu'il l'avait toujours fait.

Cette réponse abrupte fit glousser le roi qui lui adressa un clin d'œil narquois. « À moi aussi. Mais, au fait, où est donc ton fameux écuyer ? »

Nous y voilà, songea Tobin, à nouveau sur la défensive. On ne l'avait pas seulement avisé de la désignation de Solari. Le roi lui réservait-il aussi un nouvel écuyer, noyé quelque part, derrière, dans les rangs ? Affichant un air résolu, il fit signe à Ki de se porter à leur hauteur. « Puis-je me permettre de vous le présenter, Oncle ? Sieur Kirothius, fils de sieur Larenth de La-Chesnaie-Mont. »

Ki réussit à se ployer pour une révérence solennelle en selle, mais la main qu'il pressa sur son cœur tremblait. « Sire, daignez accepter mes humbles services pour Votre Majesté et toute sa lignée.

— Ainsi, c'est lui, ce trublion de sieur Kirothius ? Redresse-toi, mon gars, que je te voie mieux. »

Ki obtempéra, les phalanges blanchies par leur crispation sur les rênes. Tobin redoubla d'attention pour observer le face-à-face, tandis que le roi toisait son ami. Dans son élégant costume neuf, ce dernier avait aussi fière allure que n'importe lequel des autres Compagnons. Tobin avait personnellement veillé à ce qu'il en soit ainsi.

« La-Chesnaie-Mont ? lâcha finalement le roi. Votre père serait donc un homme de Lord Jorvaï ?

— En effet, mon roi.

— Rhius a décidément choisi un drôle d'endroit pour aller pêcher l'écuyer de son fils. Pas votre avis, Solari ?

— C'est bien ce que j'ai pensé moi-même, à l'époque », répondit celui-ci par-dessus son épaule.

Erius comptait-il annuler leur lien d'emblée, là, au vu et au su de tout un chacun ? Ki demeura impassible, mais Tobin vit ses mains se serrer davantage encore sur les rênes.

Mais Solari n'en avait pas terminé. « Pour autant que je me rappelle, c'est à Mycena que Rhius avait connu Larenth et certains de ses fils, et leur valeur au combat l'avait impressionné. Solide souche provinciale, en disait-il, point gâtée par les intrigues et les chichis de cour. »

Tobin fixa l'encolure de Gosi, de peur de trahir sa stupéfaction. Il allait de soi que Père s'était vu forcé de mentir, mais lui n'avait jamais songé à se demander comment il avait pu s'y prendre pour justifier l'apparition de Ki.

« Un choix judicieux, si j'en crois la vue de ce beau gaillard, dit Erius. Nombre de mes grands feraient peut-être bien d'adopter l'opinion de Rhius. Tu as donc des frères, Kirothius ? »

Ki démasqua dans un grand sourire ses dents de

lapin. « Des flopées, pour servir Votre Majesté, si les façons rugueuses et le parler cru ne L'offusquent trop. »

Le roi se mit à rire de bon cœur à gorge déployée. « La cour ne perdrait rien, si les sincérités rustiques y avaient davantage de représentants. Dis-moi, Kirothius, et sans plus d'ambages, à présent, que te semble de ce fils que j'ai ? »

Tobin fut seul à remarquer l'imperceptible hésitation de Ki. « C'est un immense honneur que de servir le prince Korin, Majesté. Il manie l'épée mieux qu'aucun d'entre nous.

— Exactement comme il se doit ! » Erius tapa sur l'épaule de Ki puis fit un clin d'œil à Tobin. « Le choix fait par ton père est aussi bon que je m'y attendais, petit. Je ne romprai pas ce qu'il a béni. Aussi pourriez-vous cesser maintenant de m'avoir tous les deux cet air de chiens en manque d'herbe verte ?

— Merci, mon roi ! parvint à exhaler Tobin, si totalement submergé par une énorme vague de soulagement qu'il en avait le souffle presque coupé. Lord Orun était tellement monté contre lui... »

La bouche du roi se tordit en un petit sourire étrange. « Tu vois où ça l'a mené. Et dis-moi "Oncle", te souviens ? »

Tobin porta son poing à son cœur. « Merci, Oncle ! »

Profitant de ce que le roi se tournait à nouveau vers Korin, il se cramponna au pommeau de sa selle, étourdi par le soulagement de voir Ki conserver sa place, en définitive. Cette faveur, au moins, lui permettait d'aimer un peu son oncle.

La population d'Atyion tout entière avait beau se trouver là pour accueillir le roi, Tobin n'en eut pas moins l'impression que les ovations étaient bien moins assourdissantes que la veille. Et, cette fois, remarquat-il aussi, les troupes mises en avant dans la cour du château, c'étaient celles de Solari plutôt que les siennes.

La disparité des deux réceptions fut mieux que compensée par le festin du soir. Lytia s'était prodigieusement dépensée.

Les tables étaient drapées de rouge et jonchées d'herbes odoriférantes. Des bougies de cire en forme de rondelles flottaient à la surface de bassins d'argent, et des centaines de torches fichées dans les appliques des rangées de piliers qui la bordaient illuminaient la salle avec tant d'éclat qu'on pouvait même en admirer les voûtes décorées de fresques.

Sous la direction de Lytia et de l'intendant se succédèrent des kyrielles de plats plus exotiques et variés les uns que les autres. Tobin n'avait jamais rien vu de pareil. Un brochet colossal tremblotait sous son nappage d'aspic luisant. De modestes grouses étaient enchâssées dans des croûtes de pâte multicolores et façonnées de manière à présenter l'aspect d'oiseaux mythologiques à longues queues diaprées en plumes véritables. Des pelotons de crabes au garde-à-vous brandissaient entre leurs pinces des fanions de soie.

On apporta sur un bouclier un cerf rôti farci d'abats factices réalisés en fruits secs et en noix enfilés en guirlandes et laqués de miel à la muscade. Les desserts comportaient des poires truffées de crème brune fouettée, des pommes en pâtisserie fourrées de fruits secs et de hachis de veau, sans compter une nouvelle tourte volière recelant cette fois de minuscules fauvettes rouges. Aussitôt délivrées, celles-ci s'envolèrent en tournoyant vers les poutres, et les gens du roi lâchèrent leurs faucons puis s'esbaudirent en forcenés de la molle averse de duvet rouge qui ne tarda guère à les environner.

Lytia fit présenter ses dragons de sucre sur un plateau d'argent grand comme un bouclier de guerre. Chacun d'entre eux se distinguait par une posture un peu différente, tels se cabrant, tels ramassés comme pour bondir, et tous étaient disposés de manière à paraître en train de s'affronter les uns les autres. On les promena de table en table afin de les faire admirer par toute l'assistance avant de les abandonner à leur destin fatal.

Les écuyers assuraient le service à la table d'honneur. Tobin et les Compagnons siégeaient à la droite de Korin et du roi, Nyrin, Solari, sa femme et d'autres gentilshommes à la gauche de ce dernier. Tobin eut le plaisir de voir Tharin installé parmi ces intimes du souverain.

« Certains des hommes que je vois là faisaient-ils aussi partie de vos Compagnons personnels, Oncle ? demanda-t-il, pendant que les panetiers s'activaient à découper la première tournée de tranchoirs et déposaient ceux du dessus, les plus croustillants, devant Erius, Korin et lui.

— Votre maître d'armes était écuyer, avant que son maître ne soit tué sur un champ de bataille. Le général Rheynaris était l'un de mes acolytes, et le duc placé près de lui son écuyer. Tharin nous servait de sommelier. Ton propre écuyer me le rappelle au même âge. Regarde-moi ces Compagnons-là, Tharin, lança-t-il au capitaine assis vers le bout de la table en les lui désignant. Faisions-nous une aussi fine équipe, de notre temps ?

— M'est avis que oui, retourna Tharin. Mais ils nous auraient quand même donné pas mal de fil à retordre, sur le terrain.

— Surtout votre fils, mon roi, renchérit Porion, et ces deux sauvages de ruffians-là. » Il pointait l'index sur Tobin et Ki. « Leur croissance achevée, ils pourront défier n'importe quelle lame de la cour.

— C'est exact, Père, confirma Korin qui fit déborder le vin de sa coupe en la levant vers son cousin en guise de salut. Ils ont contraint la plupart d'entre nous à s'épousseter.

— Ils ont eu de bons précepteurs. » Le roi brandit son hanap en direction de Tharin et de Porion puis claqua l'épaule de son fils. « J'ai apporté des présents pour toi et tes amis. »

Ces présents se révélèrent être de grandes épées plenimariennes pour les deux princes et un beau poignard pour chacun des autres. Doté d'une teinte bleu sombre ignorée de Skala jusqu'alors et d'un fil meurtrier, leur acier témoignait d'une maîtrise exceptionnelle, et les garçons firent assaut de comparaisons enthousiastes. Faite de bronze et d'argent, la garde incurvée de la rapière de Tobin était ciselée de manière à figurer un inextricable entrelacs de pampres et d'églantines. Après l'avoir admirée sous tous les angles, il examina celle de Korin, forgée en forme d'ailes.

« De la belle ouvrage, n'est-ce pas ? dit Erius. Les artisans de l'est restent plus attachés que les nôtres aux styles du passé. Les caves du Trésor conservent des armes tout à fait semblables, encore qu'elles datent de l'ère des Hiérophantes. Vous tenez là des prises faites par moi-même. Elles appartenaient à des généraux. »

Il se radossa puis échangea un clin d'œil avec Korin. « J'ai encore un cadeau à faire, mais le mérite d'y avoir pensé ne m'appartient pas. Garçons ? »

Korin, Caliel et Nikidès ne quittèrent la salle que pour reparaître au bout d'un instant porteurs d'un volumineux ballot empaqueté dans du tissu et d'un étendard enroulé autour de sa hampe et gainé de blanc.

Après avoir confié le ballot au page de son père, Korin gratifia Tobin d'un large sourire. « Avec les compliments de Lord Hylus, cousinet. »

Erius se leva pour s'adresser à toute l'assistance. « Mon absence a été bien longue et, maintenant que je suis de retour, je vais avoir à m'occuper de mille affaires. La première, dont je me fais un plaisir de me décharger dès ce soir, concerne mon neveu ici présent. Levez-vous, prince Tobin, et recevez de ma main vos nouvelles armoiries : la puissance d'Atyion conjuguée à la gloire de Skala. »

Tandis que Nikidès déroulait la bannière, le roi défit le ballot puis déploya un surcot de soie matelassé. Tous deux étaient frappés aux armes du gamin.

Son écu était divisé par un pal rouge vertical qui, associé au timbre au dragon d'argent qui en couronnait le chef, proclamait son ascendance royale. À senestre figurait, en blanc sur champ noir liséré d'argent, le rouvre d'Atyion. À dextre, la flamme dorée de Sakor surmontait le dragon rouge d'Illior sur champ d'azur liséré de blanc – les couleurs de Mère.

« Il est merveilleux ! » s'écria Tobin, qui avait presque oublié sa conversation de naguère avec Hylus et Nikidès. Il adressa un regard lourd de gratitude à celui-ci qui, soupçonna-t-il, ne devait pas être étranger à la conception du blason.

« Bel emblème, en effet, convint Erius. Il va te falloir faire repeindre ton bouclier de guerre et équiper ta garde de nouvelles tuniques. »

Appliquant le surcot contre sa poitrine, Tobin mit un genou en terre. « Grand merci, Oncle. C'est trop d'honneur pour moi. »

Le roi lui ébouriffa les cheveux. « À toi maintenant de payer les cornemuses.

— Pardon, mon oncle ?

— Il m'est revenu que vous faisiez des prodiges, toi et ton écuyer... J'aimerais bien voir ça de mes propres yeux. Choisissez-vous deux adversaires. Heaumes et hauberts, ça suffira. Va donc chercher l'armure de ton maître, écuyer Kirothius. Vous autres, ménestrels, débarrassez-moi le plancher, nous allons nous offrir un vrai divertissement de guerriers.

— Tu prends Garol, Ki, commanda Korin. Qui veut affronter Tobin ?

— Moi, mon prince, lança Alben, avant que personne d'autre ait eu le loisir de répondre.

— L'ordure ! » ronchonna Ki. N'importe lequel des garçons de la bande aurait sans doute mis la pédale douce pour permettre à Tobin de faire des débuts spectaculaires en faveur du roi. Mais pas ce jaloux vaniteux d'Alben.

« Oui oui, laissez mon fils tâter de votre neveu ! » cria l'un des seigneurs du bout de la table. *Ce doit être le fameux baron Alcenar*, songea Tobin. Du même genre beau ténébreux que son rejeton, l'homme affichait une mine tout aussi arrogante.

Garol et Ki furent les premiers à se battre. Après avoir pris leurs places respectives, ils saluèrent le roi puis commencèrent à se tourner autour, pendant que les nobles convives martelaient les tables en échangeant des paris.

Garol fut d'abord généralement donné favori. Il avait le double avantage de l'âge et d'une puissante musculature. Ses chances parurent au début justifiées, car il contraignit son adversaire à la retraite par toute une série de coups violents. Comme leurs joutes avaient été assez fréquentes pour qu'ils sachent à quoi s'en tenir chacun sur les finasseries de l'autre, Ki ne pouvait compter pour l'emporter que sur son adresse et sa vélocité.

Tout en s'employant sans flancher une seconde à bloquer les assauts de Garol, il entreprit petit à petit de le tourner pour ne pas se retrouver acculé contre les tables. Cette tactique rappela à Tobin les leçons de danse qu'ils avaient prises avec Arengil et Una. Ki pouvait bien être le partenaire à reculons, ce n'en était pas moins lui qui dirigeait le train, car il obligeait l'autre à ouvrir sa garde en le forçant à le suivre. Devinant ce qu'il mijotait, Tobin se mit à sourire. Le meilleur atout de Garol n'était assurément pas la patience.

Comme il fallait s'y attendre, il en eut vite assez de pourchasser Ki et, se ruant sur lui, faillit bien l'abattre, mais, preste comme une couleuvre, Ki pivota sur un talon, se faufila sous le bras de Garol et, lui assenant à la base du cou le plat de sa lame, l'envoya valser face contre terre. Il avait suffi à toute l'assistance d'entendre crisser l'acier contre la coiffe de mailles pour savoir que le coup aurait été mortel. Il s'agissait d'ailleurs là de l'une des bottes enseignées par Arengil.

Les spectateurs s'étaient mis à glapir, pendant que l'or changeait de mains parmi les hou-hou. Ki aida Garol à se relever puis lui jeta un bras autour des épaules pour le soutenir. Un brin sonné, celui-ci se frottait piteusement la nuque.

Vint alors le tour de Tobin. Il avait déjà les nerfs à vif, et le petit sourire entendu qu'Alben échangea avec Urmanis pendant qu'il gagnait sa place n'était pas pour lui plaire. Quelque antipathie qu'il éprouvât pour son adversaire, il était trop intelligent pour le sous-estimer ; il le savait aussi costaud que fourbe et prêt à tout pour vaincre. Tout en conjuguant roulements d'épaules et flexions de bras pour ajuster au mieux l'encombrante cotte de mailles, Tobin alla occuper son poste.

Une fois qu'ils eurent salué le roi, Alben se carra en posture défensive et attendit, obligeant par là Tobin soit à faire le premier pas, soit à passer pour un nigaud. Cette stratégie délibérée manqua de peu valoir à Tobin une pointe en plein ventre lorsque Alben esquiva sa première feinte. Le voyant déséquilibré, Alben en profita pour lui administrer de cinglantes volées de coups. Tobin eut beau danser et se baisser, le haut de son heaume écopa encore d'un coup retentissant qui faillit le mettre à genoux. Il se ressaisit juste à temps pour répliquer par un revers, et la pointe de sa lame atteignit Alben au visage et, glissant sur la coiffe, alla lui balafrer la joue.

Alben lâcha un juron puis redoubla d'assauts, mais le sang de Tobin était lui aussi en ébullition, désormais. Il n'allait sûrement pas se laisser humilier en présence du roi, non plus que chez lui, dans sa propre demeure.

« Pour Atyion ! » cria-t-il, et des basses tables lui revint en chœur l'écho assourdissant de ce défi. Enchaînés tout au fond de la salle, les limiers du château s'étant à leur tour mis à hurler et à clabauder, la cacophonie lui donna des ailes de flamme, et son épée lui parut aussi légère qu'un bout de bois sec.

Dès lors, il n'eut plus conscience que du fracas de l'acier et du halètement saccadé de son vis-à-vis, pendant qu'ils se cabossaient l'un l'autre à qui mieux mieux, s'échinant comme des batteurs de gerbes, les yeux brûlés par la sueur qui trempait leurs tuniques sous les hauberts.

Dans l'espoir d'amener le présomptueux Alben à commettre une témérité fatale, Tobin fit mine de céder du terrain, mais il s'empêtra le talon dans quelque chose et tomba à la renverse, et Alben fut instantanément sur lui. Tobin tenait toujours son épée, mais Alben lui immobilisa le poignet sous son pied puis brandit son arme pour porter le coup meurtrier. Épinglé comme il l'était, Tobin vit que la lame ne se présentait pas à plat ; qu'Alben l'abattît de la sorte, et elle frapperait de taille, défonçant les os, voire pis que ça.

Juste au même instant fusèrent de dessous la table la plus proche dans les jambes d'Alben deux éclairs furieux de crachats et de feulements. Stupéfait, le garçon tangua juste assez d'un pied sur l'autre pour permettre à Tobin de dégager son bras, de relever son arme et de la braquer vers le visage de l'adversaire en une si fulgurante extension que la pointe fut à deux doigts de lui crever l'œil gauche. Alben battit l'air des deux bras pour éviter de s'y empaler, mais, fauché par un croche-pied, s'affala sur le dos. Debout d'un bond, Tobin l'enfourchait déjà, lui arrachait sa coiffe et lui piquait la gorge avec la pointe de son épée.

Alben le fixa d'un œil étincelant de pure méchanceté. *Pourquoi me détestes-tu ?* s'étonna Tobin, avant que Ki et les autres Compagnons ne le tirent de là pour le replanter sur ses pieds en lui bourrant le dos de tapes amicales. Urmanis et Mago prétendirent aider Alben à se redresser, mais il les remercia d'une rebuffade puis, sur un salut parodique à Tobin, regagna la table à grandes enjambées.

Tobin jeta un coup d'œil circulaire et, sous la table d'honneur, finit par apercevoir Queue-tigrée qui se toilettait le museau d'un air innocent.

« Bravo ! cria le roi. Par la Flamme, vous êtes tous les deux d'aussi fines lames que me l'affirmait Porion ! » Il dégrafa la broche d'or qui maintenait le col de sa tunique et la lança à Ki. Malgré son étonnement, celui-ci l'attrapa au vol et la pressa contre son cœur avant de planter un genou en terre. Quant à Tobin, Erius lui fit présent de son poignard à manche d'or.

« Voyons donc maintenant de quoi vous êtes capables, tous les autres. À toi de commencer, Korin, avec Caliel. Et veuillez me prouver que vous n'avez pas oublié ce que je vous ai appris ! »

Korin eut le dessus, naturellement. Tobin vit au moins une fois sans l'ombre d'un doute Caliel offrir une ouverture au prince héritier pour lui laisser marquer un point. Le reste des garçons se battit avec âpreté, et Lutha s'attira des éloges particuliers pour l'avoir emporté sur Quirion malgré son petit doigt brisé lors du premier assaut. Mis aux prises avec son ami Nikidès, Tobin se débrouilla pour ne le dépêcher qu'après lui avoir permis de pousser quelques jolies bottes.

La série de duels achevée, le roi leva sa coupe à la ronde en guise de salutation. « Mes félicitations à chacun d'entre vous ! Pour l'instant, les Plenimariens nous accordent un peu de répit, mais il sévit encore des pirates et des malandrins. » Il fit un clin d'œil à son fils.

Korin se leva d'un bond et lui baisa la main. « Nous sommes à tes ordres !

— Holà, holà, je ne promets rien. Nous aviserons. »

On servit pour finir des fromages tendres et toutes sortes d'amandes dorées sur des assiettes de porcelaine peinte, et, pendant que les convives les dégustaient, les ménestrels exécutèrent des ballades anciennes.

« Voici la dernière amusette inventée par les potiers d'Ylani », déclara Solari quand il ne resta plus une miette à croquer. Retournant son assiette, il fit voir au roi un couplet peint sur le dessous. « Chacune d'entre elles porte au revers une énigme ou une chanson dont son détenteur, debout sur son siège, doit faire part à la société. Si je puis me permettre de donner l'exemple ? »

Dans l'hilarité générale et le boucan des coupes martelant les tables, il se jucha sur son fauteuil et se mit à déclamer des vers on ne peut plus burlesques avec une larmoyante solennité.

Ravi par ces bouffonneries, Erius lui succéda pour débiter un quatrain d'une obscénité sordide en affectant les langueurs chlorotiques d'un rimailleur courtois.

Le jeu remporta un énorme succès et se poursuivit pendant plus d'une heure. La plupart des textes étaient de la même veine pis que gaillarde, certains carrément orduriers. Tobin rougit de façon cuisante quand Tharin grimpa sur la table et récita, d'un air parfaitement impassible, un poème contant les ébats d'une jeune épouse avec son amant dans le feuillage d'un poirier, tandis que, planté au pied de l'arbre, le vieux mari myope incitait la belle à cueillir le fruit le plus pulpeux qu'elle pourrait trouver.

Par bonheur, sa propre assiette ne portait qu'une devinette : « "Quelle est la forteresse capable de résister à la foudre, à un siège et au feu, mais qu'on peut emporter d'un mot doux ?"

— Le cœur d'une maîtresse ! » cria Korin, s'attirant par là pour récompense des tas de sifflets cordiaux.

« Faites donc voir à Tobin la fameuse épée, Père », reprit-il, une fois le jeu des assiettes achevé.

Le porte-baudrier royal s'avança puis, le genou ployé, présenta sa charge au roi. Dégainant la longue lame de son fourreau clouté, Erius la brandit pour la soumettre à l'admiration de son neveu. Le flamboiement jaune des torches faisait miroiter l'acier poli et briller d'un éclat chaleureux les dragons d'or en haut-relief émoussé qui ornaient les branches courbes de la garde.

S'en voyant ensuite tendre la poignée, Tobin eut à roidir le bras pour tenir l'arme, qui était beaucoup plus longue et plus pesante que la sienne. En dépit de cela, la poignée d'ivoire jauni résillé d'or s'ajustait à merveille à sa main. Il abaissa la pointe pour considérer le gros rubis qui, serti dans le pommeau d'or cannelé, portait en intaille le sceau royal de Skala. Le motif, qu'il avait souvent vu à l'envers, imprimé dans la cire, au bas de lettres de son oncle, figurait la flamme de

Sakor portée par le dragon d'Illior, avec un croissant de lune à l'arrière-plan.

« L'épée même que le roi Thelátimos donna à Ghërilain, dit Korin en la saisissant à son tour et en y faisant miroiter la lumière alternativement sur l'une et l'autre face. La voici revenue, tant d'années plus tard, entre les mains d'un roi.

— Et pour se trouver entre les tiennes, un jour, mon fils », reprit fièrement le roi.

Sans cesser de regarder l'épée, Tobin s'efforça d'imaginer sa frêle et imprévisible mère en train de la manier en guerrier. Il n'y parvint pas.

Tout à coup, et pour la seconde fois de la journée, il sentit les yeux de Nyrin attachés sur lui. L'orgueil supplanta la peur. Après avoir exclu de son esprit tout ce qui n'était pas relatif aux sensations éprouvées quand il tenait l'épée, il planta son regard dans celui du magicien. Et ce n'est pas lui qui se détourna le premier, cette fois.

20

Minuit était passé depuis longtemps quand Erius et ses gens se retirèrent de la salle du festin, reconduits par le duc Solari et les Compagnons. Tobin se tint aussi près de Tharin et aussi loin de Nyrin que faire se pouvait pendant que tout ce beau monde regagnait tapageusement les étages.

Il ne pouvait s'empêcher de décocher des regards furtifs au roi, dans l'espoir de faire cadrer tant de jovialité rieuse avec les sombres histoires dont on l'avait bercé depuis sa naissance. Mais tant valait mesurer sa taille d'après l'ombre que le soir lui allongeait derrière les talons ; elles ne coïncidaient pas, voilà tout. Dérouté, il abandonna la partie. Les fluctuations de son cœur le faisaient aspirer à trouver un second père, mais le souvenir de sa mère le hantait encore avec trop de vivacité pour qu'il renonce à toute défiance.

Une chose dont il était certain, toutefois, tant à cause des mises en garde répétées de Lhel et d'Iya que de ce qu'il avait pu constater céans de ses propres yeux, c'est que les fils de son existence se trouvaient, pour le meilleur ou pour le pire, entre ces larges pattes de guerrier. Après lui avoir *imposé* Orun, le roi venait de confier à Solari la charge d'Atyion. En dépit de l'apparente liberté dont il jouissait au sein des Compagnons, sa vie était aussi complètement réglée par d'autres à Éro que jadis au fort, à ce détail près qu'elle l'était désormais par des gens en la loyauté desquels il n'osait trop croire. Pour l'heure, il était plus prudent de faire semblant d'aimer l'homme qu'il lui fallait appeler Oncle. Et qui, pour l'heure, avait l'air de lui rendre honnêtement son affection.

La chambre d'Erius se trouvait voisine de celle qu'avaient occupée les parents de Tobin. Une fois devant sa porte, il s'arrêta pour échanger une poignée de main avec Tharin puis cueillit une nouvelle fois le menton du petit prince et plongea ses yeux dans les siens. « Lumière divine ! il me semble presque revoir ta mère. Si bleus ! Du bleu du ciel, un soir d'été. » Il soupira. « Demande-moi une faveur, enfant. En mémoire de ma sœur.

— Une faveur, Oncle ? Je... je ne sais. Vous m'avez déjà mieux que comblé par votre générosité.

— Bêtises. Tu dois bien désirer quelque chose. »

Tout l'auditoire le dévisageait. Tharin fit un imperceptible signe de tête comme pour crier gare. Mêlé aux autres écuyers, Ki s'épanouit d'un air vaguement pompette en lui adressant un petit haussement d'épaules.

Peut-être est-ce dans sa légère ébriété personnelle que Tobin puisa sa hardiesse, peut-être dans le fait qu'il vit au même instant Mago ricaner sous cape ? « Je n'ai besoin de rien pour moi-même, Oncle, mais il y a quelque chose en effet qui me ferait plaisir. » Sans oser regarder Ki, il se jeta à l'eau. « Puis-je vous prier de me faire la grâce d'anoblir le père de mon écuyer ?

— Cette faveur ne serait que justice, intervint Korin d'une voix avinée. Ki vaut n'importe lequel d'entre nous. Ce n'est pas sa faute s'il n'est qu'un chevalier de... de rien. »

Erius dressa un sourcil puis gloussa. « Est-ce là tout ?

— Oui, répondit Tobin d'un ton plus ferme. Comme je ne suis pas encore en âge de l'accorder moi-même, je prie humblement Votre Majesté de le faire en mon nom. Je désire que sieur Larenth soit fait duc de... » Il farfouilla dans sa mémoire pour y pêcher le nom des terres qu'il possédait sans les avoir jamais vues. « De Cirna. »

À peine eut-il lâché ces mots qu'il comprit qu'il venait en quelque manière de commettre un sérieux faux pas. Tharin blêmit, tandis que Lord Nyrin étranglait un vague hoquet. Nombre des personnes présentes étaient bouche bée.

Le sourire du roi s'effaça aussi sec. « Cirna ? » Il relâcha Tobin et recula d'un pas. « Le singulier lopin que voilà pour faire un cadeau. C'est ton écuyer qui te l'a demandé ? »

Devant le regard noir qu'il décochait à Ki, un frisson de terreur secoua Tobin. « Pas du tout, Oncle ! C'est simplement le premier nom de lieu qui m'ait traversé l'esprit. N'im... n'importe quel domaine ferait l'affaire, pourvu qu'il soit assorti d'un titre. »

Mais les yeux d'Erius allaient toujours de lui-même à Ki, et une expression déplaisante s'y était glissée. Tout en comprenant qu'il venait de faire une énorme gaffe, Tobin ne parvenait toujours pas à voir en quoi elle consistait.

À sa stupéfaction, ce fut Nyrin qui se porta à sa rescousse. « Le prince a la noblesse d'âme de sa mère, Sire, et son seul crime est un excès de générosité. Il ne connaît pas encore ses terres, aussi ne pouvait-il savoir ce qu'il offrait là. » Quelque chose dans sa façon de fixer le roi sur ces entrefaites mit Tobin encore plus mal à l'aise, en dépit du fait que le magicien tentait apparemment de le tirer de ce mauvais pas.

« Peut-être pas, articula lentement le roi.

— Je crois bien que le prince Tobin possède au nord de Colath un domaine qui conviendrait parfaitement, suggéra Nyrin. Il est doté d'une forteresse. À Rilmar. »

La physionomie du roi s'éclaira de façon notable. « Rilmar ? Oui, excellente idée. Sieur Larenth sera maréchal des Routes. Qu'en penses-tu, écuyer Kirothius ? Ton père acceptera-t-il ? »

Il arrivait rarement à Ki de rester sans voix, mais là, tout ce qu'il réussit à faire fut un hochement saccadé pendant qu'il s'affaissait sur un genou. Erius dégaina son épée et la lui posa sur l'épaule droite. « En lieu et place de ton père et de tous ses descendants, jures-tu féauté au trône de Skala et au prince Tobin en sa qualité de votre suzerain ?

— Oui, mon roi », chuchota Ki.

Erius lui présenta la pointe, et il la baisa.

« Dans ce cas, lève-toi, Kirothius, fils de Larenth, maréchal de Rilmar, et donne à ton bienfaiteur en présence de ces témoins le baiser de féauté. »

Tout le monde applaudit, mais Tobin sentit trembler les doigts de Ki lorsqu'il lui saisit la main pour la baiser. Les siens ne tremblaient pas moins.

Après avoir souhaité bonne nuit au roi, les deux gamins regagnèrent leur chambre, escortés de Tharin. Ce dernier expédia leur page quérir de l'eau chaude puis se laissa choir dans un fauteuil et, sans prononcer un mot, se prit la tête entre les mains. Ki se débarrassa vivement de ses bottes et s'assit en tailleur sur le lit. Tobin s'installa sur le tapis devant l'âtre et, tout en tisonnant les braises, attendit.

« Eh bien, voilà qui était imprévu ! fit à la longue le capitaine lorsqu'il se fut enfin ressaisi. Mais à propos, quand il t'a pris fantaisie de donner Cirna..., tu avais la moindre idée de ce que tu faisais là ?

— Non. Comme je l'ai dit, j'ai tout bonnement nommé le premier endroit qui me soit venu à l'esprit. Il ne s'agit que d'un domaine assez modeste, non ? »

Tharin secoua la tête. « Peut-être en ce qui concerne la superficie, mais qui tient Cirna tient la clef de Skala, ce abstraction faite du pourcentage que son protecteur prélève sur les revenus collectés en ton nom. Et, actuellement, celui-ci n'est autre que Lord Nyrin.

— Nyrin ? s'écria Ki. Que vient fiche Barbe de Goupil dans un pareil poste ? Il n'a rien d'un guerrier !

— Ne te gausse jamais de lui, Ki, pas même en privé. Et quelle que soit la raison de sa nomination, c'est une affaire entre le roi et lui. » Il se massa la barbe d'un air pensif avant de reprendre : « Et aussi, je présume, entre lui et toi, Tobin. Cirna t'appartient, après tout.

— Est-ce que cela fait de lui mon homme lige ? » Cette seule idée le faisait frémir.

« Non. Pas plus que ne l'est Solari. Tous deux sont des créatures d'Erius. Mais rassure-toi. Tu ne les verras guère ni l'un ni l'autre, et tu te trouves sous la protection du roi. En ce qui te concerne, il a son mot à dire avant quiconque d'autre.

— Et c'est tant mieux, dit Ki. Aux yeux de Korin, le soleil ne se lève et se couche que sur Tobin, et maintenant, le roi lui aussi l'aime bien, n'est-ce pas ? »

Tharin se leva puis ébouriffa les cheveux du petit prince. « M'a tout l'air.

— Mais j'ai commis une bourde, hein ? Je l'ai bien vu, à la tête que faisait le roi.

— Tu aurais eu quelques années de plus... » Tharin secoua la tête comme pour chasser quelque noire pensée. « Non, il s'est aperçu que tes propos partaient d'un cœur ingénu. Inutile de s'inquiéter. Au pieu, maintenant, vous deux. La journée a été longue.

— Tu pourrais coucher ici, cette nuit », proposa Tobin une fois de plus. La réaction du roi sous-entendait des tas de choses que Tharin préférait manifestement taire et qui continuaient à le tracasser.

« J'ai promis à Lytia que j'irais la voir cette nuit, répondit-il. Mais en revenant, je passerai jeter un œil sur vous. Dormez bien. »

Une fois la porte dûment refermée sur lui, Tharin s'affaissa contre le mur, non sans espérer que les sentinelles apostées au bout du corridor imputeraient sa soudaine faiblesse aux abus de vin. Il avait trop bien reconnu ce que trahissait le regard d'Erius..., la suspicion. Si Tobin avait eu seize ans au lieu de douze, sa requête aurait signé son arrêt de mort et celui de Ki. Mais il n'était qu'un gosse, et un gosse candide, au surplus. Erius possédait encore assez de bon sens pour s'en rendre compte.

Cela n'empêcha pas Tharin de s'éterniser en bavardages insipides avec les sentinelles, tout en surveillant la porte du roi et celle de Nyrin.

« Rien ne t'obligeait à faire ça, tu sais. Gâcher une faveur royale à mon profit », dit Ki après le départ du capitaine. Tobin se trouvait encore sur le tapis, les genoux dans ses bras comme il le faisait quand il était préoccupé. « Allez..., au lit, le feu est éteint. »

Mais Tobin demeura dans son coin. « Ça va mettre ton père en rogne ?

— Certainement pas ! Mais qu'est-ce qui te fait croire un truc pareil, Tob ? Mon vieux est des tas de choses, mais tout sauf noble. Je te les vois déjà d'ici, tiens, lui et mes frères, se couvrir du brevet du roi pour voler des chevaux. »

Tobin se retourna, l'œil rond. « Tu as toujours nié qu'ils soient des voleurs de chevaux ! »

Ki haussa les épaules. « Faut croire qu'à force de vivre dans un entourage de gens corrects j'ai fini par savoir ce qu'étaient mes proches.

— Ils ne peuvent pas être aussi vils, Ki. Tu as autant d'honneur que n'importe lequel d'entre nous. En tout cas, plus personne ne pourra dorénavant te traiter de chevalier de merde. »

Sûr qu'ils vont s'en priver, certains..., songea Ki.

« Je t'avais fait une promesse, le jour où nous quittions le fort, fit gravement Tobin.

— Je n'ai pas gardé le souvenir de la moindre promesse.

— Je ne l'avais proférée que par-devers moi. Te souviens de quelle manière l'odieux Orun se comportait vis-à-vis de Tharin et de toi ? J'ai promis à Sakor ce jour-là que je ferais de vous de si puissants seigneurs que Vieilles Tripes molles serait bien forcé

343

de vous faire des courbettes et de se montrer poli. »
Il se frappa le front. « Tharin ! J'aurais dû demander
quelque chose pour lui aussi, mais j'étais tellement
suffoqué que je n'arrivais plus à penser. Tu ne crois
pas que mon abstention va l'avoir blessé ?

— Je crois plutôt qu'il doit en être bien content.

— Content ? Pourquoi ça ?

— Réfléchis une seconde, Tob. Tu as fait cadeau à
mon père de la forteresse de Rilmar, et je dis : bon
vent ; moi, ça ne change rien à mon sort. Mais si tu
lordifiais Tharin de quelque domaine aussi considé-
rable qu'il le mérite, il lui faudrait partir l'administrer.
C'est-à-dire nous quitter... – *te* quitter, j'entends –, ce
qui ne l'enchanterait que médiocrement.

— *Nous* quitter, rectifia Tobin à son tour en venant
le rejoindre sur le bord du lit. Je n'avais jamais
envisagé les choses sous cet angle. Et il me manquerait
aussi. Cependant... » Il retira ses bottes et se cala
contre les traversins. Sa bouche avait ce pli têtu que
Ki lui connaissait si bien. « Par les couilles à Bilairy,
Ki ! Il mérite d'être quand même mieux que capitaine
de ma garde ! Pourquoi donc Père ne lui a-t-il jamais
donné de promotion ?

— Peut-être parce que Tharin l'aura prié lui-même
de n'en rien faire, suggéra Ki, qui se repentit sur-le-
champ de n'avoir pas fermé sa gueule.

— Pourquoi l'aurait-il fait ? »

Les deux pieds dans le plat, voilà ! songea Ki, trop
tard hélas pour retirer sa gaffe.

« Pourquoi l'aurait-il fait ? » redemanda Tobin, qui

lisait comme à livre ouvert dans la physionomie de son ami.

On ne pouvait d'ailleurs pas lui cacher grand-chose, ça, c'était certain. Aussi n'y avait-il que l'alternative de mentir ou d'expliquer les choses, et jamais il n'avait menti à Tobin. *Tharin s'en fiche, en plus, qu'on soit au courant. Il l'a dit lui-même.*

Ki s'adossa contre le pied du lit. Devoir aborder un sujet pareil le mettait au supplice, et il ne savait par où débuter. « Eh bien, voilà, c'est que... C'est que, quand ils étaient jeunes, ton père et Tharin..., quand ils faisaient partie des Compagnons, quoi..., eh bien, ils... euh... s'aimaient mutuellement, et...

— Mais bien sûr qu'ils s'aimaient, tiens ! Toi et moi...

— Non ! » Ki leva une main. « Non, Tobin, pas comme nous. C'est-à-dire, pas *exactement* comme nous. »

En comprenant enfin où Ki voulait en venir, Tobin ouvrit de grands yeux. « Comme Ornéus et Lynx, tu veux dire ?

— Tharin me l'a raconté lui-même. C'était du temps où ils étaient jeunes, et pas plus. Après, ton père a épousé ta mère et tout et tout. Quant à Tharin..., eh bien, j'ai l'impression que ses sentiments n'ont jamais changé. »

À présent, Tobin le dévisageait si fixement que Ki se demanda s'il n'allait pas se jeter sur lui comme lui-même se jetait sur les gens qui accusaient son père de vol de chevaux.

Mais Tobin n'était que songeur. « Ç'a dû être une dure épreuve pour Tharin. »

Ki se ressouvint de l'expression qu'avait le capitaine, au cours de la soirée pluvieuse où il s'était épanché sur ce chapitre-là. « À cet égard, tu as raison, mais ils n'en sont pas moins demeurés amis. Je pense qu'il n'aurait pas plus supporté d'être séparé de ton père que moi de toi si Orun m'avait renvoyé. » Tobin le dévisageait de nouveau, mais d'un air plutôt bizarre, cette fois. « Non pas que je... Enfin, tu sais. Pas comme ça », s'empressa-t-il de préciser.

Tobin détourna vivement les yeux. « Oh non ! Évidemment que non. »

Un silence s'abattit entre eux, si lourd et si long que Ki se sentit bien aise quand le page rentra en trombe avec le broc d'eau.

Encore fallut-il que Baldus ait fini de refaire du feu puis soit ressorti pour qu'il parvienne à regarder Tobin carrément en face. « Alors, ça t'a fait quel effet, de rencontrer ton oncle ?

— Étrange. Tu en penses quoi, toi ?

— Il ne correspond pas tout à fait à l'idée que je m'en faisais. Je veux dire que Korin en parle toujours avec enthousiasme, mais c'est son père, n'est-il pas vrai ? » Il ne continua qu'après un bref silence et, par simple prudence, à voix plus basse. « Mon paternel n'en avait jamais fait tant de compliments. Il le blâmait d'avoir exclu les femmes de l'armée. Puis il y a toutes ces histoires à propos des héritières au trône, et puis les Busards et des trucs pareils. Tu remarqueras qu'on n'a pas été les premiers à l'accueillir non plus ? Y a

346

ce vieux renard – Nyrin, j'entends – qui le talonne comme son ombre. Comment s'y est-il pris pour nous devancer ?

— C'est un magicien. » Tobin avait de nouveau cet air lointain, circonspect qu'il prenait chaque fois que Barbe de Goupil lui rôdait autour.

Ce que voyant, Ki vint se placer à ses côtés. Sans le toucher, mais assez près pour bien lui faire pressentir qu'il n'était pas le seul à craindre le rouquin. « Il me semble que, si je rencontrais le roi dans une taverne sans savoir de qui il s'agit, je le prendrais pour un chic type, accorda-t-il, reprenant la question laissée sur le tapis.

— Moi aussi, depuis aujourd'hui. Néanmoins... » Il n'acheva pas, et Ki s'aperçut qu'il tremblait. Et lorsqu'il reprit la parole, ce fut en un chuchotement presque inaudible. « Ma mère avait tellement peur de lui ! »

Sa mère, il n'en parlait presque jamais.

« Frère l'extérie, lui aussi, souffla t il. Il n'empêche que maintenant... Je ne sais plus trop quels sentiments j'éprouve, sauf... Peut-être qu'il n'y a rien de vrai dans toutes ces histoires ? Mère était folle, et Frère ment... Je ne sais vraiment plus que croire !

— Il t'aime bien, Tob. J'en jurerais. Puis pourquoi ne t'aimerait-il pas ? » Il se rapprocha cette fois pour être épaule contre épaule. « Quant à ce qu'il en est au juste de ces histoires, je l'ignore..., mais je t'avoue que je suis drôlement content que tu n'aies pas été une fille, à ta naissance. »

347

L'air accablé que prit subitement son ami lui retourna les tripes. « Oh, zut, je suis désolé, Tob ! voilà qu'une fois de plus je laisse ma langue divaguer. » Il lui saisit la main. En dépit du feu, elle était froide comme glace. « Ce ne sont peut-être que des sornettes.

— Peu importe, va. Je sais ce que tu voulais dire. »

Ils restèrent un moment comme ça, sans que leur mutisme exprime aucun désaccord fâcheux. La chambre se réchauffait, le lit était bien moelleux. Ki se détendit sur les oreillers, ferma les paupières et se mit à glousser. « J'en sais un qui va avoir des ennuis avec le roi, et vite fait. Tu as vu les regards qu'Erius lançait au sommelier, vers la fin de la soirée, quand Korin était tellement soûl ? »

Tobin émit un rire tristounet. « Imbibé qu'il était même, hein ? Moi pareil, je crains. Mais qui se doutait qu'Atyion produisait tant de crus divers, dis ? »

Ki se mit à bâiller. « Tu peux m'en croire, tiens, maintenant que le roi est de retour, maître Porion va nous serrer la vis, et c'en sera fini pour tout le monde, au mess, de boire comme des trous. » Nouveau bâillement. « Et ce n'est pas moi qui me plaindrai, toujours, de n'avoir plus à regarder Korin et les autres s'abrutir une soirée sur deux. »

À demi assoupi, Tobin grommela un acquiescement.

Ki se sentit à la dérive. « La chambre tourne, Tob...

— Mmmm. M'étonnerait pas que Korin n'ait pas été le seul à passer la mesure. Dors pas sur le dos, vieux. »

Ils pouffèrent de conserve.

« As dit que Frère exécrait le roi, lui aussi ? marmonna Ki, dont l'esprit battait la campagne avant de sombrer. 'reusement qu'il s'est tenu à carreau pendant le banquet, hein ? »

Les bredouillements ensommeillés de Ki firent perdre à Tobin toute idée de dormir. Peut-être Frère avait-il en définitive la capacité de lire dans le cœur du roi, de déceler si sa bienveillance était réelle ou non ? Question superficielle, au demeurant. Tout menteur et démoniaque que pouvait être Frère, Tobin n'avait personne d'autre à qui se confier sans réserve. Pour navrante qu'elle fût, cette évidence-là le taraudait en permanence.

Aussitôt rassuré par le ronflement régulier de son compagnon, il souffla les veilleuses et alla retirer la poupée de son paquetage puis, gagnant à tâtons le coin de la cheminée, s'y agenouilla, étourdi par les battements de son cœur. N'était-il pas imprudent de convoquer Frère si peu que ce soit ? Il était entré dans une fureur noire, démolissant tout comme une tornade, le fameux jour où le roi s'était présenté au fort. Que ne risquait-il de faire, à présent qu'Erius se trouvait à deux pas de là ?

Tobin étreignit très fort la poupée, comme si cela pouvait suffire à dompter l'esprit. « Sang, mon sang. Chair, ma chair. Os, mes os », chuchota-t-il, arc-bouté d'avance contre une nouvelle folie. Mais Frère se contenta d'apparaître et de se mettre à genoux devant lui comme s'il n'était rien d'autre que son reflet. Le seul indice de sa rage était le froid formidable qui se dégageait de lui.

« Le roi est ici », murmura Tobin, prêt à le congédier dès la moindre apparence de mouvement.

Oui.

« Tu n'es pas en colère contre lui ? »

Le froid devint intolérable quand Frère s'inclina vers lui ; leurs nez se touchaient presque et, s'il avait été vivant, Tobin n'aurait pas manqué de percevoir son souffle lorsqu'il cracha : « Tue-le. »

Comme si son jumeau venait d'en déchirer d'un coup la couture secrète, une atroce douleur lancina la poitrine du gamin qui s'affala sur les mains, toute sa volonté bandée pour éviter de s'évanouir. La douleur s'estompa petit à petit. Lorsqu'il rouvrit les yeux, Frère avait disparu. Il prêta peureusement l'oreille, s'attendant à quelque tapage infernal dans les environs, mais le silence était total. Il rechuchota la formule fatidique, afin que le départ de Frère soit bel et bien certain, puis se dépêcha de regagner le lit.

« Il est venu ? » demanda Ki, tout bas mais d'un ton qui le révélait parfaitement éveillé.

Tobin se félicita d'avoir éteint toutes les lampes. « Tu n'as pas entendu ?

— Non, rien. J'ai cru, du coup, que tu t'étais peut-être ravisé.

— Il est venu », confessa Tobin, soulagé que Ki n'ait pas surpris l'injonction fatale. En se remuant, il heurta du pied le pied nu de Ki.

« Sacrebleu, mais tu es complètement gelé, Tob ! Fourre-toi sous les couvertures. »

Ils se dévêtirent en un tournemain puis tirèrent sur eux toutes les courtepointes disponibles, mais on aurait dit que Tobin n'arriverait jamais à se réchauffer. Il claquait des dents si fort que Ki l'entendit et se rapprocha pour lui tenir chaud.

« Par les couilles à Bilairy, quel glaçon tu fais ! » Il lui frictionna les bras puis tâta son front. « Tu es malade ?

— Non. » Avec de pareils claquements de dents, ce n'était pas facile de parler.

Un silence, puis : « Qu'a dit Frère ?

— Il... Il n'aime toujours pas le roi.

— Rien là de surprenant. » Il lui frictionna de nouveau les bras puis s'installa tout contre lui, repris par ses bâillements. « Eh bien, je maintiens..., c'est un sacré pot que tu ne sois pas une fille ! »

Tobin ferma violemment les yeux, et il bénit une fois de plus les ténèbres qui le protégeaient.

Cette nuit-là se manifestèrent à nouveau les douleurs de femme. Il lui arrivait bien d'avoir mal sous les hanches au moment de la pleine lune, mais là, il ressentait les mêmes élancements fulgurants qu'à l'époque où il avait fini par s'enfuir. Ne se souvenant plus du sachet de feuilles donné par Lhel, il se recroquevilla, lamentable, effaré, sans autre consolation que le contact bien chaud de Ki contre son dos.

Nyrin était sur le point de se laisser déshabiller par son valet de chambre quand il l'éprouva derechef, cet imperceptible et bizarre frémissement d'énergie. Qui se dissipa, comme à l'ordinaire, avant qu'il ne soit parvenu à l'identifier, mais qui ne s'était jamais jusqu'alors manifesté qu'à Ero. Après avoir renvoyé le serviteur et ragrafé sa robe, le magicien se lança en quête de ce sortilège si déconcertant.

Il eut comme l'impression d'en flairer le relent devant la porte du prince Tobin, mais le charme investigateur qu'il fit pénétrer dans la chambre ne lui révéla que le spectacle des deux garçons dormant à poings fermés, pelotonnés l'un contre l'autre comme des chiots.

Ou comme des amants.

La lippe retroussée par un âcre sourire, Nyrin enregistra cette précieuse information. Elle pourrait servir un de ces jours, on ne savait jamais... Le mioche était certes trop jeune pour se montrer bien dangereux, mais certains indices le prouvaient déjà trop susceptible d'obtenir la faveur royale. Ce sans compter le sale moment que lui avait fait passer ce petit crétin en prétendant lui reprendre Cirna. Nyrin n'était pas près de l'oublier, cela. Oh que non.

21

Erius n'était pas le moins du monde pressé de retourner à Ero. Le lendemain, il annonça son intention d'honorer son neveu en passant avec son escorte la quinzaine suivante à Atyion. Au bout de quelques jours arrivèrent à leur tour le chancelier Hylus et les principaux ministres, de sorte que la grande salle du château se métamorphosa en un Palatin miniature, où le roi traitait les affaires du royaume entre parties de chasse et banquets. Seuls y étant admis les sujets les plus urgents, Hylus évaluait avec le plus grand soin la portée de chaque requête et de chaque procès pour ne soumettre au Conseil que ceux qui ne pouvaient souffrir de report. La salle ne s'en trouvait pas moins bondée depuis l'aube jusqu'au crépuscule.

Grâce à la trêve en vigueur, la plupart des questions abordées concernaient les problèmes intérieurs de Skala. En baguenaudant avec le reste des garçons, Tobin entendit des rapports relatifs à de nouvelles attaques de peste ou de pillards, à des contestations fiscales et des récoltes catastrophiques.

Les circonstances lui firent également prendre une conscience aiguë de sa position dépendante au sein de la noblesse. Sa propre bannière avait beau flotter juste au-dessous de celles de Korin et d'Erius, c'était à peine si les adultes s'apercevaient de son existence, excepté à table.

Du moins jouissait-il ainsi d'une liberté totale que ses pairs et lui mirent à profit pour aller explorer la ville et les côtes environnantes. Partout leur était réservé un accueil chaleureux.

La ville était florissante et, contrairement à Ero, parfaitement propre et saine. Au lieu d'un sanctuaire unique, il s'y trouvait des temples dédiés à chacun des Quatre et dont les superbes façades de bois peint et sculpté s'ordonnaient autour d'une place. Le plus majestueux était celui d'Illior, qui suffoqua Tobin par son autel de pierre noire et la peinture de ses plafonds. Des prêtres à masques d'argent le saluèrent avec déférence lorsqu'il y brûla ses plumes de chouette.

On ne croisait dans les rues que des gens à mine bien nourrie, cordiale, et il n'était marchand qui ne fût prêt à se mettre en quatre pour avoir l'honneur de servir le Rejeton d'Atyion et ses amis. En quelque lieu qu'ils aillent, ils étaient acclamés, bénis, couverts de cadeaux royaux, submergés de toasts à leur santé.

Les tavernes n'avaient rien à envier aux meilleures de la capitale. Venus de contrées aussi lointaines que le nord d'Aurënen et que Mycena, des bardes y exerçaient leur art, et ils comblaient les Compagnons d'aise en leur déclamant les prouesses de leurs ancêtres.

Si Tobin était accoutumé à vivre dans l'ombre bienveillante de son cousin, c'était lui que nimbait la lumière, ici, lui le favori manifeste des populations, malgré la part insigne d'honneurs et de compliments qu'elles réservaient comme il va de soi au prince héritier. Mais celui-ci avait beau publier la chose à cor et à cri, sa jalousie n'en était pas moins perceptible, et elle éclatait même au grand jour quand il avait trop bu. Pour la première fois depuis qu'il le connaissait, Tobin se retrouvait alors en butte aux quolibets acerbes dont n'étaient cinglés d'ordinaire qu'Orneüs ou Quirion. Korin se mit d'abord à tout critiquer, les tavernes, les filles de joie, les théâtres et même, même les succulents festins de Lytia. Puis il ne tarda guère à retomber dans ses ornières antérieures et à reprendre ses bordées nocturnes avec sa petite bande exclusive de jouvenceaux, sans jamais convier Tobin à s'y associer.

Ki s'en montrait ulcéré, mais Tobin se garda de marquer le coup. Cela lui faisait de la peine, mais il concevait l'amertume de se voir relégué dans un second rôle. Persuadé que le retour à la normale s'opérerait dès qu'on aurait regagné Ero, il se contenta de garder autour de lui ses amis personnels et de tirer le plus agréable parti possible de son séjour à Atyion.

Ils se trouvaient un jour attablés près de la fenêtre ensoleillée de l'auberge du *Pastoureau*, non loin du marché, à écouter chanter une ballade consacrée à l'un de ses aïeux quand Tobin repéra une physionomie familière à l'autre bout de la salle.

« N'est-ce pas Bisir, là-bas ? dit-il en poussant le coude de Ki pour attirer son attention sur l'individu.

— Bisir ? Qu'est-ce qu'il viendrait fiche ici ?

— Sais pas. Viens. »

Plantant là Nik et Lutha, ils n'eurent que le temps de se ruer dehors pour voir tourner au coin de la rue d'en face et disparaître la tunique grossière et les sabots de bois d'une espèce de paysan svelte à cheveux noirs. Ils n'avaient pas revu le jeune valet de chambre depuis la mort d'Orun, mais sa défroque incongrue n'empêcha pas Tobin de croire dur comme fer qu'il s'agissait bel et bien de lui.

S'élançant à ses trousses, il finit par le rattraper et constata qu'il ne s'était nullement trompé.

« C'est bien toi ! s'exclama-t-il en le retenant par sa manche. Pourquoi diable as-tu pris la fuite ?

« — Salut à vous, prince Tobin. » Bisir avait conservé sa joliesse et son doux parler, il avait toujours son allure de lièvre effarouché, mais il était tout maigre, et il avait le teint rougeaud d'un simple manant. « Veuillez me pardonner. Je vous avais vu entrer dans l'auberge, et ç'a été plus fort que moi, j'ai eu envie de faire mieux que vous entr'apercevoir. Il s'est écoulé tant de temps... Je ne pensais vraiment pas que vous vous souviendriez de moi.

— Après l'hiver qu'on a passé ensemble au fort ? Mais bien sûr que si ! se récria Ki, tout rieur. Koni nous demande encore de tes nouvelles régulièrement. »

Bisir rougit puis se tordit nerveusement les mains comme à l'accoutumée. Il les avait hâlées, calleuses, avec les ongles en deuil. Leur seul aspect permit à Tobin de comprendre soudain la honte que ressentait l'ancien valet à être vu dans ce piteux état.

« Que fabriques-tu ici ? le questionna-t-il.

— C'est maîtresse Iya qui m'y a conduit, après..., après les incidents d'Ero. Elle a dit que vous l'aviez priée de s'occuper de moi, mais que je devais vous laisser en paix. Que cela aurait de graves répercussions pour vous que de vous laisser compromettre avec qui que ce soit de cette maudite maisonnée-là. » Il signifia d'un haussement d'épaules tout le mépris qu'il s'inspirait. « Elle avait évidemment raison. Elle m'a déniché une place chez un éleveur de vaches laitières, juste aux portes de la ville. Et j'y suis beaucoup plus heureux.

— Non, tu ne l'es pas. Loin de là », fit Tobin en le

jaugeant d'un seul coup d'œil. Iya devait avoir sauté sur la première occasion venue pour s'en débarrasser.

« C'est vrai que ça fait un drôle de changement, reconnut Bisir, les yeux fixés sur ses sabots crottés.

— Raccompagne-moi au château. Je parlerai en ta faveur à Lytia. »

Mais le jeune homme secoua la tête. « Non, maîtresse Iya m'a formellement interdit d'y mettre les pieds. Et j'ai dû lui jurer de ne pas le faire, mon prince. »

Tobin laissa échapper un soupir d'exaspération. « Dans ce cas, très bien, que souhaiterais-tu faire d'autre ? »

Bisir hésita puis releva timidement les yeux. « J'aimerais bien m'entraîner comme guerrier.

— Toi ? s'exclama Ki.

— Je ne sais pas si... », commença Tobin. Réflexion faite, il ne trouvait lui non plus personne à qui le métier des armes puisse aller plus mal. « C'est t'y prendre un peu tard pour débuter, ajouta-t-il, pour éviter de le froisser.

— Peut-être serai-je en mesure de vous aider à résoudre le cas, mon prince », intervint une vieille femme en long manteau gris.

Tobin la regarda d'un air ahuri. Il ne s'était pas aperçu de sa présence là. Elle lui rappelait vaguement Iya, dans un sens, et il la prit pour une magicienne jusqu'à ce qu'elle exhibe ses paumes où s'enchevêtraient des dragons lovés. Il s'agissait en fait d'une grande prêtresse d'Illior. C'était la première fois de sa vie qu'il en rencontrait une sans masque d'argent.

357

Son sourire sembla indiquer qu'elle devinait ses pensées. Les mains pressées contre son cœur, elle s'inclina devant lui. « Vous voyez en moi Kaliya, fille de Lusiyan, mère supérieure ici même, au temple d'Atyion. Vous ne me reconnaissez pas, naturellement, mais je vous y ai vu maintes fois, moi, et de par la ville. Si vous voulez bien pardonner à une vieille femme de s'immiscer dans vos affaires, je pense pouvoir suggérer une solution plus conforme au caractère comme aux intérêts de votre jeune ami. » Elle s'empara de la main de Bisir et ferma les yeux. « Ah oui, dit-elle sur-le-champ. Tu peins. »

Il s'empourpra derechef. « Oh, non... Enfin, un peu, quand j'étais enfant, mais je ne suis pas très doué. »

Kaliya rouvrit les yeux et le scruta d'un air navré. « Il te faut oublier tout ce que t'a dit ton maître précédent, mon ami. C'était un égoïste, et il ne songeait à t'utiliser qu'à ses propres fins. Le don, tu le possèdes, et il est infiniment plus probable que tu le feras s'épanouir en le travaillant qu'en t'amusant à manier l'épée. J'ai une amie spécialisée dans la facture des beaux manuscrits. Elle tient boutique place du Temple, et je crois bien qu'elle est à la recherche d'un apprenti. À ses yeux, ton âge ne tirerait pas à conséquence, j'en suis convaincue. »

Bisir s'abîma un bon moment dans la contemplation de ses mains crasseuses, comme s'il ne les reconnaissait pas tout à fait. « Vous avez véritablement vu cela en moi ? Mais que dira maîtresse Iya ? » L'espoir et le doute se combattaient dans le regard implorant qu'il leva vers Tobin.

Celui-ci haussa les épaules. « Je suis sûr qu'elle n'y verra aucun inconvénient, dans la mesure où tu ne pénètres pas au château. »

Malgré cette affirmation, Bisir continua de balancer. « C'est tellement soudain... Tellement inattendu. Je ne sais pas comment réagira master Vorten. Il reste à rentrer le fourrage d'hiver et à répandre le fumier. On compte sur mon aide pour construire les nouvelles stalles, en plus... » Son menton s'était mis à trembler.

« Eh, arrête de t'en faire ! explosa Ki, dans l'espoir de le réconforter. Ton master Vorten pourra difficilement dire non à Tobin, pas vrai ?

— Je suppose, en effet...

— Il ne dira pas non à moi non plus, ajouta la prêtresse en saisissant le bras de Bisir. Inutile d'ennuyer le prince avec ces broutilles. Nous allons aller de ce pas en parler à Vorten et à mon amie damoiselle Haria. Elle ne te laissera sûrement pas chômer, mais je crois pouvoir te garantir d'ores et déjà que tu ne toucheras plus au fumier.

— Je vous remercie, Dame. Et merci à vous, mon prince ! s'écria Bisir en leur embrassant les mains. Qui aurait pu s'imaginer, quand je me suis glissé à votre suite dans l'auberge, que... ?

— Retourne tout de suite chez toi, l'interrompit Kaliya. Je t'y rejoindrai sous peu. »

Il déguerpit dans un claquement de sabots. La grande prêtresse ne put s'empêcher de rire en le regardant s'éloigner, puis elle se tourna vers Tobin et son écuyer. « Qui aurait pu s'imaginer ? fit-elle en écho à Bisir. Qui aurait pu s'imaginer, vraiment, qu'un prince de Skala se jetterait aux trousses d'un simple valet de ferme afin de le secourir ?

— Je l'ai connu à Ero, expliqua Tobin. Il s'y montrait plein d'attentions pour moi et a fait tout son possible pour m'aider.

— Ah, je vois. » Son sourire était aussi énigmatique qu'un masque d'argent ; Tobin ne parvenait pas à déchiffrer si peu que ce soit sa physionomie. « En tout cas, si le Rejeton d'Atyion se trouvait jamais avoir besoin de soutien, j'espère qu'il se souviendra de moi. Puisse l'Illuminateur vous accorder à tous deux ses bénédictions. » Sur ce, elle les salua en s'inclinant et partit de son côté.

Tandis qu'elle disparaissait dans la foule du marché, Ki secoua la tête. « Eh bien, voilà ce qui s'appelle une étrange aventure, crebleu !

— Un coup de pot, je dirais plutôt, répliqua Tobin. Je suis bien content que nous ayons retrouvé Bisir. Garçon laitier ? Tu arrives à te figurer ça, toi ? »

Ki s'esclaffa. « Et guerrier, dis ? Heureusement pour lui que cette femme soit survenue juste au bon moment ! »

En dépit du prestige dont jouissait Tobin parmi les citadins, le duc Solari continuait à jouer l'hôte dans la grande salle chaque soir, et c'était lui qui régnait en maître absolu sur les affaires du domaine.

« Héberger une cour coûte des fortunes, lui confiat-il au cours d'un dîner. Mais ne vous tracassez pas de cela. Nous comblerons le déficit en taxant les auberges et les tavernes. »

Des impôts frappaient également l'utilisation des routes et du port de mer sis à l'embouchure de la rivière, chaque gentilhomme étant pour sa part tenu de loger à ses propres frais ses suite et garde personnelles dans le château.

Toujours aussi préoccupé de la loyauté problématique des anciens vassaux de son père, Tobin consulta Tharin sur ce dernier point, mais le capitaine jugea plus autorisés que les siens les avis de Lytia et d'Hakoné.

« Oh, mais oui, c'est toujours ainsi qu'on a procédé, assura le vieil intendant, un soir où ils s'étaient installés au coin de son feu. Le seigneur en titre du fief – toi, en l'occurrence – se fait grand honneur en hébergeant le roi, mais il règle aussi la facture, quitte à la faire payer par la ville. Tu n'as pas à t'inquiéter, toutefois. Même si le duc ne collectait pas un seul sou de péages et d'impôts, les trésors d'Atyion suffiraient à supporter les frais de maintes visites royales. » Il reprit haleine et, s'adressant à Lytia : « Au fait, il n'a pas visité les caves, n'est-ce pas ?

— Elles recèlent de grandes quantités d'or ? questionna Tobin.

— Des montagnes, à ce qu'on m'a toujours dit ! s'écria Ki.

— Presque, gloussa Lytia. Je me ferais un plaisir de vous les montrer, mais voilà une clef que je n'ai pas dans mon trousseau. » Elle fit cliqueter la lourde chaîne qui ceignait sa taille. « Pour ce faire, il vous faudra demander à votre oncle ou au duc. Veille à ce qu'il en fasse la requête, Tharin. Il ne s'y trouve pas seulement des espèces, prince Tobin. Elles abritent tout le butin conquis l'épée au poing depuis aussi loin que l'époque de la Grande Guerre, ainsi que les présents offerts par une douzaine de reines.

— Obtiens qu'on t'y mène, Tob, insista Ki. Et débrouille-toi pour que je sois de l'excursion ! »

Tharin en parla dès le lendemain à Solari, et Tobin invita tous les Compagnons à prendre part à la visite.

Le trésor était logé dans les derniers soubassements de la tour ouest, des dizaines d'hommes en armes en assuraient la surveillance, et il fallait franchir trois portes bardées de fer pour y accéder.

« C'est à votre intention, mon prince, que nous n'avons cessé d'assurer la sécurité de tout, dit fièrement à Tobin le capitaine de la garde. Nous vivions tous dans l'attente impatiente que vous veniez en prendre possession.

— Ce qu'il fera à sa majorité », murmura Solari pendant qu'on entreprenait la descente des marches abruptes. Il avait beau sourire en la faisant, sa remarque frappa Tobin.

Surgi de nulle part juste au même instant, Queue-tigrée se jeta dans les jambes du duc. Celui-ci chancela puis décocha un coup de pied au chat qui lui planta ses griffes dans la cheville en crachant avant de disparaître aussi soudainement qu'il était apparu.

« Satanée bestiole ! gronda Solari. C'est la troisième fois qu'il me fait le coup aujourd'hui. J'ai bien failli me rompre l'échine en descendant ce matin dans la grande salle. Et il vient en plus pisser dans ma chambre à coucher, sans que j'arrive à savoir comment

362

il y entre. L'intendant aurait déjà dû le faire noyer, il finira par tuer quelqu'un !

— Pas de ça, messire, intervint Tobin. S'il faut en croire dame Lytia, les chats sont des créatures sacrées. Je n'admettrai pas que l'on touche à n'importe lequel d'entre eux.

— Comme il vous plaira, mon prince, mais j'ai le devoir de le dire, il en rôde partout plus qu'à suffisance. »

Rien de ce qu'avait évoqué Lytia n'avait préparé Tobin au spectacle qui lui sauta aux yeux lorsqu'on eut ouvert la dernière porte. Celle-ci donnait sur un dédale inouï de salles immenses et non point sur une seule et unique. De l'or, il y en avait des monceaux, de l'argent aussi, dans des sacs de cuir empilés comme des ballots d'avoine. Mais ce n'est pas là ce qui lui fit écarquiller le plus les yeux. Chacune des pièces qu'on enfilait successivement se révélait bourrée d'armures, d'épées, de bannières en lambeaux, de selles et de harnais couverts de pierreries. L'une d'entre elles recelait exclusivement des rayonnages entiers de coupes et de plateaux d'or que faisait rutiler le flamboiement des torches ; en son centre était exposé sur des tréteaux drapés de velours un vase colossal à deux anses : assez profond pour le bain d'un enfant, il avait le bas de son bord décoré d'une frise rédigée dans une écriture inconnue de Tobin.

« C'est en langue ancienne ! s'écria Nikidès en se faufilant entre Tanil et Zusthra pour mieux voir. Celle qu'on parlait à la cour des premiers hiérophantes !

— Je présume que tu sais la lire », ricana Alben.

Nikidès l'ignora. « C'est ce qui s'appelait une inscription sans fin, je pense. Elle doit relever de l'espèce susceptible de susciter des sortilèges ou des bénédictions pour peu que ce soit un prêtre qui la déchiffre. » Il lui fallut faire le tour du vase pour examiner tous les mots. « Je crois qu'elle débute ici... "Les larmes d'Astellus sur le sein de Dalna font pousser le chêne de Sakor qui déploie ses bras vers la lune d'Illior qui fait pleuvoir les larmes d'Astellus sur..." Enfin, vous voyez ce que je veux dire. On s'en servait probablement dans le temple des Quatre pour attirer l'eau de pluie destinée aux cérémonies. »

Tout au bonheur de voir son ami briller, Tobin s'épanouit. Nikidès pouvait bien n'être pas la plus fine lame du monde, sa culture n'avait aucun rival à redouter. Même Solari condescendit au vase un second coup d'œil moins superficiel. Pendant un moment, le petit prince vit se refléter sur la panse d'or le visage du protecteur, déformé en un masque jaune et cupide. Glacé du même frisson qui l'avait parcouru le jour où Frère avait chuchoté ses accusations, il loucha furtivement vers le duc. Mais il le vit tel qu'en lui-même et, semblait-il, sincèrement ravi de lui montrer son héritage.

En dépit de ses devoirs de souverain, Erius réussit encore à trouver le loisir de courre et de chasser au faucon, de visiter les élevages de chevaux avec les Compagnons, qui partageaient également sa table chaque soir. Tobin continuait à lutter contre les penchants de son cœur. Plus il le fréquentait, moins son oncle lui faisait l'effet d'être un monstre. Car, non content de plaisanter et de chanter avec eux, celui-ci se montrait prodigue de présents et de récompenses au retour des parties de chasse.

On festoyait toutes les nuits avec tant de faste que Tobin en demeurait pantois : d'où pouvait provenir une telle profusion de boissons et de mets ? Jour après jour convergeaient vers Atyion de telles files de fourgons que Solari se voyait obligé d'expédier des équipes de cantonniers pour maintenir les routes en bon état. Il emmena les garçons visiter les travaux en cours. Les chaussées se trouvant encore détrempées par les pluies printanières, les soldats y disposaient des bûches transversales que maintenaient solidement en place des pieux enfoncés dans le sol puis faisaient passer dessus des charrois lestés de pierres afin d'aplanir et de stabiliser le tout.

À force de voir se renouveler quotidiennement les plaisirs de la découverte, Tobin en vint à s'habituer peu à peu à l'idée que l'énorme château, ses richesses et les terres qui l'environnaient, tout cela lui appartenait. Ou du moins lui appartiendrait un jour. Malgré l'intérêt que lui inspiraient les affaires traitées à la cour, il ne se sentait jamais autant chez lui que dans la chambre d'Hakoné ou lorsqu'il allait flâner parmi les troupes au hasard des cours de la forteresse et de ses immenses casernements. On lui réservait toujours là le plus chaleureux accueil.

Les iris et l'oseille-aux-sorcières hérissaient déjà les fossés, les poulains et agneaux de printemps folâtraient dans les prés quand, la quinzaine achevée, le cortège royal reprit la route à destination d'Ero.

Pendant un certain temps, Korin et les Compagnons chevauchèrent aux côtés d'Erius, à disputer de fauconnerie tout en évoquant les plus beaux tableaux de chasse de leur séjour. Mais les pensées du roi devançaient déjà son retour dans la capitale, et il ne fut pas long à s'absorber dans le soin des affaires et à écouter, tout en allant, des scribes montés lui débiter force pétitions. Gagnés par l'ennui, les garçons finirent par le planter là en se laissant peu à peu distancer.

Du fond des rangs, derrière, une voix entonna une ballade que la colonne entière ne tarda guère à reprendre en chœur. Il s'agissait d'une très ancienne chanson qui remontait à l'époque de la Grande Guerre et où il était question d'un général mort en pleine victoire sur les nécromanciens de Plenimar. À peine éteinte la dernière strophe, on en vint à deviser de magie noire. Aucun des jeunes gens ne possédait la moindre connaissance sérieuse en telles matières, mais tous avaient été gorgés de contes épouvantables dont ils se firent part avec entrain.

« Je tiens de mon père une histoire que s'étaient transmise tous mes aïeux, dit Alben. L'un de nos ancêtres mena des troupes assaillir dans une île proche de Kouros la forteresse d'un nécromancien. Toute son enceinte était composée de cadavres de guerriers skaliens cloués comme des corbeaux. À l'intérieur même de la place, les grimoires étaient tous reliés en peau humaine. Les ceintures et les souliers des serviteurs étaient faits de même, et des crânes tenaient lieu de

366

coupes. Nous en avons une dans notre trésor. Père estime qu'il aurait fallu exterminer les nécromanciens jusqu'au dernier quand nous en avions l'opportunité. »

Alors qu'ils ne l'avaient pas entrevu de toute la matinée, voilà que subitement Nyrin se trouva des leurs, chevauchant auprès de Korin. « Votre père parle sagement, Lord Alben. La nécromancie est profondément enracinée chez les Plenimariens, et voici qu'elle y redevient de plus en plus vigoureuse. Leur dieu noir exige dans ses temples de la chair et du sang innocents. Les prêtres en festoient, et les magiciens de là-bas utilisent les cadavres humains comme s'il ne s'agissait que de vulgaires carcasses de bétail, ainsi que vous venez précisément de le raconter. Ces pratiques immondes ont même trouvé des adeptes sur nos rivages, et certains de ceux qui portent les robes des Quatre s'adonnent clandestinement aux arts rouges. Autant de félons, chacun d'eux. À vous de vous montrer bien vigilants, les gars ; leur influence agit comme un chancre au cœur de Skala, et la mort est le seul traitement possible. Il faut les traquer sans relâche et les anéantir.

— Comme vous-même et vos Busards vous y employez, susurra Alben.

— Lèche-bottes ! » marmonna Lutha, quitte à s'affairer sur ses rênes quand les dures prunelles brunes du magicien fulgurèrent une seconde dans sa direction.

« Les Busards ne sont ni plus ni moins que vous tous au service de Sa Majesté, répondit Nyrin en se touchant le front et le cœur. Les magiciens de Skala ont le devoir de défendre le trône contre ces félons putrides. »

Après qu'il eut repris les devants, Alben et Zusthra se répandirent en détails enthousiastes sur ce qu'ils avaient ouï dire du supplice infligé à ces fameux traîtres. « On les brûle vifs, confia Zusthra.

— Les prêtres, on se contente de les pendre, rectifia Alben. C'est aux magiciens qu'est réservée une magie spéciale.

— Comment cela se peut-il ? questionna Urmanis. On ne doit attraper que les plus débiles. Il me semble que les plus solides n'ont qu'à recourir à leurs propres pouvoirs magiques pour se soustraire aux poursuites.

— Les Busards ont des trucs à eux, riposta Korin d'un ton suffisant. À ce que dit Père, Nyrin s'est vu doté d'une magie envoûtante grâce à une vision durant laquelle Illior lui a ordonné de purifier sa confrérie pour la sauvegarde du royaume. »

La nouvelle de la marche du roi courait devant eux, et chaque village s'était paré pour lui souhaiter un heureux retour. Des feux de joie flambaient au sommet des collines, et la foule qui bordait la route ovationnait le cortège en agitant la main. L'accueil fut en tous points semblable lorsqu'on atteignit Ero juste avant le crépuscule du second jour. La ville tout entière était embrasée d'illuminations, et la route du nord, hors les murs, encombrée sur un bon demi-mille par des masses de sympathisants.

Erius témoigna sa satisfaction d'un pareil accueil en les saluant d'un geste amical et en leur jetant des sesters d'or à pleines poignées. Une fois à la porte, il s'inclina devant les emblèmes divins qui la surmontaient puis dégaina l'épée et la brandit bien haut pour permettre à tous de la voir. « Au nom de Ghërilain et de Thelátimos, mes ancêtres, et au nom de nos protecteurs, Sakor et Illior, je pénètre dans ma capitale. »

Ces simples mots suffirent à redoubler le vacarme, assourdissant déjà, des acclamations. Auxquelles répondirent en écho lointain, quand elles se furent éteintes, celles qu'on poussait sur le Palatin.

Au-delà du rempart, les rues étaient décorées de bannières, de fanions, de torches, et les citadins avaient jonché la rue de foin et d'herbes odoriférantes pour permettre au roi de fouler un sol plus moelleux. Des nuées d'encens s'élevaient en tourbillonnant de chaque carrefour où se dressaient un temple ou une chapelle. Les portes des boutiques et des habitations déversaient leur lot de badauds, des grappes de têtes se penchaient à toutes les fenêtres, les marchés étaient assiégés de gens qui interpellaient Erius en agitant tout ce qui leur tombait sous la main : chapeaux, mouchoirs, chiffons, manteaux.

« Est-ce que la guerre est finie ? criaient-ils. C'est pour de bon que vous rentrez ? »

Ce fut pareil sur le Palatin. Revêtue de ses plus beaux atours, la noblesse se coudoyait tout le long de la voie royale, la submergeant sous des avalanches de fleurs et brandissant des oriflammes de soie rouge.

En arrivant dans les jardins du Palais Neuf, Erius mit pied à terre et se fraya passage au travers de la cohue joyeuse, serrant des mains ici, là baisant des joues. Les Compagnons et les officiers s'aventurèrent dans son sillage, et ils reçurent un accueil non moins tonitruant.

À la longue, ils finirent quand même par aborder le perron du palais, et la foule, au-delà, s'écarta devant eux tandis que le roi se dirigeait vers la salle d'audience.

Tobin n'y avait jusqu'alors mis les pieds qu'une seule fois, le lendemain même de son arrivée à Ero. En vrai péquenot qu'il était encore à l'époque, l'immensité du lieu, ses piliers énormes, le grandiose de ses fontaines, de ses vitraux multicolores et sa prodigieuse chapelle l'avaient abasourdi. En ce jour, à peine pouvait-il rien voir de tout cela, tant il y avait de monde dans les coursives.

Des phalanges de la Garde royale formaient le cordon entre les colonnes sculptées de dragons, ne laissant ouverte qu'une espèce d'allée rectiligne jusqu'à l'estrade. Les magiciens busards qui flanquaient l'escalier d'accès à cette dernière formaient comme un liséré blanc sur le fond rouge des uniformes portés par les gardes. Le lord Chancelier Hylus était campé au bas des marches en grande tenue. Après une profonde révérence à l'adresse d'Erius, il lui souhaita une bienvenue aussi solennelle que s'ils ne s'étaient pas vus à Atyion quelques jours à peine plus tôt.

Nyrin, les Compagnons et le reste de la suite immédiate du roi vinrent occuper leurs places respectives au premier rang devant l'estrade, mais Korin et Tobin y grimpèrent à la suite de Sa Majesté.

« Fais exactement comme moi, mais de l'autre

côté », telles avaient été les instructions préalablement données à son jeune cousin par le prince héritier.

Sous la conduite de celui-ci, Tobin alla se planter derrière le trône et se mit au garde-à-vous, la main gauche sur la poignée de son épée, le poing droit plaqué contre son cœur.

Le manteau de cérémonie se trouvait toujours étalé sur le trône, comme il l'avait été tout au long de l'absence du roi, et la grande couronne cloutée de gemmes toujours posée sur le siège. Non pas rond mais carré, le bandeau de celle-ci affectait la forme d'une maison surmontée d'une flèche fantasmagorique à chacun des angles. Lorsque Erius atteignit le trône, des gentilshommes-écuyers vinrent la soulever avec des gestes déférents puis l'emportèrent sur un large coussin de velours. D'autres drapèrent le roi dans le manteau et le lui ajustèrent aux épaules avec des broches rutilantes de pierreries. Non sans un sursaut de déplaisir, Tobin s'aperçut que l'un de ces derniers n'était autre que Moriel. D'un air gourmé dans son tabard rouge, le Crapaud finit d'agrafer la broche et rejoignit sa place au bas des marches de l'estrade. Les Compagnons avaient pris position juste au-delà, et Ki décocha à Tobin un coup d'œil perplexe. L'autre horreur avait imperturbablement affecté de ne les voir ni l'un ni l'autre.

Erius fit face à la foule sur ces entrefaites et brandit à nouveau son épée. « Par le sang de mes ancêtres et par l'Épée de Ghërilain, je revendique ce trône pour mien ! »

Toute l'assistance, à l'exception des deux jeunes princes, tomba à genoux, le poing sur le cœur. Vu de la position qu'occupait Tobin, on aurait dit un champ d'avoine brusquement couché par un vent violent. Il éprouva un petit pincement de cœur douloureux. Quoi qu'aient pu dire de lui Lhel ou Arkoniel, Erius était un roi authentique, un guerrier.

Erius s'empara du trône et posa l'épée en travers de ses genoux.

« L'Épée de Ghërilain est revenue à Ero. Notre protecteur est de retour », annonça Hylus d'une voix singulièrement puissante pour un vieillard si frêle.

Les acclamations retentirent avec un tel fracas, cette fois, qu'elles se répercutèrent jusque dans la poitrine de Tobin. Il en ressentit une jubilation semblable à celle que lui avait procurée sa propre entrée à Atyion. *Voilà ce que c'est que d'être roi*, songea-t-il.

Ou reine.

22

Le retour du roi mit un terme à l'existence facile et comme insulaire des Compagnons dans la capitale. Il ne se passait presque pas de jour qu'Erius n'exige la présence à la cour de Korin près de lui, et les Compagnons l'y escortaient.

Une moitié d'entre eux du moins. Déjà séparés par l'âge, ils se retrouvaient désormais encore plus divisés par le sang et le titre. Tobin en était progressivement venu à comprendre les nuances subtiles qui distinguaient les gentilshommes des écuyers, tout issus qu'étaient les seconds de familles également nobles. Mais à présent, le distinguo se faisait sentir de manière infiniment plus aiguë. Quand Korin et les autres se rendaient à la cour, les écuyers continuaient à prendre leurs leçons au Palais Vieux.

Tobin ne goûtait guère ces nouvelles dispositions, car elles le privaient forcément de Ki.

Un après-midi qu'il déambulait dans l'aile des Compagnons, peu après son retour, à la recherche de son ami, il entendit tout à coup sangloter une femme quelque part, non loin. En tournant un coin, il entrevit une servante qui se dépêchait vers l'autre bout du corridor, le visage enfoui dans son tablier.

Il poursuivit sa route en se demandant ce que cela pouvait bien signifier, mais sa stupeur redoubla quand il perçut, aux abords de sa propre porte, de nouveaux pleurs. À l'intérieur, le page Baldus hoquetait, en larmes, recroquevillé au creux d'un fauteuil. Penché sur lui, Ki lui tapotait gauchement l'épaule.

« Qu'y a-t-il donc ? s'écria Tobin en se précipitant vers eux. Il s'est blessé ?

— Je viens juste d'arriver moi-même. Mais je n'ai rien pu tirer de lui jusqu'ici, sauf que quelqu'un est mort. »

Tobin s'agenouilla puis saisit le gosse par les poignets pour lui découvrir la figure. « De qui s'agit-il ? D'une personne de ta famille ? »

Baldus secoua la tête. « De Kalar ! »

373

Ce nom ne disait strictement rien à Tobin. « Tiens, prends mon mouchoir et torche-toi le nez. C'est qui, Kalar ? »

Le page reprit tant bien que mal son souffle et haleta : « La fille qui apportait le linge et qui changeait la jonchée de l'entrée... » De nouveaux sanglots l'étouffèrent.

« Ah, oui, fit Ki, la jolie blonde aux yeux bleus qui chantait tout le temps. »

Là, Tobin savait. Il aimait bien le répertoire qu'elle avait, les sourires qu'elle lui adressait toujours. Mais il n'avait jamais songé à demander comment elle s'appelait.

Ils ne réussirent à rien tirer d'autre de Baldus. Après lui avoir fait avaler trois gouttes de vin, Ki le fourra dans l'alcôve inutilisée, comptant qu'il s'y endormirait à force de pleurer. Molay survint à son tour et se mit à remplir ses fonctions, mais, contrairement à son habitude, d'un air sombre et sans desserrer les dents.

« Cette Kalar, tu la connaissais, toi aussi ? » finit par demander Tobin.

Tout en suspendant dans la garde-robe une tunique qui traînait par là, Molay soupira. « Oui, mon prince. Comme tout le monde ici.

— Que lui est-il arrivé ? »

Le valet de chambre ramassa des chaussettes abandonnées sous le banc de travail de Tobin et les secoua pour en faire tomber les chutes de cire et les copeaux de métal qui les tapissaient. « Elle est morte, messire.

— Ça, nous le savons ! s'impatienta Ki. Mais de quoi ? Pas de la peste, si ?

— Non, louée soit la Lumière. Il semblerait qu'elle était enceinte et qu'elle a fait une fausse couche la nuit dernière. On vient à peine d'apprendre qu'elle n'y avait pas survécu. » Sa prudente réserve l'abandonna un moment, et il s'essuya les yeux. « Et c'était encore presque une fillette ! s'emporta-t-il tout bas d'un ton colère.

— Cela n'a rien d'extraordinaire, de perdre un enfant comme ça, dès le début, surtout le premier, fit Ki d'un air rêveur, une fois Molay ressorti. Mais il est rare qu'on en meure... »

Plusieurs jours s'écoulèrent avant que les commérages de l'office ne parviennent au mess des Compagnons. À en croire la rumeur publique, l'enfant était de Korin.

Celui-ci prit la nouvelle avec philosophie ; après tout, il ne s'agissait là que d'un bâtard, et conçu par une bonniche, en plus. La rousse Lady Aliya, sur qui s'étaient concentrées les attentions du prince héritier depuis quelque temps, fut la seule à se montrer charmée de la triste nouvelle.

Kalar fut d'ailleurs d'autant plus vite oubliée que les deux gamins se retrouvèrent bientôt aux prises avec un autre événement fort désagréable et qui les frappait de beaucoup plus près. Car, non content de s'être débrouillé va savoir comment pour se faufiler dans la suite immédiate du roi, Moriel y faisait déjà figure de favori.

Korin ne se montrait pas pour sa part plus enchanté qu'eux de cette greffe inopinée sur la maisonnée de son père. S'ils devaient en croire le témoignage de leurs propres yeux, sa promotion n'avait nullement amendé les manières du Crapaud, mais le roi s'en était entiché. Plus que jamais verdâtre et arrogant, le grand jouvenceau de quinze ans révolus ne décollait pas d'auprès de Sa Majesté, toujours disponible et toujours obséquieux.

Au surplus, ses nouvelles fonctions l'amenaient fréquemment à fureter dans le Palais Vieux, qui n'avait guère eu jusque-là pourtant l'occasion de recevoir les visites des écuyers de cour. Mais le hasard voulait qu'il n'arrête pas de trouver quelque message à y délivrer, de venir chercher dans les ailes anciennes un objet dont Erius avait le plus pressant besoin. Chaque fois qu'il pivotait sur ses talons, Tobin avait l'impression que le Crapaud s'évanouissait au coin d'un corridor, quand il ne le surprenait pas à traîner ses chausses avec des commères ou avec ceux des écuyers qu'il avait pour copains. Ce qui, somme toute, revenait à exaucer ses vœux, ne fût-ce qu'en partie.

Korin l'abominait plus que quiconque au monde. « Il hante les appartements de Père plus que moi ! ronchonnait-il. Chaque fois que j'y mets les pieds, qui est-ce que j'y trouve ? *lui*, servile et rengorgé ! Et l'autre jour, il a profité d'un moment où Père ne pouvait l'entendre pour m'appeler par mon prénom ! »

La crise entre eux réussit à s'exacerber quelques semaines après. Tobin et Korin s'étant rendus chez le roi pour l'inviter à une partie de chasse, Moriel leur barra le passage. Au lieu de s'effacer respectueusement pour les laisser entrer, il fit un pas dehors et referma la porte derrière lui.

« Va avertir mon père que je désire le voir, ordonna Korin, déjà hérissé.

— Le roi ne veut pas être dérangé, Altesse », rétorqua le Crapaud d'un ton qui frôlait la grossièreté.

Le prince l'empoigna au col et le souleva de terre. Tobin ne l'avait jamais vu se mettre vraiment en colère mais, maintenant, tel était bel et bien le cas.

« Tu vas m'annoncer immédiatement », commanda-t-il d'une voix si dure qu'il aurait fallu être fou pour ignorer la menace.

Or, à la stupéfaction de Tobin, Moriel secoua la tête. « J'ai mes ordres. »

Korin n'attendit que le temps d'un battement de cœur, puis il le souffleta d'un tel revers qu'il expédia le Crapaud s'aplatir et faire une glissade de trois bons pas sur les dalles de marbre poli, le nez pissant le sang et la lèvre fendue.

Après quoi il se pencha sur lui et se mit à le secouer, cette fois, comme un forcené. « Si *jamais* tu oses me reparler sur un ton pareil..., si tu te hasardes à ne pas m'obéir quand je te donne un ordre ou à oublier dans quels termes il sied que tu m'adresses la parole, je te fais empaler à Traîtremont. »

Là-dessus, il retourna devant la fameuse porte interdite, l'ouvrit en coup de vent et entra carrément, sans plus se soucier de Moriel que la trouille faisait grelotter. Avec son bon cœur, Tobin était à deux doigts de s'apitoyer, mais le regard empoisonné qu'il vit le

Crapaud darder dans le dos du prince tua net toute velléité de compassion.

Dès l'antichambre lui parvinrent les éclats furibonds de la scène que Korin faisait à son père et le murmure amusé du roi qui lui répondait. En pénétrant à son tour dans la pièce, il découvrit que Nyrin s'y trouvait en tiers, planté juste derrière le fauteuil d'Erius. Et le magicien avait beau ne pas piper mot, Tobin fut sûr et certain d'avoir surpris dans ses yeux l'ombre du sale petit sourire chafouin de Moriel.

Ces perturbations mises à part, l'été s'écoula quelque temps assez doucement. C'était le plus torride de mémoire d'homme, et les campagnes en souffraient beaucoup. Les pétitionnaires venus à la cour ne parlaient que de sécheresse, d'incendies terribles, de puits à sec et d'épizooties.

Debout près du trône jour après jour, Tobin écoutait avec un intérêt mêlé de sympathie, mais tout cela le touchait relativement peu, débordé qu'il était par ses nouvelles tâches.

Il arrivait désormais souvent aux gentilshommes Compagnons d'assurer le service à la table royale comme les écuyers le faisaient à la leur. Par droit de naissance, c'est à Tobin qu'était échu le rôle de panetier consistant à découper les différents pains réservés à chacun des plats. Korin faisait un trancheur de première bourre, et c'était merveille que son adresse à exhiber l'une des six variétés de couteaux que réclamaient les viandes. Les critères d'âge et de famille avaient décidé des autres attributions : le géant

Zusthra tenait lieu de sommelier ; en sa qualité d'échanson, Orneüs se montrait d'une maladresse tellement insigne, malgré tout le mal que Lynx s'était donné pour essayer de le former, que la seconde fois où il inonda la manche du roi lui valut aussi sec d'être rétrogradé comme « aumônier » tandis que Nikidès assumait la relève auprès du souverain.

L'après-midi se poursuivaient, malgré la chaleur, l'entraînement aux armes et les leçons du vieux Corbeau, mais les matinées se passaient à la salle d'audience. Korin et Tobin disposaient d'un siège aux côtés du roi, mais Hylus et les autres se tenaient debout juste derrière eux, souvent pendant des heures d'affilée. Erius commençait à consulter son fils sur des affaires mineures ; il le laissa décider du sort d'un meunier convaincu de tricher sur le poids, ou de celui d'une gargotière qui vendait de la bière aigre pour de la bonne. Il lui permit même de se faire la main avec de petits criminels, et Tobin fut suffoqué de voir avec quelle facilité Korin infligeait marques au fer rouge et flagellations.

À l'exception de Nikidès, les autres garçons trouvaient d'un ennui mortel l'obligation d'assister à ces séances de justice. En dépit de ses hautes voûtes à colonnes et du tintement de ses fontaines, il faisait à midi une chaleur de four dans la salle du Trône. Pour sa part, Tobin était fasciné. Lui qui avait toujours eu un don pour déchiffrer les physionomies disposait là d'un inépuisable vivier d'études. Il fut très vite presque capable de voir se former les pensées des pétitionnaires selon qu'ils se faisaient cajoleurs, plaintifs ou cherchaient à se faire bien voir. Les intonations des intervenants, leur posture, la direction de leur regard pendant qu'ils parlaient..., tout cela avait autant de relief et de netteté pour lui que des lettres sur une page. Les menteurs n'arrêtaient pas de gigoter. Les honnêtes gens s'exprimaient avec beaucoup de calme. C'étaient les coquins fieffés qui chialaient et faisaient le plus de tapage.

Ses sujets d'observation préférés n'étaient cependant pas les Skaliens mais les émissaires étrangers. La complexité de la diplomatie le transportait autant que l'exotisme des costumes et des accents. Les Mycenois faisaient figure de monnaie courante ; leur gros bon sens et leur pragmatisme s'exerçaient essentiellement sur les questions de récoltes, de tarifs douaniers, de défense de leurs frontières. Rien de plus divers en revanche que les Aurënfaïes ; leurs clans se comptaient par dizaines, chacun d'entre eux se distinguant par la forme de son turban, l'objet de son négoce et de ses tractations.

Un jour, le roi reçut une demi-douzaine d'hommes au teint basané, aux cheveux noirs et bouclés. Ils portaient de longues robes à rayures bleues et noires taillées sur un patron dont Tobin n'avait jamais vu le pareil, et de lourds ornements d'argent leur pendaient aux oreilles. C'étaient là, apprit-il avec ébahissement, des représentants de tribus zengaties.

Arengil et tous ceux des artisans aurënfaïes avec qui Tobin s'était lié d'amitié n'évoquaient jamais Zengat qu'en termes de mépris ou d'exécration. Mais, comme Hylus l'expliqua plus tard, les Zengatis se divisaient en clans aussi fermés que ceux des 'faïes et méritant des degrés de confiance on ne peut plus divers.

La chaleur ne ramena pas uniquement la sécheresse, cet été-là. Du haut de leur terrain d'entraînement secret, sur le toit, Tobin, Una et les autres distinguaient sans peine à l'horizon d'énormes taches brunes ravageant les champs ; c'étaient les endroits où la rouille avait anéanti tout espoir de moisson.

Le ciel n'était pas épargné non plus. La rouge-et-noir s'était déclarée, hors les murs, le long de la rade. Le feu servait à raser des quartiers entiers, et des nuées de fumée gigantesques plafonnaient au-dessus des flots. À l'ouest s'élevait une colonne plus gaillarde et que ne cessait de ragaillardir l'urgence : là se trouvaient les champs de crémation ; on se hâtait d'y jeter même les défunts que la peste n'avait pas seulement frôlés.

Des cités de l'intérieur étant survenus des rapports alarmants sur la mort de chevaux, de bœufs et la recrudescence de la maladie, les riches seigneurs de chacun des districts frappés se virent ordonner par le roi d'y fournir à leurs frais du bétail et du grain. Les Busards de Nyrin pendaient bien quiconque osait dire qu'une malédiction pesait sur le royaume, mais, loin de cesser pour autant, les murmures n'allaient que croissant. Dans les temples d'Illior, la demande était devenue si forte que les fabricants d'amulettes n'y pouvaient suffire.

Paisiblement perchés sur leur Palatin, les Compagnons se croyaient toujours à l'abri de ces calamités vulgaires quand Porion, brusquement, leur interdit de dépasser en ville la rue de l'Oiseleur. Comme c'était là le couper de ses bases de prédilection, les bouis-bouis du port, Korin en gémit et râla des jours et des jours.

Une chose en tout cas dont ils avaient jusqu'à plus soif, c'était le vin, malgré les grondements réprobateurs du roi. Il coulait plus libéralement que jamais, si bien que Caliel lui-même, pourtant la pondération faite homme en temps normal, en vint à se présenter à l'entraînement la bouche mauvaise et les yeux rougis.

Les copains de Tobin imitaient son exemple et buvaient leur vin coupé de beaucoup d'eau. Grâce à quoi ils étaient généralement les premiers sur pied le matin, ce qui leur permit aussi d'être les premiers à découvrir que l'écuyer de Korin en était réduit à coucher là où il pouvait.

« Qu'est-ce que tu fiches là ? » s'ébahit Ruan la première fois qu'ils trouvèrent Tanil enroulé dans une couverture au coin de la cheminée du mess. Et sur ce, par jeu, de lui taquiner les côtes du bout de sa botte. Soit précisément le genre de libertés auquel leur aîné ne manquait guère de répondre en flanquant l'offenseur par terre et puis, à force de le chatouiller, amenait tous les autres à venir s'empiler dans une mêlée sans merci. Or, là, rien de tel, il se contenta de prendre la porte sans dire un mot.

« Qui c'est-y qui t'y a pissé dans sa soupe ? » marmotta Ki.

Tout le monde éclata de rire, excepté Ruan qui, idolâtre de Tanil, ne se remettait pas de sa déconfiture.

« Je ne serais pas en trop bonne forme non plus si je passais la nuit sur le plancher, dit Lutha. Il en a peut-être par-dessus la tête d'entendre Korin ronfler.

— Il n'a pas ronflé tant que ça, ces derniers temps », leur confia Ki. Vivant porte à porte avec le prince, ils avaient, Tobin et lui, bien assez perçu de tamponnements sourds et de chuchoteries jusqu'à des heures impossibles, les nuits précédentes, pour se douter que Korin n'allait pas souvent seul au lit.

« Eh bien, nous voilà fixés, je présume, ce n'est pas avec Tanil, dit Ruan.

— Ça ne l'a jamais été ! se gaussa Lutha. Non, c'est encore après une bonniche que Korin en a.

— Pas à mon avis », finit par lâcher Nikidès d'un air tout pensif en s'essoufflant à leurs côtés durant la course du matin. Il avait eu beau grandir un peu, cet été-là, et perdre la plupart de sa graisse de garçonnet, il restait le plus lent du groupe.

« Que veux-tu dire ? » demanda Ki, toujours très friand de ragots.

Nikidès s'assura d'un coup d'œil devant qu'aucun des aînés ne risquait d'entendre. « Je ne devrais rien dire...

— C'est déjà fait, pipelette. Parle ! pressa Lutha.

— Eh bien, il se trouve que l'autre soir, au cours du dîner chez lui, j'ai surpris les confidences que faisait Grand-Père à mon cousin de l'Échiquier, et que, d'après lui, le prince... » Un nouveau coup d'œil lui permit de se rassurer, Korin les devançait toujours largement. « Que, bref, il... muguette Lady Aliya. »

Même Ki fut scandalisé. Les servantes étaient une chose, à la rigueur aussi les autres garçons, mais les filles nobles, on n'y touchait sous aucun prétexte.

Pire encore, aucun d'entre eux n'avait de sympathie pour Aliya. Elle était certes assez jolie, mais elle se montrait méchamment taquine envers tout le monde, Korin excepté. Caliel lui-même évitait le plus possible de s'y frotter.

« Vous ne l'avez pas remarqué ? reprit Mkidès. Elle est constamment avec lui et, tenez, rien qu'à voir la mine boudeuse et l'air morfondu des servantes, je parierais qu'elle vous les a toutes chassées de son lit.

— Plus Tanil », leur rappela Ruan.

Lutha émit un sifflement. « Vous croyez que Korin est amoureux d'elle ? »

Barieüs se mit à rire. « Amoureux, lui ? De ses chevaux et de ses faucons, ça se peut, mais d'elle ? Par les couilles à Bilairy, j'espère bien que non. Figurez-vous-la en reine ! »

Nikidès haussa les épaules. « Les gonzesses, on n'a pas besoin d'être amoureux pour coucher avec. »

Lutha prit un petit air horrifié. « Sont-ce là des façons de parler, pour un petit-fils de lord Chancelier ? Quelle honte ! » Et une calotte bouffonne à l'oreille conclut la semonce.

Avec un glapissement, son copain lui balança son poing, mais le petit n'eut même pas besoin de changer de foulée pour que le coup tombe dans le vide.

« Holà, vous six, doublez-moi l'allure ! gueula Porion qui s'était écarté de la file et les foudroyait du regard. Ou bien préféreriez me faire un second tour pour vous ravigoter ?

— Non, Maître ! » cria Tobin, et il allongea le pas, laissant Nikidès se dépatouiller seul.

« Nik a raison, tu sais ? lui dit Ki. Qu'à viser Korin, tiens. » Le prince galopait en tête du peloton, ses prunelles noires allumées par une bien bonne dont il faisait part à Caliel et Zusthra. « Il est beaucoup trop débauché pour donner son cœur. Mais n'empêche que si sa favorite, maintenant, c'est elle, Aliya va devenir plus rosse que jamais ! »

23

Vers la fin de l'été, la chaleur devint tellement suffocante en ville que ceux des nobles du Palatin qui ne partirent pas se réfugier dans leurs domaines à la campagne se firent creuser des piscines. Dans les bas quartiers, les faiblards et les vieux crevaient comme des mouches.

Du coup, Erius et Porion lâchèrent un peu la bride aux garçons qui, désormais dispensés de leurs obligations de cour, allèrent prendre des bains de mer ou sillonner les collines boisées. Les gardes respectifs des deux princes se plaignirent aussi peu que les Compagnons de cet allégement du service. Aussitôt parvenu dans quelque crique ou sur les bords d'un lac, tout le monde se déshabillait et se jetait à l'eau. Tant et si bien qu'ils ne tardèrent pas à être tous aussi bruns que des paysans, et Ki plus que quiconque d'autre. Il commençait aussi à s'étoffer comme leurs aînés, ne put s'empêcher de remarquer Tobin qui, pour sa part, conservait son allure grêle.

En retraversant la ville à la mi-Lenthin après l'une de ces excursions, le silence environnant le frappa soudain. Certes, la canicule suffisait à vider les rues, la plupart des gens restant claquemurés chez eux pour se soustraire vaille que vaille à l'atmosphère irrespirable et à la puanteur ambiante, mais ceux qui se risquaient dehors ne manquaient jamais d'acclamer la bannière de Korin quand ils croisaient les Compagnons. Ils l'avaient encore fait le matin même, et maintenant, voilà que nombre d'entre eux se détournaient ou leur décochaient des regards noirs. Il y en eut même un qui cracha par terre sur le passage du prince héritier.

« Il s'est passé quelque chose ? » lança Korin à un sellier qui s'éventait, assis sur une caisse devant sa boutique. L'homme secoua la tête et rentra chez lui.

« Quel malotru ! s'indigna Zusthra. Je vais te l'assommer, le bougre ! »

Au grand soulagement de Tobin, son cousin s'y opposa d'un simple branlement du chef et mit son cheval au galop.

On se trouvait en vue de la porte du Palatin quand, de l'une des fenêtres supérieures d'une façade, fusa un chou qui, manquant de peu le crâne de Korin, atteignit Tanil à l'épaule et l'envoya rouler à terre.

Korin freina furieusement des quatre fers, pendant que les Compagnons fermaient les rangs autour de lui. « Fouillez cette maison. Attrapez-moi l'individu qui s'est permis d'agresser le fils du roi ! »

Le capitaine de sa garde, Melnoth, enfonça la porte d'un coup de pied puis se rua à l'intérieur avec une douzaine d'hommes. Les autres se formèrent en cercle autour des Compagnons, l'épée au clair. Du dedans parvinrent bientôt des cris et des bruits de vaisselle brisée.

Des curieux s'amassaient déjà quand Korin aida l'écuyer à se remettre en selle.

« Ce n'est rien, fit Tanil en se massant le coude.

— Tu as du pot qu'il ne soit pas cassé, observa Ki. Mais pourquoi diable est-ce qu'on nous bombarde de choux, tout à coup ? »

Les soldats reparurent, traînant trois personnes : un vieillard, une vieille femme, et un jeune gaillard en robes bleue et blanche de profès d'un temple d'Illior.

« Lequel d'entre vous est mon agresseur ? demanda Korin.

— C'est moi qui t'ai bombardé ! » riposta le prêtre en le dévisageant avec impudence.

La véhémence éhontée du ton prit manifestement le prince à dépourvu. Pendant un moment, il eut plutôt l'air d'un gosse blessé que d'un gentilhomme ulcéré. « Mais pourquoi ? »

L'autre cracha par terre. « Demande à ton père.

— Qu'est-ce qu'il a à voir là-dedans ? »

Au lieu de répondre, le jeune homme cracha de

nouveau puis se mit à beugler : « Abomination ! Abomination ! Meurtres ! Vous êtes en train de tuer le pays, et... »

Le capitaine Melnoth lui assena sur le crâne la poignée de son épée, et il s'affala par terre, inanimé.

« C'est un parent à vous ? » demanda Korin au couple de vieux tout tremblants.

Le vieillard édenté ne parvint à exhaler qu'un gémissement. Sa femme l'enveloppa dans ses bras et leva des yeux implorants vers le prince. « Notre neveu, messire, tout juste arrivé de province pour servir au temple de la rue du Chien. Si je m'attendais à le voir faire une chose pareille... ! Pardonnez-lui, je vous en conjure. Il est jeune, il...

— Pardonner ? » Korin émit un ricanement stupéfait. « Non, la mère, un tel acte est impardonnable. Capitaine, emmenez-le chez les Busards et veillez à ce qu'on l'interroge. »

Et, là-dessus, les Compagnons se remirent en chemin, poursuivis par les pleurs de la vieille.

Erius éclaircit l'incident le soir même, pendant qu'ils dînaient avec lui dans la cour de ses appartements privés. Les écuyers assuraient le service, assistés par quelques jouvenceaux de la suite du roi. Moriel était du nombre de ces derniers, et le soin qu'il prenait à se maintenir hors de la portée de Korin amusa fort Tobin.

Nyrin, Hylus et une poignée de gentilshommes faisaient également partie des convives. Ils étaient tous au courant, bien sûr, de l'attentat perpétré par le jeune illiorain, mais ils se firent un devoir de l'entendre à nouveau relater par Korin en personne.

Le récit terminé, le roi se cala dans son fauteuil et opina du chef. « Eh bien, Korin, peut-être est-il temps que tu t'en aperçoives, il n'y a pas qu'ovations et que roses à gouverner un grand royaume. On trouve des traîtres partout.

— Il m'a traité d'abomination, Père, dit Korin, qui n'avait toujours pas digéré les invectives de son agresseur.

— À quoi d'autre s'attendrait-on de la part d'illiorains ? renifla Nyrin. Je m'étonne parfois de voir Votre Majesté tolérer que leurs temples restent ouverts à Ero. Les prêtres sont les pires de tous les traîtres, ils corrompent la populace idiote avec leurs contes de bonnes femmes.

— Mais que voulait il dire, Père, quand il m'a répondu de vous demander la raison de son geste ? insista Korin.

— Si vous me permettez, Sire ? intervint Lord Hylus d'un air grave. Les propos tenus par cet individu étaient indubitablement relatifs aux exécutions annoncées aujourd'hui.

— Des exécutions ? » Korin tourna vers son père un regard perplexe.

« Oui, et c'est pour cela que je vous avais conviés ce soir, sans me douter alors que surviendrait ce nouveau désagrément, répondit le roi. J'ai mis au menu quelque chose de particulier, mes garçons. Demain soir doit avoir lieu une crémation ! »

Tobin se sentit glacé, malgré ce qui persistait de la touffeur de la journée.

« On va brûler du magicien ? s'écria Korin, enchanté. Cela fait si longtemps que nous désirons voir cela de nos propres yeux ! »

Lynx se pencha par-dessus l'épaule de Tobin pour lui remplir sa coupe. « Seulement certains d'entre nous, grommela-t-il sans grand enthousiasme.

— Votre père conçoit que vous n'êtes plus un enfant, mon prince, dit Nyrin avec un sourire obséquieux. Il est temps que vous et vos Compagnons soyez témoins de la toute-puissance de la justice de Skala. Grâce à la promptitude de votre réaction, cet après-midi, nous aurons une corde supplémentaire accrochée au gibet.

— Et vous n'aurez pas à aller bien loin pour assister à ce spectacle, ajouta le roi, tout en dégustant son vin et ses noix. On doit être en train de dégager le marché de l'est, à l'heure où nous causons.

— Vous entendez donc aller jusqu'au bout, mon roi ? demanda doucement Hylus. Vous ne vous raviserez pas ? »

Un silence de plomb tomba sur la cour.

Erius se tourna lentement vers son chancelier, et Tobin reconnut alors le changement soudain qui venait d'affecter la physionomie joviale de son oncle. C'était ce regard, le même, qui l'avait cloué le jour où il avait commis la bévue de prier qu'on donne Cirna au père de Ki. Nyrin ne s'interposa pas, cette fois.

« Je crois m'être exprimé sans ambiguïté là-dessus

ce matin. Vous avez quelque chose à ajouter ? » répliqua le roi d'une voix dangereusement basse.

Hylus laissa son regard flâner tout autour de la table, mais tout le monde se garda de croiser ses yeux. « Répéter seulement que l'on a toujours réglé les questions de ce genre en dehors de la ville. À la lumière de l'incident survenu tout à l'heure, peut-être que Votre Majesté devrait... »

Erius se dressa d'un bond, le poing brandi crispé sur son hanap, prêt à le jeter à la tête du vieil homme. Son visage avait viré au rouge sombre, et la sueur lui perlait au front. Coincé derrière le fauteuil du lord Chancelier, Ruan plaqua contre sa poitrine le bassin censé recueillir les « aumônes ». Hylus baissa la tête et mit une main sur son cœur mais ne broncha pas.

Le temps sembla s'arrêter durant un laps épouvantable. Enfin, Nyrin se leva et chuchota quelque chose à l'oreille du roi.

Erius abaissa lentement le hanap et retomba dans son fauteuil. Après avoir parcouru des yeux toute la tablée, il demanda : « Est-ce que quelqu'un d'autre voit une objection à l'exécution des traîtres ? »

Nul n'ouvrit la bouche.

« Très bien, alors, dit-il d'une voix pâteuse. Les exécutions se feront comme je l'ordonne. *Où* je l'ordonne. À présent, si vous voulez bien m'excuser, d'autres affaires me réclament. »

Korin se leva pour suivre son père, mais Nyrin secoua la tête et accompagna lui-même le roi. Moriel leur emboîta le pas. Les joues enflammées par un tel outrage, Korin les regarda se retirer, muet.

Ce fut Hylus qui rompit cette fois le silence. « Ah, mon prince, nous vivons des temps éprouvants. Je n'aurais pas dû entrer en discussion avec votre excellent père. Je vous saurai gré de lui transmettre mes excuses.

— Je n'y manquerai sûrement pas, messire. » Il était encore sous le choc, lui aussi.

Chacun se leva pour prendre congé, mais Tobin s'attarda un peu sur son siège, les tympans martelés par l'affolement de son cœur. Il avait une fois de plus failli à la vigilance, en se rengorgeant de la faveur d'Erius. Mais il ne pouvait plus l'ignorer, là, ce soir, il avait eu un aperçu de ce qu'était véritablement l'homme qui terrifiait Mère, un homme capable d'ordonner des meurtres d'enfants, et de le faire de sang-froid.

24

« Traîtres ou non, ça me débecte, ces salades, maugréa Ki pendant qu'ils achevaient de s'habiller le lendemain soir. C'est moche, de tuer des prêtres. Mon père disait toujours que ça venait de là, toutes ces famines et toutes ces épidémies qu'il y a eu depuis que le roi... » Il se mordit la langue et loucha prestement vers Tobin pour s'assurer qu'il ne l'avait pas offensé ; c'était son oncle, après tout, le roi. Un détail qu'il n'arrêtait pas d'oublier.

Mais Tobin fixait le vide avec cet air absent qu'il

lui arrivait encore d'avoir depuis sa maladie. Ki ne fut même pas certain qu'il l'ait seulement entendu.

Tout en tirant sur son nouveau surcot, Tobin laissa échapper un soupir soucieux. « Je ne sais que penser, Ki. Nous avons prêté le serment de combattre tous ceux qui trahissent Skala..., et je tiendrai le mien ! Mais la façon qu'a eue le roi de regarder Hylus ? » Il secoua la tête. « J'ai grandi avec la folie de ma mère. Je sais à quoi ça ressemble, et je te jure que c'est ce que j'ai vu dans les yeux d'Erius quand il agonisait ce malheureux vieillard. Et personne d'autre n'a dit quoi que ce soit contre ces exécutions ! Ils se sont tous comportés comme s'il s'agissait d'une bagatelle. Même Korin.

— S'il est fou, qui oserait dire quoi que ce soit ? Il reste le roi, fit observer Ki. Et Nyrin, dis-moi ? Je lui ai trouvé l'air diablement content, moi... »

Un coup discret fut frappé à la porte, et Nikidès et Ruan se faufilèrent à l'intérieur. Le premier était au bord des larmes, s'aperçurent-ils, effarés.

« Qu'est-ce qui ne va pas ? » questionna Tobin en le poussant vers un fauteuil.

Nikidès se révéla trop bouleversé pour répondre.

« Vous n'avez donc pas entendu les bruits qui courent ? demanda Ruan.

— Non, fit Ki. Et alors ? »

Nikidès recouvra tout à coup la voix. « Grand-Père a été arrêté. Comme traître ! Pour avoir posé une question ! s'étrangla-t-il, tremblant de colère. Le seul forfait qu'ait commis Grand-Père a été de poser une question. Vous l'avez entendu. Le roi sait aussi bien

393

que n'importe qui qu'il n'y a jamais eu d'exécution dans l'enceinte de la ville, sauf... Enfin, vous savez.

— Sauf sous le règne de la reine Agnalain, termina Ruan à sa place. Je vous prie de me pardonner, prince Tobin, mais votre grand-mère a fait des choses pas bien jolies.

— Inutile avec moi de t'en excuser. Elle était démente, tout comme ma mère.

— Ne dis pas ça, Tob », l'adjura Ki. Le souvenir d'Ariani hantait beaucoup trop son fils, ces jours-ci. « Elle n'a jamais rien fait de semblable aux crimes d'Agnalain la Folle. » Ou *d'Erias*, ajouta-t-il par-devers lui.

« Ça ne peut pas être vrai, dit-il à Nikidès. Le chancelier Hylus est le plus sage et le plus loyal des hommes de Skala, et nul ne l'ignore. Tu sais ce que ça vaut, les bruits...

— Mais si c'était *quand même* vrai ? » Le garçon refoula ses larmes. « Si on l'exécute avec les autres, tout à l'heure ? Et... » Il leva des yeux implorants vers Tobin. « Comment pourrais-je, moi, rester là, peinard, à regarder ?

— Viens. Korin saura, lui, de quoi il retourne, je parie. »

Ils allèrent frapper à côté, et c'est Tanil qui leur ouvrit. « Déjà l'heure de partir ? » Il portait son armure la plus tape-à-l'œil, mais n'avait pas encore lacé ses bottes.

« Non, nous faut dire un mot à Korin », répondit Tobin.

Debout devant son long miroir, Korin avait sa cuirasse à demi bouclée. L'amulette-cheval de Sakor que Tobin avait réalisée pour lui se balançait contre le cuir doré pendant que Tanil reprenait le combat contre les agrafes récalcitrantes. Deux valets de chambre s'affairaient cependant, l'un à déployer des manteaux de cérémonie, l'autre à astiquer le heaume repoussé d'or du prince.

Devant tout cela, Ki eut un brusque accès de culpabilité. Tobin continuait à s'habiller tout seul, n'acceptant d'aide que pour les attaches hors de son atteinte. Et, tout en admirant très fort tant de simplicité, Ki ne pouvait parfois s'empêcher de se demander si son cher ami ne devrait pas s'efforcer de vivre un tout petit peu plus en prince du sang.

Après qu'on lui eut exposé les alarmes de Nikidès, Korin haussa simplement les épaules. « Première nouvelle pour moi, Nik. Tu n'as d'ailleurs pas à t'inquiéter de Père. Tu sais combien il peut être fantasque, notamment quand il est fatigué. C'est cette maudite chaleur ! » Il retourna à son miroir pour regarder Tanil lui draper les épaules dans son manteau grenat et or. « Mais Hylus ferait mieux d'éviter de l'asticoter ! »

N'importe quel fils aurait défendu son père, Ki en savait quelque chose pour l'avoir fait lui-même plus souvent qu'à son tour. Mais il n'empêchait qu'il venait de percevoir dans la voix de Korin un ton impérieux qu'elle prenait de plus en plus souvent depuis quelque temps et qui le mit très mal à l'aise. Non moins que la mine accablée du pauvre Nikidès.

« Je croyais que c'était le rôle du lord Chancelier, de conseiller le roi », dit tranquillement Tobin.

Korin se retourna pour l'ébouriffer. « Encore un conseiller doit-il faire preuve du respect séant, cousinet. »

Tobin ouvrait déjà la bouche pour lui répliquer quelque chose, quand Ki se débrouilla pour croiser son regard et lui fit non d'un signe de tête presque imperceptible. Un coup d'œil fébrile de Nikidès lui révéla qu'il avait fait ce qu'il fallait faire et aussi à quel point la vie à la cour s'était modifiée depuis le retour d'Erius.

Les Compagnons se rassemblèrent au mess pour se soumettre à l'inspection de maître Porion avant de partir pour le Palais Neuf. Pendant que les autres tournicotaient impatiemment, Tobin resta auprès de Nikidès.

Ki se tenait avec eux, mais sans lâcher Korin de l'œil. Le prince était d'excellente humeur et continuait à jacasser aussi gaiement avec ses contemporains que si l'on était sur le point de se rendre à quelque belle festivité. Certains, n'est-ce pas, avaient déjà assisté à des pendaisons mais, ce soir, c'étaient des magiciens qu'on allait brûler vifs !

« Paraît qu'ils virent au noir et se ratatinent comme une araignée dans le feu, dit Alben, qui s'en pourléchait manifestement.

— Paraît qu'ils explosent en fumées de toutes les couleurs, renchérit Orneüs.

— On va vous leur montrer de quel bois se

396

chauffent les traîtres, à Ero ! déclara Zusthra en brandissant son épée. Assez moche déjà d'avoir des ennemis de l'autre côté de la mer sans qu'il faille en plus se tracasser de vipères logées chez soi. »

Cette déclaration remporta un succès triomphal.

« Il n'est pas de traître plus dangereux que l'engeance des magiciens, avec leurs sortilèges et leurs manières indépendantes, trancha Orneüs, que Ki soupçonna de recracher tout cru quelque propos tenu devant lui par son bon papa.

— Les pires, après eux, ce sont ces fripouilles de prêtres, comme le salaud qui a agressé Korin, intervint Urmanis à son tour. Et ces satanés illiorains qui prétendent encore que seule une femme peut gouverner Skala, hein ? C'est comme s'ils chiaient sur toutes les victoires que leur a offertes le roi Erius !

— Mon père affirme que tous les illiorains y croient encore, secrètement, reprit Alben. Bandes d'ingrats ! Le roi Erius a sauvé ce pays. »

Lynx se taisait, remarqua Ki. Cela n'avait rien d'extraordinaire, en soi, mais comme il avait un jour mentionné qu'un de ses oncles était magicien, peut-être était-il plus anxieux qu'il ne le montrait. Peut-être avait-il peur, comme Nikidès, de découvrir, ce soir, une figure familière dans le groupe des condamnés.

« Magiciens, prêtres..., tous des lunatiques, pontifia Zusthra. C'est à Sakor que nous devons la vigueur de nos bras. »

Porion entra juste alors, la gueule orageuse. Il sauta sur une table et poussa un rugissement pour réclamer l'attention de tous.

C'était la première fois que Ki voyait le maître d'armes armé pour ainsi dire de pied en cap. Tout huilée et polie qu'elle était, sa cuirasse arborait les cicatrices de maintes batailles, tout comme le faisaient le grand fourreau qui lui battait le flanc et le heaume d'acier coincé sous son bras.

« En rangs ! beugla-t-il en lançant à la ronde un regard noir. Écoutez-moi, maintenant, les gars, et écoutez-moi bien. Comme ce n'est pas à une partie de plaisir que nous sommes conviés ce soir, je ne veux plus vous entendre tenir des propos pareils. Les domestiques peuvent vous entendre de l'autre bout du corridor. »

Il déposa son heaume et se croisa les bras. « Traîtres ou pas, les hommes et les femmes qui vont mourir ce soir sont des Skaliens, et certains d'entre eux auront dans la foule des partisans – parents, amis et autres de cet acabit. Ainsi que vous le savez, c'est la première fois depuis une éternité qu'une exécution a lieu dans les murs de la ville et non à Traîtremont. Il ne m'appartient pas de juger si cette décision est sage ou légitime, mais ce que je peux vous affirmer, c'est qu'elle ne rencontre pas l'agrément de certaines factions, ici même, à Ero. Aussi, fermez bien vos gueules, ouvrez bien vos yeux, tenez-vous bien prêts à dégainer. C'est ce soir, Compagnons, que débutent vraiment vos fonctions. En quoi consistent-elles ?

— À préserver le prince Korin, répondit Caliel.

— Exact. C'est à cet effet que vous vous êtes tous entraînés, et vous pourriez bien être appelés ce soir à prouver la valeur de votre serment. Nous devons marcher devant le roi jusqu'au marché puis au retour, flanqués par la garde de Sa Majesté. Au premier indice de perturbation, nous resserrons les rangs autour de Korin pour le ramener coûte que coûte ici. Les gens du roi pourront bien nous seconder dans cette tâche, l'honneur et le devoir n'en sont pas moins nôtres.

— Et Père ? demanda Korin. Je ne vais quand même pas me laisser remporter comme une malle, s'il se trouve en danger !

— Il bénéficiera d'une solide protection. Vos obligations personnelles, mon prince, consistent à rester en vie pour gouverner après lui. Abstenez-vous donc de jouer les héros, ce soir, vous m'avez compris ? » Il le fixa droit dans les yeux jusqu'à ce qu'il en obtienne un signe d'acquiescement puis gratifia le reste de l'auditoire d'un regard sombre. « Et vous, terminé aussi de vous comporter comme une volée de fillettes à un pique-nique ! La gravité s'impose, en l'occurrence. » Il s'interrompit, massa sa barbe grisonnante. « Puis gare à votre peau, si vous me demandez. On va faire couler le sang, ce soir, dans la capitale. Du sang de prêtres. Quels que soient leurs crimes, il y a du malheur dans l'air, aussi, restez sur le qui-vive et tenez-vous prêts à réagir à chaque pouce du trajet jusqu'à ce que nous soyons de retour indemnes. »

Il sauta à bas de la table et, s'armant d'un bout de craie, se mit à tracer sur le sol un plan de bataille. « Mon souci majeur est la place du marché. C'est là que la foule sera le plus dense et le plus difficile à endiguer. Nous serons ici, nous, devant la plate-forme centrale. Tes gentilshommes et toi, Korin, vous vous tiendrez à la droite du roi. Vous autres, écuyers, vous serez en selle chacun derrière son maître, et je veux vous voir tenir la foule à l'œil pendant qu'eux regarderont se dérouler les exécutions. Si le pire se produit, vous ne quittez pas Korin, et c'est l'épée au clair que nous nous frayons passage à toute force jusqu'à la porte du Palatin. Tout le monde a pigé ?

— Oui, maître Porion ! » répondirent-ils d'une seule voix.

Il marqua une nouvelle pause et les scruta tous tour à tour. « Bon. Et les lois de la guerre s'appliquent. Que l'un de vous se laisse gagner par la panique et abandonne le prince, je le tue moi-même, quel qu'il soit.

— Oui, maître Porion ! » s'enflamma Ki avec les autres, tout en sachant qu'il ne s'agissait pas d'une menace en l'air.

Comme ils défilaient vers la sortie, il pressa furtivement le poignet de Tobin. « Prêt ? »

Tobin lui jeta un coup d'œil parfaitement calme. « Bien sûr. Et toi ? »

Ki hocha la tête avec un grand sourire. Il n'avait pas peur, lui non plus, mais il se jurait à part lui que, s'il éclatait des troubles, ce n'est pas de Korin qu'il se soucierait en priorité.

Une pleine lune jaune surmontait la ville et barbouillait d'un sillage d'or mouvant toute la rade en contrebas. L'air était aussi mortellement calme que si l'agglomération tout entière retenait son souffle. Nulle brise de mer n'entrecoupait la pestilence estivale des rues. C'était à peine si vacillait la torche de Ki pendant qu'on descendait au petit pas. Les hauts bâtiments de pierre qui bordaient la grand-rue répercutaient le clic-clac des sabots et le martèlement lugubre des tambours.

Tobin chevauchant naturellement aux côtés de Korin et de Porion, Ki se trouvait rejeté juste derrière eux avec Caliel, Mylirin et Tanil. Tous les écuyers charriaient une torche. La Garde royale couvrait les flancs et fermait également la marche. Les tuniques rouges qui l'encadraient n'étaient pas pour déplaire à Ki. Il ressentait ce soir tout le poids des responsabilités qu'avaient jusqu'alors plus ou moins masquées les tourbillons de l'entraînement, des banquets et des combats fictifs.

Un regard en arrière lui permit d'entr'apercevoir le roi par-dessus les têtes des autres Compagnons. À la clarté des torches, le front couronné d'Erius semblait environné de flammes, et son épée brandie rutilait de même.

« On le prendrait pour Sakor en personne, non ? » chuchota Mylirin d'un ton admiratif en suivant l'exemple de Ki.

Celui-ci acquiesça d'un simple hochement, l'œil attiré par un éclair blanc et argent qui venait de fuser aux côtés du roi. À cette place-là, Lord Nyrin faisait figure de général.

À l'extérieur du Palatin se pressait en silence moins de monde qu'on ne s'y était attendu. En traversant un quartier peuplé pour l'essentiel de gentilshommes et de riches marchands aurënfaïes, cependant, Ki examina nerveusement les alentours. Il n'était pas bien tard, mais à peine se discernait-il une lumière de-ci de-là.

Un héraut précédait la tête du cortège en clamant : « La justice du roi va s'accomplir. Longue vie à Sa Majesté Erius ! »

Un petit nombre de badauds lui fit écho, mais d'autres s'évanouirent dans la gueule noire des portes en regardant, muets, passer le défilé. Levant les yeux, Ki discerna des têtes aux fenêtres et s'arma de courage en prévision de choux, voire de bien pire.

« Assassin de prêtres ! » hurla du fond des ténèbres une voix isolée. Ki surprit plusieurs gardes à scruter les parages, en quête du dissident, et un sentiment d'irréalité s'abattit sur lui. Ces rues qu'il avait si paisiblement sillonnées tant de fois lui faisaient tout à coup l'effet d'être un territoire ennemi.

Korin et Tobin se tenaient en selle comme au garde-à-vous, aussi raides que deux tisonniers, mais la tête du second pivotait sans trêve, à l'affût de la moindre menace. Ki aurait bien voulu voir les traits de son ami, lire dans ses prunelles bleues ce qu'il pensait de tout cela, car la conscience du gouffre qui les séparait venait subitement de prendre une acuité formidable, inconnue jusque-là... Ce n'était pas la disparité de fortune qui le creusait, ce gouffre, c'étaient les disparités de sang, d'histoire et de position.

La foule se fit plus dense aux abords du marché de l'est. Beaucoup de gens brandissaient des torches pour éclairer le chemin du roi, ce qui permit à Ki d'examiner leurs physionomies : certains avaient l'air triste, d'autres souriaient en agitant la main ; il en vit pleurer çà et là.

Il se crispa, balayant désormais la presse, anxieux d'y repérer le luisant d'une lame ou bien la courbure d'un arc. Un frisson de soulagement mêlé de terreur le secoua lorsque enfin se dessina, droit devant eux, l'entrée lointaine de la place. Déjà se percevait la rumeur d'une foule énorme.

C'était la plus vaste place d'Ero. Sise à mi-chemin du port et du Palatin, elle était entourée sur trois côtés par de hautes façades, notamment celle d'un théâtre où les Compagnons avaient applaudi nombre de spectacles. À l'est, son pavage en pente venait buter contre un parapet de pierre bas d'où l'on surplombait un petit parc boisé et toute la rade, au-dessous.

Les lieux étaient presque méconnaissables, ce soir. On en avait ôté toutes les échoppes, et les gens, épaule contre épaule, y faisaient la haie de part et d'autre du passage réservé au cortège et que les culs-gris de Nyrin maintenaient ouvert. Le temple des Quatre lui-même avait disparu. Ce qui, plus encore que la vue des escouades de gardes busards, procura à Ki la sensation bizarre d'un naufrage à pic au creux de son estomac.

Au milieu de la place se dressait, telle une île battue par la mer des visages, une large plate-forme drapée de bannières. Elle était gardée sur tous les côtés par des rangs de culs-gris armés de haches et d'épées. Huit magiciens vêtus de blanc y étaient plantés à attendre. Des torches fichées aux quatre angles illuminaient les rehauts d'argent de leurs robes et les deux grands cadres de bois devant lesquels ils se tenaient.

On dirait des cadres de lit mis debout, ou des montants de portes sans murs autour, songea Ki, pressentant déjà leur destination grâce aux histoires qui circulaient. Juste derrière eux se découpait la silhouette d'un instrument plus familier : le sinistre échafaud d'un gibet. Des échelles s'appuyaient déjà contre la poutre transversale, et il compta quinze cordes prêtes à servir.

Une flopée de ministres et de gentilshommes montés occupaient l'espace dégagé devant la plate-forme, et Ki eut la joie de voir Lord Hylus parmi eux. Nikidès lui aussi devait pousser un soupir de soulagement, malgré les dix ans que le vieillard paraissait avoir pris depuis la nuit dernière.

À l'approche du roi, le silence se fit dans la foule. On n'entendait plus que le son des tambours et le bruit des sabots sur le pavement.

Korin et les Compagnons s'alignèrent à la droite du roi, conformément aux ordres. Après avoir pris place derrière Tobin et immobilisé Dragon, Ki posa la main sur la poignée de son épée.

Nyrin mit pied à terre et suivit le héraut sur la plate-forme. Les tambours cessèrent de rouler et, pendant un moment, Ki perçut distinctement la rumeur de la mer. Après avoir adressé une profonde révérence au roi, les magiciens busards formèrent un demi-cercle autour de leur patron.

« Soyez témoins, vous tous qui vous êtes assemblés ici, de la justice sacrée du roi ! s'égosilla le héraut. Par ordre de Sa Majesté Erius, héritier de Ghërilain, détenteur de l'Épée et protecteur de Skala, les ennemis de Skala que voici seront mis publiquement à mort en présence des Quatre. Ils sont convaincus de félonie contre le trône et tous les sujets loyaux. »

Des bravos clairsemés saluèrent cette proclamation, mais la plupart des gens se contentèrent de chuchoter entre eux. Un cri de colère s'éleva au loin, mais il fut promptement noyé dans un brouhaha de voix.

Le héraut déroula un parchemin plombé de sceaux et se mit à lire les noms des condamnés et les charges retenues contre eux. Le quatrième était le jeune prêtre lanceur du chou. Appelé Thelanor, il était inculpé de trahison, sédition et agression contre la personne du prince royal. Sa bouche était déjà barrée par le T des traîtres imprimé au fer rouge qui le réputait religieux hérétique. À l'extrémité opposée de la plate-forme, des gardes hissaient les captifs ligotés pour les remettre entre les mains tendues des bourreaux.

Les condamnés étaient accoutrés de longues tuniques sans manches en burat grossier de laine écrue. Il y avait des femmes parmi eux, mais le plus grand nombre étaient des hommes et des gamins. La plupart portaient la marque infamante au front, et tous étaient bâillonnés. Seuls deux d'entre eux, un couple de vieillards à cheveux gris, au visage maigre et ridé, l'avaient en travers des lèvres comme Thelanor. Ils gardèrent la tête haute quand on les poussa vers les échelles du gibet.

Quand Ki était allé avec sa famille à Colath voir pendre des voleurs et des brigands, la foule rugissait, altérée de sang, et les bombardait de tout ce qui lui tombait sous la main. Ses frères, ses sœurs et lui s'en étaient donné à cœur joie de leur lancer des pierres et des pommes pourries. Père avait récompensé chaque tir au but d'un liard de cuivre à dépenser ensuite à l'étal du marchand de bonbons.

De plus en plus mal à son aise, il jeta un regard alentour. Les gens qui balançaient des trucs étaient plutôt rares, et il ne vit pour ainsi dire pas de gosses, en dehors de ceux qui se tenaient au pied de l'échafaud. L'un d'eux ressemblait tellement à son frère Amin qu'il faillit presque l'appeler, horrifié, avant que ne soit proclamé le nom de l'inconnu.

Les tambours battirent un rappel allègre. Les soldats assurèrent solidement les échelles contre la poutre de l'échafaud puis, un à un, les condamnés furent contraints à grimper vers les nœuds coulants. Du sein des Compagnons montèrent des vivats quand on fit basculer dans le vide le premier homme.

Korin brandit son épée et hurla : « Mort aux ennemis de Skala ! Longue vie au roi ! »

Les autres s'empressèrent de faire pareil, le plus prompt de tous étant ce lécheur d'Orneüs. Certain de l'avoir surpris à s'assurer que Korin le regardait bien, Ki ne l'en méprisa que mieux.

Tobin avait tiré l'épée comme tout le groupe, mais il ne l'agitait pas, demeurait bouche close. Ki n'arriva pas non plus à manifester beaucoup d'enthousiasme.

Le deuxième homme se débattit, piailla, et il fallut finalement le décramponner de l'échelle. Ce spectacle affola certains de ses compagnons de misère et, pendant un moment, on crut devoir s'attendre à ce que les soldats aient à recourir à la force avec tous.

La foule s'échauffait, maintenant, et une brusque rafale de légumes pourris se mit à pleuvoir sur les condamnés comme sur leurs gardiens.

On pendit une femme ensuite, et puis ce fut au tour du jeune Thelanor. Il essaya bien de crier quelque chose, malgré son bâillon, mais le tumulte était tel que personne n'aurait pu l'entendre, de toute façon. Et c'est en homme qu'il marcha au supplice en escaladant vivement l'échelle sans seulement laisser aux gardes le temps de le houspiller.

Il ne leur en fallut pas moins recourir à la violence pour hisser quelques-uns des autres prisonniers, mais la plupart devaient avoir plus de cœur au ventre, à moins que la bravoure exemplaire du précédent ne leur eût fait honte. Malgré ses mains liées, l'un d'eux salua du mieux qu'il put à la manière d'un guerrier avant de se propulser dans le vide. Les huées de la populace en furent un instant suspendues, mais elles reprirent de plus belle quand son successeur s'agrippa comme un forcené aux barreaux en se compissant, tandis que les gardes lui rouaient le crâne de coups. Les gamins et les femmes opposèrent moins de résistance.

Enfin survint le tour du couple de vieux religieux. Non sans avoir préalablement porté leurs poignets ligotés à leur cœur et leur front, c'est d'un air résolu qu'ils gravirent leur échelle. Même la lie de la foule en fut si impressionnée qu'aucun projectile ne vola contre eux. Tous deux firent la fatale culbute sans se débattre ni protester.

Un silence presque unanime régnant sur la place, à présent, Ki crut y percevoir des gémissements. Les vieillards avaient succombé très vite, leur frêle échinc brisée comme un sarment sec. Mais les femmes et les gamins ne pesaient pas assez, et les guerriers avaient des encolures de taureaux ; la plupart se démenèrent dur et un temps fou avant que Bilairy ne se décide à les réclamer. Ki dut se forcer pour subir de bout en bout cet affreux spectacle, afin de ne pas couvrir Tobin d'opprobre en se détournant. Alors qu'il était d'usage que les bourreaux tirent d'un coup sec sur les jambes des suppliciés pour mettre un terme à leur martyre, aucun d'entre eux n'intervenait en leur faveur, ce soir.

Lorsque se fut enfin terminée la danse macabre, les tambours résonnèrent à nouveau sur un rythme encore plus âpre et rapide. Une grande charrette à hautes ridelles pénétra bruyamment dans la place, attelée d'une paire de bœufs noirs et cernée par un bataillon de culs-gris bouclier au poing et l'épée dressée. Six magiciens busards se tenaient à l'arrière du véhicule, main dans la main, face à son contenu.

Personne n'osa leur lancer quoi que ce soit, mais de vilains ronchonnements crurent et s'enflèrent jusqu'à exploser en cris de colère et d'indignation. Ki frissonna, la fureur soudaine de la foule lui faisait l'effet d'une vague de nausée. Il aurait d'ailleurs été fort en peine de dire si c'était aux Busards ou à leurs captifs invisibles que s'adressaient les huées.

N'ayant jamais assisté à aucune exécution jusquelà, Tobin avait déjà eu besoin ce soir de toute sa force de volonté pour ne pas s'enfuir en lançant Gosi au triple galop. Les quelques bouchées qu'il avait réussi à ingurgiter au dîner le barbouillaient et lui brûlaient l'arrière-gorge, il les ravalait convulsivement, tout en priant que Korin et Porion ne s'aperçoivent pas de sa faiblesse. Aucun des autres ne semblait dérangé par le spectacle ; Korin se comportait comme s'il n'avait jamais rien vu de si divertissant, et il avait même échangé à mi-voix avec certains de ses voisins des paris sur lequel des pendus l'emporterait en longévité.

Comme la charrette atteignait la plate-forme, une peur subite et irrationnelle submergea Tobin. Et si c'était Arkoniel qu'on en extrayait, ou Iya ? Crispant sa main sur les rênes au point d'en avoir mal aux doigts, il écarquilla les yeux sur les deux captifs nus qu'on traînait au supplice.

Ce n'est pas eux ! songea-t-il, soulagé jusqu'au vertige. C'étaient des hommes, mais aucun n'était aussi velu qu'Arkoniel. Il n'y avait du reste aucune raison de supposer qu'il s'agît de lui, s'avisa-t-il, mais l'hypothèse ne s'en était pas moins imposée pendant un instant comme une évidence criante.

Les deux condamnés avaient la poitrine barbouillée de motifs rouges tarabiscotés, et le visage emprisonné dans des masques de fer qui, dépourvus de traits et simplement percés de fentes obliques à l'endroit présumé des narines et des yeux, leur donnaient un aspect maléfique, inhumain. Des menottes en métal entravaient leurs poignets.

Les gardes les forcèrent à s'agenouiller, et Nyrin s'avança par-derrière, les mains levées au-dessus de leurs têtes. Il avait toujours frappé Tobin par sa pédanterie, mais là, à dominer de tout son haut ces malheureux, il semblait comme enfler et grandir.

« Voyez les ennemis de Skala ! » cria-t-il d'une voix qui portait jusqu'aux quatre coins de la place. Il attendit que se soit éteint le nouveau tumulte qu'avaient suscité ses paroles avant de reprendre : « Voyez ces soi-disant magiciens qui voudraient renverser le souverain légitime de Skala. Des sorciers ! Des jeteurs de sorts sur les récoltes et les troupeaux, des prêcheurs de sédition, des porteurs de tempête appelant la foudre et le feu sur les habitants innocents de leurs villages. Ils profanent le saint nom d'Illior avec leur magie perverse et menacent la sûreté même de notre pays ! »

L'épouvantable gravité de ces accusations fit frémir Tobin. Mais plus il regardait les magiciens condamnés, plus il était sensible à leur aspect banal et démuni. Eux, faire du mal à qui que ce soit ? Cela semblait inimaginable.

Nyrin pressa ses deux mains sur son front et son cœur puis s'inclina bien bas devant le roi. « Quelle est la volonté de Votre Majesté ? »

Erius mit pied à terre et monta le rejoindre sur la plate-forme puis, faisant face à la foule, il dégaina l'Épée de Ghërilain et la planta entre ses pieds, les mains reployées autour de la poignée. « Nettoyez le pays, loyaux magiciens de Skala ! cria-t-il d'une voix de stentor. Protégez mon peuple ! »

Aucun des soldats ne bougea de sa place, et ce furent les magiciens busards qui se chargèrent eux-mêmes de traîner leurs deux collègues vers les cadres

410

qui les attendaient. Trois d'entre eux se campèrent un peu à l'écart et se mirent à psalmodier de manière entêtante pendant que les autres débarrassaient les prisonniers de leurs menottes et les ligotaient en un tournemain chacun sur son cadre, en position écartelée, avec une corde d'argent.

L'un paraissait malade ou drogué. Ses jambes ne le portaient pas, et il fallut le maintenir debout pendant qu'on l'attachait dans le dispositif. L'autre ne se montra pas si passif. Juste au moment où les Busards allaient lui nouer les poignets, il se dégagea brusquement par une pirouette et s'avança d'un pas chancelant, leva les mains vers sa figure, émit un mugissement étouffé, et son masque de fer vola en éclats dans un nuage d'étincelles et de fumée. Les robes des Busards les plus proches furent tout éclaboussées de sang. Horrifié jusqu'à la fascination, Tobin ne put détourner son regard. La face ensanglantée de l'homme était une abominable bouillie tordue par des douleurs atroces. Un grondement de défi découvrit des trognons de dents quand il tendit ses poings vers la foule et hurla : « Crétins ! Bétail aveugle ! »

Les Busards se précipitèrent sur lui, mais il se démena si farouchement qu'il réussit à se débarrasser d'eux. « Tu paieras, un jour ! clama-t-il en pointant l'index vers Erius. La Vraie Reine arrive. Elle est déjà parmi nous... »

Il se dégagea violemment de l'emprise d'un nouveau Busard et, tout à coup, son regard plongea droit sur Tobin.

Tobin eut l'impression qu'une étincelle de reconnaissance venait de fulgurer subitement dans ce regard fou. Puis la sensation bizarre d'un fourmillement de chatouilles l'envahit tandis qu'ils se fixaient tous deux, les yeux dans les yeux, durant ce qui lui parut être une éternité.

Il me voit ! Ul voit mon vrai visage ! songea-t-il, hébété, quand quelque chose comme un éclair de joie parut dans les prunelles du magicien, le temps que ses bourreaux lui sautent à nouveau dessus, l'entraînent à reculons.

Aussitôt délivré de ce regard-là, celui de Tobin parcourut les alentours avec affolement. La foule lui permettrait-elle de s'enfuir si Nyrin le dénonçait ? Du coin de l'œil, il distingua le Busard et le roi plantés en marge de la bagarre, mais il n'osa pas les lorgner carrément. N'étaient-ils pas en train de le dévisager ? N'avaient-ils pas compris ? Lorsqu'il finit par s'y risquer, toutefois, vite vite, à la dérobée, tous deux n'affichaient d'intérêt que pour l'exécution.

Les magiciens busards entraînaient leur proie, malgré ses ruades à rebours, en se cramponnant à ses bras et en lui tirant sur les cheveux pour le forcer à relever la tête afin qu'un des leurs puisse le bâillonner.

« L'Illuminateur ne se laissera pas narguer ! » réussit-il encore à proférer pendant qu'ils lui inséraient de force entre les dents la boucle d'un fil d'argent, mais cela ne l'empêcha pas de continuer la lutte. Pétrifié, Tobin ne s'avisa d'aucun des mouvements du roi jusqu'à ce que l'Épée de Ghërilain vienne se plonger dans les entrailles du malheureux.

« Oh non ! » exhala-t-il, horrifié de voir l'honneur de cette arme insigne souillé d'un sang de prisonnier. L'homme eut un sursaut puis s'effondra face en avant quand Erius retira la lame.

Les magiciens le relevèrent, et Nyrin appliqua la main sur son front. Toujours vivant, l'autre lui expédia un crachat qui marqua d'une nouvelle tache écarlate ses robes blanches. Le Busard ignora l'insulte et, à mi-voix, se mit à psalmodier.

Les yeux de l'agonisant se révulsèrent dans leurs orbites, ses jambes cédèrent sous lui, et ce fut tout simple, après, de l'écarteler sur son cadre et de l'y attacher.

« Allez-y », commanda Erius, tout en essuyant cal-mement sa lame pour la nettoyer.

Tout étant rentré dans l'ordre, les magiciens se dis-posèrent en cercle autour des cadres et se mirent à psalmodier d'une voix de plus en plus forte de nou-velles incantations, tant et si fort qu'à la fin fleurirent sur le corps même des suppliciés des flammes d'une blancheur et d'un éclat tels que Tobin n'en avait jamais vu. Il ne s'en élevait aucune fumée, pas plus que l'ombre de la puanteur que les champs crématoires soufflaient parfois dans la ville entière par-dessus les murs. Ils se débattirent quelques secondes qui suffirent à les consumer aussi totalement que peut l'être par une bougie l'aile d'un papillon de nuit. Quelques secondes, et il ne resta d'eux plus rien d'autre que des mains et des pieds calcinés, toujours pris dans leurs liens d'argent aux quatre coins des cadres de bois roussi.

Des taches noires consécutives à l'aveuglant éclat

des brasiers virevoltaient sous les yeux de Tobin. Il s'efforça aussi vainement de les dissiper en battant des paupières que de détacher son regard du cadre de gauche, obsédé par la lueur de reconnaissance qu'il avait entrevue briller dans le magma de douleur qu'était devenue la figure du magicien. Là-dessus, le monde bascula tout autour de lui d'une façon incroyable. La place et la foule, les huées, les vestiges pathétiques recroquevillés sur les cadres, tout disparut, et il se retrouva contemplant une éblouissante cité d'or perchée au bord d'une haute falaise ourlée par les flots de la mer.

Seul Ki se tenait assez près pour entendre l'exclamation feutrée qu'exhala Tobin en basculant au ralenti par-dessus l'encolure de Gosi, et encore ne comprit-il pas le seul mot qui la composait, mot que Tobin allait lui-même oublier pour un bon bout de temps :

« Rhiminee ! »

Aucun des Busards, pas même Nyrin, ne s'avisa que parmi les cendres des suppliciés traînait un minuscule caillou noirci.

À vingt milles de là, sous cette même lune jaune, Iya, la tête appuyée sur une table de taverne, venait d'avoir le souffle aussi brutalement coupé par la vision des flammes incandescentes que la première fois à Ero. Les traits de ce condamné que la souffrance achevait de défigurer, elle les avait reconnus. Kiriar, c'était là

Kiriar de Guémiel. Auquel elle avait remis l'un de ses graviers-gages le fameux soir du *Trou de Ver*.

La douleur avait eu beau s'estomper très vite, Iya n'en demeurait pas moins salement secouée. « Ô Illior, pas lui ! » se lamenta-t-elle. En le torturant, les Busards lui avaient-ils arraché le secret de la petite bande de magiciens cachée sous leurs pieds mêmes ?

Elle reprit peu à peu conscience de l'atmosphère bruyante qui l'environnait.

« Vous vous êtes blessée. » C'était une drysienne qu'elle avait déjà remarquée vaquant dans les parages du temple à soigner les gosses du village. « Permettez-moi de vous panser, la mère. »

Iya baissa les yeux. La coupe de grès contenant le vin qu'elle avait commandé s'était fracassée dans sa main. Les éclats lui avaient entaillé la paume en travers de la cicatrice presque effacée qui commémorait son affrontement avec Frère le soir même où elle avait amené Ki au fort. Il en restait un bravement planté dans la chair tuméfiée juste au bas du pouce. Trop affaiblie pour répondre, elle laissa la drysienne nettoyer et bander ses plaies.

Cela fait, la femme lui posa la main sur le crâne et fit ruisseler en elle une énergie fraîche et apaisante. Des senteurs vertes de pousses neuves et de feuilles tout juste écloses grisèrent Iya. Une vivifiante douceur d'eau de source envahit sa bouche asséchée.

« S'il vous plaît de dormir cette nuit sous mon toit, vous y serez la bienvenue, Maîtresse.

— Soyez-en remerciée, Maîtresse. » Mieux valait

en effet coucher au foyer de Dalna qu'ici même, où il n'y avait que trop de fainéants curieux en train de la guigner comme une vieille folle pour ne pas rater sa prochaine crise. Mieux aussi de se trouver en compagnie d'une guérisseuse, au cas où se reproduirait l'abominable épreuve. Qui savait combien Nyrin risquait encore de brûler de magiciens, ce soir ?

La drysienne lui fit descendre en la soutenant un chemin de terre qui menait jusqu'à une petite chaumière, à la lisière du village, puis l'installa sur un lit moelleux près du feu. Sans que ni l'une ni l'autre ait demandé ou donné de nom.

À peine allongée, Iya se réjouit de voir les grandes frises de symboles protecteurs sculptées aux poutres du plafond d'où pendaient aussi des sachets de charmes. À Skala, Sakor pouvait bien être en guerre avec l'Illuminateur, le Créateur n'en continuait pas moins de veiller sur toutes choses impartialement.

En dépit de quoi la paix ne lui fut guère accordée, cette nuit-là. Pour peu que le sommeil la prît, elle se mettait à rêver de la sibylle d'Afra. La petite levait vers elle de luisantes prunelles blanches et parlait avec la voix de l'Illuminateur.

Il faut que cela cesse.

Et, au cours de cette vision, Iya se voyait invariablement tomber face contre terre aux pieds de l'Oracle en pleurant.

25

Arkoniel avait passé les mois écoulés depuis la visite d'Iya à scruter, plein d'espoir, la route de Bierfût. Aucun visiteur n'était venu de tout le printemps. Les feux de l'été brunirent la prairie, et toujours personne. Les seuls nuages de poussière qu'il aperçut au-dessus des arbres étaient soulevés par des fournisseurs ou des messagers de Tobin.

Ç'avait encore été l'un de ces étés bouillants de canicule ; la vallée de Bierfût elle-même, épargnée des années durant par les pires atteintes de cette sécheresse sempiternelle, en fut cette fois victime. Dans les champs, les récoltes séchaient sur pied, les agneaux et les veaux de l'année crevaient dans les prés. La rivière se réduisit à un ruisselet gargouillant, perdu dans des étendues fétides de plantes aquatiques mortes et de boue craquelée. Arkoniel en revint au port d'un pagne minimal, et les femmes vaquaient en simple chemise.

Une fin d'après-midi de Lenthin, il aidait Cuistote à arracher les derniers poireaux jaunis dans le potager quand Nari les interpella par une fenêtre du premier étage pour leur signaler qu'un homme accompagné d'un mioche montaient vers le manoir.

Arkoniel se redressa, frotta l'une contre l'autre ses mains malpropres. « Tu les connais ?

— Non, ce sont des étrangers. J'y vais. »

De la poterne, Arkoniel reconnut bien la large carrure et la barbe grise de l'individu qui marchait à côté de Nari, menant par la bride un cheval scllé, mais pas le garçonnet juché dessus parmi les bagages.

« Kaulin de Getni ! » cria Arkoniel en traversant le pont pour se porter au-devant d'eux. Cela faisait une dizaine d'années au moins qu'il l'avait vu recevoir d'Iya l'un des fameux petits cailloux. À cette époque-là, Kaulin faisait figure de loup solitaire. Son petit compagnon semblait avoir tout au plus huit ou neuf ans.

« Iya m'a dit que je te trouverais ici », dit Kaulin en lui serrant la main. Il lorgna d'un air goguenard le torse tanné de son jeune collègue et son pagne crasseux. « Aurais pas viré cul-terreux, des fois ?

— Par intermittence, rit Arkoniel. M'avez l'air d'avoir fait un rude voyage, vous deux. »

Kaulin avait toujours été du genre dépenaillé, mais c'était le gosse qui l'inquiétait, au fur et à mesure qu'il s'en rapprochait. Il paraissait en assez bonne santé, il était brun comme une châtaigne, mais dans ses grands yeux gris-vert obstinément baissés vers le garrot poussiéreux du cheval se lisait plus de peur que de timidité.

« Et ça, c'est qui, alors ? » demanda Nari en souriant au mioche.

Le mioche ne releva pas les yeux, ne répondit pas.

« Un corbeau t'a fauché la langue ? taquina-t-elle. J'ai à la cuisine du bon cidre au frais. Te dirait, un verre ?

— Ne sois pas grossier, Wythnir », le tança Kaulin en le voyant se détourner puis, l'empoignant par le bas de sa tunique en loques, il le déposa au sol comme un sac de patates. Le petit courut se réfugier derrière les jambes de son maître et se planta un doigt dans la bouche.

Kaulin le toisa d'un air renfrogné. « T'en fais pas, mon gars. Tu vas avec elle. » Wythnir ne bougeant pas plus qu'une borne, il vous l'attrapa par l'épaule et le dirigea vers Nari sans délicatesse superflue. « Fais ce qu'on te dit !

— Inutile de le brusquer », fit Nari d'un ton acerbe en saisissant la main de l'enfant, puis, à celui-ci, d'une voix radoucie : « Suis-moi, Wyinir. Cuistote a mis au four des merveilles de gâteaux, le plus gros sera pour toi, avec de la crème et des mûres. Ça fait une éternité que nous n'avons pas eu de garçon de ton âge à gâter.

— Où est-ce que vous avez croisé Iya ? s'enquérait cependant Arkoniel qui les suivait avec Kaulin. Je n'en ai pas eu de nouvelles depuis des mois.

— Elle nous est tombée dessus dans le nord voilà quelques semaines. » Kaulin extirpa du col de sa tunique une pochette d'où il fit tomber un petit caillou moucheté. « Paraît que c'est grâce à ça qu'elle m'aurait retrouvé. M'a conseillé de venir te rejoindre ici. » Après avoir parcouru du regard la cour bien propre des cuisines, il prit un air un peu moins revêche. « A prétendu qu'on y serait en sécurité.

— Nous ferons de notre mieux », répondit Arkoniel, non sans se demander ce que diable Iya comptait lui voir faire si les prochains à remonter la route étaient Nyrin et ses Busards.

À l'instar de tous ceux qu'elle devait finalement lui expédier, Kaulin avait eu en rêve des visions fugitives de reine émergeant du chaos. Lui aussi avait au surplus vu livrer des collègues magiciens aux flammes busardes.

« Ton maître refuse de révéler à quoi elle nous destine, mais si elle se dresse contre ces salopards en robes blanches, alors, on me verra à ses côtés », déclara-t-il quand, après le repas du soir, Arkoniel et lui furent allés s'asseoir dans l'ombre de la grande salle. Comme il faisait encore trop chaud pour supporter ne serait-ce qu'une chandelle, ils se contentaient pour tout éclairage d'un globe lumineux que le jeune magicien projetait dans la cheminée.

Cuistote avait fait un lit pour Wythnir à l'étage, mais il refusa tacitement de se laisser séparer de Kaulin. Arkoniel n'avait pas entendu le son de sa voix de tout l'après-midi.

Kaulin jeta un regard attristé sur le mioche qui dormait en boule à même les joncs. « Le pauvre... Eu que trop de motifs, ces derniers mois, de se défier des inconnus.

— Qu'est-il arrivé ?

— Nous sommes trouvés à Dimmerton, là-haut, vers la fin de Nythin dernier. Y avons fait halte dans une auberge où nous espérions gagner notre souper. Un jeune gaillard se montra particulièrement captivé par mes tours et me paya un pichet de bon vin. » Son poing se crispa rageusement sur son genou. « Du fort, et peut-être corsé par quelque chose d'autre, parce qu'ensuite me voilà te lui débagoulant que le roi, moi je trouvais, n'avait fait qu'entretenir et empirer toutes nos misères en bafouant l'Oracle d'Afra. Lui tellement

420

d'accord avec mes opinions qu'on se sépara bien copains mais, durant la nuit, une servante vint me réveiller pour m'avertir que nous ferions mieux de filer, parce qu'une bande arrivait pour nous mettre la main au collet.

« Je n'étais pas éméché au point de ne pouvoir repousser une meute de mouchards de magiciens soûls, mais qui les menait, figure-toi, sinon mon compagnon de beuverie ? Et maintenant vêtu de sa défroque de Busard. Il était seul de son espèce, louée soit la Lumière, mais il s'est quand même débrouillé pour m'offrir cette marque avant que nous n'ayons réussi à nous débarrasser de lui. » Il remonta sa manche, et Arkoniel vit qu'une cicatrice blême et froncée lui courait sur toute la longueur de l'avant-bras.

Le cœur lui manqua. « Vous lui aviez touché mot des visions ?

— Ça, risquait pas, c'est verrouillé tout au fond de mon cœur. Vous êtes les deux seuls, Iya et toi, à m'avoir entendu parler de... » Il hésita, jeta un coup d'œil furtif de tous les côtés. « D'*elle*. » Il rabattit sa manche et soupira. « Bon..., notre tâche va consister à quoi faire, ici, dis-moi ? Ero n'est pas si éloignée que les Busards ne risquent de nous retrouver...

— Je n'en sais rien, convint Arkoniel. À attendre et à assurer la sécurité de chacun des autres, je présume. »

Kaulin ne fit aucun commentaire, mais Arkoniel n'eut qu'à voir de quel regard circulaire il enveloppait les lieux pour se douter que ce vague plan de bataille n'était pas franchement fait pour le tranquilliser.

Installé plus tard à sa fenêtre, Arkoniel contemplait les miroitements de la lune sur la rivière. Kaulin était déjà parvenu tout à l'heure à mi-côte avant que quiconque se soit avisé de son arrivée. Le jour où les gens d'Orun étaient survenus en trombe afin de réclamer Tobin, lui-même n'en avait été averti que par la nuée de poussière au-dessus des bois, et cela leur avait à peine laissé le temps de prendre à la sauvette leurs dispositions. Or, voilà qu'avec le départ du petit prince s'étaient aggravées sa paresse et son incurie...

Et ce quand les motifs de se montrer vigilant s'étaient encore multipliés. Héberger des magiciens traqués par les Busards du roi était une entreprise autrement plus risquée que celle de garder un gosse que personne encore ne recherchait.

26

Durant les semaines qui suivirent les exécutions, pas un des Compagnons n'osa parler ouvertement de l'effrayante explosion de colère du roi ni du meurtre perpétré sur la personne d'un captif sans défense avec l'Épée de Ghërilain. Mais il en alla tout autrement de l'évanouissement de Tobin.

Erius avait été furieux qu'un membre de sa propre

famille gâche la cérémonie par une démonstration de faiblesse pareille. Et Ki eut beau s'empresser de souligner que si Tobin avait bel et bien failli vider les arçons, il n'était en définitive pas tombé de cheval et s'était déjà rétabli tout seul en selle lorsque lui-même était intervenu, le mal était fait, tout le monde avait vu. Et le Palatin, dès le lendemain, ne parlait d'autre chose, au moins sous main.

Les plus charitables avaient mis l'incident sur le compte de la jeunesse du coupable et du fait qu'il avait été élevé complètement à l'écart du monde, mais d'autres en jasaient avec beaucoup moins d'indulgence. Et si les Compagnons ne se risquaient pas plus à lâcher un seul mot de trop en présence de Korin qu'à venir ricaner sous le nez de Tobin, dans son dos, l'Alben et sa clique mimaient les fillettes pâmées, Ki les y prit plus d'une fois.

Mais le plus douloureux pour Ki était le silence têtu de Tobin avec lui. Il avait manifestement trop honte pour se confier, même à ses amis, et Ki se sentait d'autant moins le courage de l'y forcer que la crémation l'avait lui-même horrifié au point qu'il s'en était fallu de *ça* qu'il régurgite son dîner.

Mieux de ne rien dire et d'oublier tout bonnement ça pour l'instant, se dit-il enfin.

Vers la même époque, ils étaient tous les deux sur le point de pénétrer au mess quand de l'intérieur leur parvint aux oreilles un bout de conversation qui noua les tripes de Ki.

« Entre ça et la façon dont il a réagi à la mort de

Lord Orun ? » La voix, plus fielleuse que jamais, était celle d'Alben. Et de qui il parlait ne faisait pas l'ombre d'un doute.

Tobin s'arrêta juste avant de franchir la porte et se rabattit dos au mur pour écouter la suite. Ki mourait d'envie de l'entraîner pour lui épargner d'entendre un mot de plus, mais il se garda sagement d'essayer. Tobin était devenu blême. De l'endroit où il se tenait, Ki ne pouvait voir que la moitié de la pièce et quelques-unes des personnes qui l'occupaient. Le cul confortablement calé contre la longue table, Alben pérorait au profit d'Urmanis et Zusthra. Korin et Caliel ne devaient pas se trouver par là, gagea Ki, sans quoi l'autre petite ordure n'aurait pas osé parler de Tobin de cette façon.

« Oh, mais qu'est-ce qu'on en a à foutre, à la fin ? » gronda Zusthra, mettant par là du baume au cœur de Ki. Zusthra pouvait être un ours mal léché, il était juste, d'habitude. Seulement, ce qu'il ajouta massacra la bonne impression première. « S'il ne peut pas supporter de voir une bande de traîtres obtenir leur dû, il servira à quoi sur le champ de bataille ? »

C'en était trop. Ki se rua dans le mess, les poings serrés, prêts à cogner. « Vos gueules, vous ! » aboya-t-il, sans se soucier qu'ils soient des lords et lui-même un simple écuyer. Il aimait mieux prendre une nouvelle raclée que de laisser Tobin subir un mot de plus. Mais lorsqu'il jeta un coup d'œil en arrière, le vestibule était désert.

Il ressortit aussi sec sous l'œil décontenancé de Zusthra. Les autres, eux, rigolaient doucement.

Cette triste histoire se vit éclipser petit à petit par de nouveaux ragots et par des sujets d'inquiétude autrement plus sérieux.

En dépit de ses propos prometteurs d'Atyion, Erius persistait à refuser de les envoyer se battre. Chaque jour semblait apporter son lot de nouvelles fâcheuses, brigands terrorisant les villages par ici, par là pirates appareillant des îles afin d'attaquer la côte. Et pourtant, l'été touchait à sa fin que le roi n'avait toujours pas exaucé les supplications de son fils et consenti au baptême du sang qu'ils espéraient tous.

C'est peut-être à cause de cela que les aînés des Compagnons retournèrent plus assidûment à leurs plaisirs des bas quartiers, comme toujours sous la houlette de Korin.

Le retour du roi n'avait nullement amendé les penchants du prince pour la noce crapuleuse ou pour la beuverie. Selon Nikidès, par qui leur parvenaient tous les faits et gestes de la cour, Erius avait répondu aux rapports de Porion par un clignement d'œil et déclaré : « Laissez-le donc semer sa folle avoine, tant qu'il le peut ! »

À en juger d'après la fréquence avec laquelle Tanil se voyait réduit à coucher au mess ou dans l'alcôve d'écuyer vacante chez Tobin, Korin avait des quantités d'avoine à semer, et il finissait par en germer, de-ci de-là. Quelques nouvelles femmes de chambre se retrouvèrent de la sorte enceintes, mais on les bannit vite fait de la cour. Le nombre de bâtards qu'il avait pu avoir des putains du port n'était pas connu, des Compagnons du moins.

Malgré l'opprobre dont s'était couvert Tobin le soir de l'exécution, Korin lui manifestait toujours autant d'estime, ce qui ne l'empêchait nullement de sortir de plus en plus souvent la nuit avec sa petite bande en vous plantant là ses cadets.

Tobin s'apercevait-il de cette division croissante ? S'en souciait-il ? Il faisait en tout cas comme si de rien n'était, même avec Ki. Tandis que l'été déclinait vers un automne plus frais, lui et ses copains poursuivaient leurs exercices secrets d'escrime avec Arengil et les amazones d'Una.

Il s'en présentait presque tous les jours près d'une douzaine, mais la plupart, aux yeux de Ki, n'étaient attirées que par le plaisir de se travestir en garçons et la saveur de la clandestinité. Les seules à faire preuve d'une véritable adresse étaient d'ailleurs Una, Kalis, et une certaine Sylani.

En arrivant au rendez-vous avec Ki quelques jours après la célébration de son treizième anniversaire, Tobin trouva les filles en train de rire entre elles. Una rougit d'indignation quand l'une d'elles avoua l'objet de leur discussion : avait-il ou non l'âge légal requis des princes du sang pour se marier ?

« J'ai celui de me battre, et c'est la seule chose qui m'importe », riposta-t-il en s'empourprant jusqu'aux yeux. Il détestait qu'elles le draguent.

« Et toi, alors ? fit Kalis en faisant les yeux de velours à Ki. Tu as quinze ans. C'est assez vieux pour se marier, dans ma ville.

— Si ça te tente d'avoir un mioche pour mari, se

426

gaussa Arengil en écartant Ki d'un coup d'épaule. Et moi, dis ? Je pourrais être ton grand-père...

— Tu n'as pas tellement l'air d'être mon grand-père », rétorqua-t-elle en flattant la joue lisse de l'Aurënfaïe.

Aiguillonné par la jalousie, Ki s'efforça de ramener sur lui les attentions de la volage en réalisant une somptueuse fioriture à deux mains que lui avait enseignée Korin. « Si l'envie te prend jamais de savoir comment ça picote, une barbe, toujours pas lui qui te sera d'un grand secours. » Sa lame fusa vers l'épaule de Nikidès qui n'eut que le temps de se dérober.

«Faudra nous la réussir, cette botte, écuyer Kirothius», le défia Una d'un air moqueur. Elle n'ignorait pas qu'il avait un faible pour Kalis.

Ses progrès avaient époustouflé Tobin. Cela faisait moins d'un an qu'avaient débuté leurs exercices clandestins, et elle donnait déjà du fil à retordre à Nikidès. Elle n'admettait pas non plus que les autres garçons lui fassent quartier lorsqu'elle les affrontait. Quitte à devoir ensuite justifier telle crevasse à ses phalanges ou tels bleus dont elle avait écopé, elle arborait ses plaies et bosses avec orgueil.

À la regarder, là, face à Ki, lui revinrent en pensée la Grannia d'Atyion et les filles qu'elle y entraînait en secret, dans l'espoir du jour où une reine les appellerait aux armes. Combien y en avait-il de semblables dans toute Skala ? Et combien d'assez chanceuses pour servir au grand jour, comme Ahra ?

Il était au beau milieu de ces réflexions quand il

aperçut Nikidès qui, planté de l'autre côté du cercle, fixait quelque chose à hauteur des toits d'un air littéralement épouvanté.

Tobin se retourna juste à temps pour voir le roi surgir à moins de dix pas de là. Korin et Porion se trouvaient avec lui, et c'était ce petit salaud de Moriel, l'ennemi de toujours, qui menait le train. La tête que faisait Erius ne présageait rien de bon. En voyant Tobin, Korin secoua la tête, tandis que Porion lui décochait un regard cinglant.

Un par un, les autres s'avisèrent du genre de public qui leur survenait. Plusieurs des filles poussèrent un cri de consternation. Ki lâcha son épée puis mit un genou en terre. Arengil, Lutha, Nikidès et leurs écuyers s'empressèrent de l'imiter. Tobin fut incapable de bouger.

Erius vint en trois foulées se camper parmi eux et se mit à les dévisager tour à tour pour être sûr de se remémorer chacun de ceux qu'il châtierait ensuite. Et, pour finir, il apostropha durement Tobin :

« Qu'est-ce qui se passe ici, neveu ? »

Tobin se rendit bien compte qu'il était le seul encore debout, mais ses jambes refusèrent à nouveau de lui obéir. Il darda un coup d'œil rapide au fond des prunelles du roi pour y repérer les signes d'intempérie. Bien évidemment s'y lisait la colère, mais aussi l'ombre dangereuse d'une folie de vif-argent.

« Eh bien ? questionna Porion d'une voix bourrue.

— Nous... nous sommes juste en train de nous amuser », réussit-il enfin à bredouiller. Une réponse dont il perçut aussitôt lui-même tout le ridicule.

« De vous *amuser* ?

— Oui, Sire », fit une voix tremblante. C'était Una. Elle déposa son épée sur le sol devant elle comme afin de l'offrir au roi. « C'est juste un jeu pour nous amuser... à faire semblant d'être des guerriers. »

Du coup, c'est à elle qu'il demanda : « Et qui en a eu l'idée ?

— Moi, Votre Majesté, répliqua-t-elle du tac au tac. C'est moi qui ai demandé à To... au prince Tobin s'il consentirait à nous montrer comment ça se tient, les épées. »

Le roi se tourna vers Tobin, les sourcils froncés. « Est-ce vrai ? Vous montez jusqu'ici vous cacher rien que pour jouer ? »

Moriel jubilait ouvertement, là. Depuis quand s'était-il mis à les espionner ? se demanda Tobin avec plus d'aversion que jamais. Et qu'avait-il au juste déballé au roi ?

« Una m'a prié de lui apprendre, et je l'ai fait, répondit-il. Nous montons ici parce que son père désapprouverait. Et puis parce que nos aînés se moqueraient de nous voir nous battre avec des filles.

— Toi, Nikidès ? interrogea le roi. Tu as trempé là-dedans, toi aussi, et tu n'as jamais pensé à en avertir ton grand-père ? »

Nikidès baissa piteusement la tête. « Non, Sire. C'est ma faute. J'aurais dû...

— Parbleu oui, tu aurais dû ! tonna Erius. Et c'est du joli aussi, de votre part, ma jeune damoiselle ! » jappa-t-il à Una. Puis il retomba sur Tobin, les traits tordus par une rage grandissante. « Et toi, mon propre sang, qui prêchcs la sédition ! Si mes ennemis l'apprenaient, s'ils... »

Du coup, les genoux de Tobin consentirent enfin à ployer, et il se laissa tomber aux pieds du roi, persuadé que celui-ci allait le frapper. Mais c'est alors qu'il discerna du coin de l'œil une ombre mouvante, et une terreur sans bornes acheva de lui couper la respiration.

Frère se découpait contre le ciel, debout sur la corniche même par où le roi avait dû faire tout à l'heure son apparition. La distance n'empêcha pas Tobin de voir le meurtre inscrit sur la figure de son jumeau qui commença à s'avancer, droit sur le roi qui poursuivait sans se douter de rien ses véhémentes divagations.

Chez Orun, Tobin s'était trouvé trop stupéfié pour réagir. Cette fois, il joignit les mains devant sa bouche, tel un suppliant, et chuchota le plus nettement qu'il osa le faire derrière ses doigts la formule fatidique.

Frère s'arrêta pour le regarder fixement, les lèvres retroussées sur un grondement de rage silencieux. Il n'était plus qu'à quelques pas du roi, l'avait presque à portée de main. Sa fureur affamée se déversait sur les ardoises du toit comme une nappe de brouillard glacé, mais Tobin l'obligea à baisser les yeux tout en articulant du bout des lèvres un ordre muet. *Va-t'en. Va-t'en. Va-t'en.*

Il n'eut pas le temps de savoir si Frère avait obéi qu'Erius lui boucha la vue en s'avançant plus près.

« Qu'est-ce que tu me pleurniches là, sale garnement ? » questionna-t-il d'un ton de forcené.

Affolé de son impuissance, Tobin s'attendit à le voir tomber raide mort devant tout le monde.

« Tu es aussi sourd que muet ? hurla le roi.

— Non, Oncle », murmura-t-il. En déportant son poids si peu que ce soit, il parvenait à voir ce qu'il y avait juste au-delà.

Rien. Frère était reparti.

« Pardonnez-moi, Oncle, dit-il, tellement soulagé qu'il en devenait téméraire et irréfléchi. Je n'y ai pas vu malice, voilà tout.

— Pas *malice* ? Quand tu sais fort bien que je *défends* expressément de...

— On ne leur apprenait pas pour de bon, Sire, intervint Ki. On s'était juste dit que si on acceptait, on les aurait seules, et qu'elles se laisseraient embrasser. Parce qu'à part..., à part ça, il n'y en a aucune qui ait le moindre don. »

Tobin eut envie de rentrer sous terre en entendant ces belles assertions. Una devait bien comprendre qu'il ne s'agissait là que de mensonges éhontés, proférés dans le seul but de leur épargner les foudres royales, mais il se trouva dans l'incapacité de lui adresser le moindre regard.

« Il ment ! piaula Moriel. J'ai tout vu. C'est pour de bon qu'ils leur apprenaient.

— Comme si la différence, *toi*, tu savais la faire, avec ta gueule enfarinée, toutou de salon ! rétorqua Ki.

— Plus un mot, toi ! » jappa Porion.

N'empêche, Ki venait de tomber pile et de dire exactement ce qu'il fallait. Erius le considéra longuement avant de revenir à Tobin, l'esquisse d'un sourire aux lèvres. « Est-ce vrai, neveu ? »

Tobin baissa la tête de manière à s'éviter la vue de

toutes les filles présentes. « Oui, Onclc. Ce n'était qu'un jeu. Pour les avoir seules.

— Et les embrasser, hein ? »

Tobin se contenta d'opiner du chef.

« Ça, c'est du nouveau ! » s'écria Korin en s'esclaffant trop fort.

Son père éclata de rire. « Eh bien, là, difficile de t'en blâmer, neveu. Mais vous, petites, vous devriez avoir un peu plus de bon sens. Honte à vous ! Retournez chez vos mères, où est votre place, et n'allez pas vous figurer qu'elles ne sauront rien de vos petites frasques ! »

Au moment de se retirer, Una se retourna furtivement pour jeter un regard à Tobin, et le doute qu'il lut dans ses yeux le blessa plus grièvement que n'auraient pu le faire n'importe quels dires ou quels gestes du roi.

« Quant à vous autres... » Erius laissa la phrase en suspens, et Tobin sentit ses tripes se renouer. « Vous pouvez aller me passer la nuit au pied de l'autel de Sakor, à méditer sur votre imbécillité. Rompez ! Vous resterez là-bas jusqu'à ce qu'y arrivent les autres Compagnons, demain matin. »

Cette nuit-là, c'est plutôt sur son oncle que se portèrent les méditations de Tobin, et sur tout ce qu'il s'était lui-même une fois de plus laissé aller à oublier. Car en dépit des manquements successifs dont il avait déjà été témoin, il ne s'en était pas moins laissé abuser par les manières paternelles et par la générosité d'Erius.

432

L'apparition de Frère, aujourd'hui, avait une fois pour toutes rompu le charme, en lui brisant aussi le cœur. Elle prouvait en effet que, pendant au moins un moment, le roi, tout comme Orun, avait eu l'intention de lui faire du mal.

Mais ce ne fut pas cela, ni la punition, qui déclencha ses pleurs étouffés au plus noir de la nuit. Comme il se tenait là, à genoux, anéanti, vanné, tout ensommeillé lors même qu'il oscillait sur ses rotules endolories, la brise s'agita, l'odeur bizarre de la fumée qui émanait de l'autel d'Illior l'enveloppa, et il se rappela... rappela... rappela de quelle façon sa mère l'avait entraîné de force vers cette maudite fenêtre et avait tenté de l'attirer dehors pour qu'il accompagne sa chute mortelle. Il se rappela l'aspect qu'avait la rivière, ce jour-là, noire entre ses berges tapissées de neige. Elle était gelée sur les bords, et il s'était demandé si la glace allait céder quand il atterrirait dessus. Sa mère était en train de le faire tomber. Et il s'était mis à tomber, mais quelqu'un l'avait brusquement rattrapé, au tout dernier moment, et hissé dans la chambre à l'écart de la fenêtre et à l'écart du hurlement d'agonie de sa mère.

Et ce quelqu'un n'était autre que Frère. Mais pourquoi n'avait-il pas sauvé Mère – *leur* mère – aussi ? L'avait-il au contraire poussée dans le vide ?

Des sanglots lui montèrent à la gorge. Il lui fallut chaque once de sa volonté pour les ravaler. Or, à l'instant même où il se croyait sur le point de se couvrir à nouveau d'opprobre en s'abandonnant, la main de Ki trouva la sienne et la pressa. La peine et

433

la peur se retirèrent progressivement, comme le font les vagues à marée descendante, il ne se déshonora pas, et c'est hébété mais étrangement paisible qu'il accueillit le lever du soleil. Frère l'avait sauvé, ce jour fatal, au fort, et sauvé de nouveau chez Orun. Et l'aurait peut-être bien refait, la veille, si le roi n'avait pas finalement réussi à se maîtriser.

Lui besoin toi, et toi besoin lui, avait dit Lhel. Frère devait le savoir, lui aussi.

En retournant avec les autres au palais, plus tard dans la matinée, il apprit par Baldus qu'Una s'était évaporée durant la nuit sans laisser de trace.

À *paraître prochainement, chez le même éditeur, la suite de* L'Éveil du sang.

REMERCIEMENTS

Merci, comme toujours, à Doug, Matt, Tim, Thelma, Win et Fran de leur patience et de leur affection sans faille. A Lucienne Diver et Anne Groell, les meilleurs agent et éditeur que puisse souhaiter un écrivain. À Nancy Jeffers, Laurie « Eirual » Beal, Pat York, Thelma White et Doug Flewelling pour leur lecture, leurs commentaires et leurs encouragements pressants à persévérer. À Helen Brown et aux gentils membres du groupe-infos Flewelling sur Yahoo, plus fins connaisseurs que moi-même de mon travail. À Horatio C., Ron G. et Barbara R. – ils savent pourquoi. À tous mes amis de SFF.NET, de leur présence là, notamment à Doranna Durgin et Jennifer Roberson pour leurs conseils de dernière minute en matière de chevaux ; les erreurs que j'ai pu commettre me sont toutes imputables, puisqu'il m'aurait suffi de poser des questions.

*Composition et mise en pages réalisées
par Étianne Composition
à Montrouge.*

Achevé d'imprimer par GGP Media GmbH, Pößneck
en Juillet 2005
pour le compte de France Loisirs,
Paris

N° d'éditeur: 43185

Dépôt légal: Août 2005

Imprimé en Allemagne